AFGESCHREVEN

LISA ST AUBIN DE TERÁN

Het paleis

ROMAN

Uit het Engels vertaald door Anneke Goddijn

Meulenhoff Amsterdam

Oorspronkelijke titel *The Palace*

Copyright © 1997 Lisa St Aubin de Terán

Copyright Nederlandse vertaling © 1997 Anneke Goddijn
en J.M. Meulenhoff bv, Amsterdam

Omslagfoto Gianni Berengo Gardin

Foto achterzijde omslag Marcel Lelienhof

Vormgeving Zeno

Meulenhoff Editie 1596

ISBN 90 290 5309 7 / CIP / NUGI 301

1

Op een meidag in 1860 kwam de zon op, en wanneer die zich als een volledige cirkel door de fletse ochtendmist had geboord, zou ik, Gabriele del Campo, geëxecuteerd worden door het vuurpeloton. De bewakers haalden de mannen meestal op nog voor de maïspap de ochtendronde deed. Als we in onze cel het gekwak en gekletter konden horen, was iedereen weer vierentwintig uur veilig. Ze schoten voornamelijk mensen van hun eigen kant dood. Wij, de vijand, mochten wegrotten tussen de vochtige stenen muren en de uitdijende plassen viezigheid. Er werd weinig gesproken. Het leven was een sleur die in achterdochtig stilzwijgen was gehuld. Al onze heldhaftigheid leek te zijn teruggebracht tot schimmel en stille wanhoop. We overleefden in die vochtige omgeving als waterdiertjes in aangepaste vorm. In het gunstige geval, als er enig contact was ontstaan, leefden we als kikkers die over een moddersloot af en toe naar elkaar kwaakten. Als de deserteurs de papketel en de cipiers die eten uitdeelden hoorden naderen, staarden ze met doffe angstogen naar de glibberige vloer. Ze werden bij de ochtendronde naar willekeur aangewezen. Ze werden niet gewaarschuwd, zoals ik de avond tevoren.

Het eerste licht tekende zich af op de grauwe sluier buiten het tralievenster dat onze enige bron van licht en lucht was. Wat er van mijn wereld restte, had ik daar langs zien trekken. Het was een wereld van laarzen en schoenen. Niemand was ooit zichtbaar boven de knie. De manschappen en officieren, priesters en gevangenen werden allemaal gereduceerd tot marionetten zonder lijf; onthoofde poppen die zich schuifelend, lopend, marcherend of sluipend voortbewogen in een vergeten achterafgebied van de oorlog. Ik begreep niets van mijn straf, maar ik had ook niet bepaald geprobeerd de redenen ervan te doorgronden. Mijn winter van gevangenschap, het vocht, de kou, het komen en gaan van jongens in de cel – dat alles was altijd minder interessant dan de zure lucht van de lauwe slobber die we twee keer per dag aten. Mijn linkervoet was op negentien schakels afstand vastgeketend aan een kolonel die Vitelli heette en die in niets op de andere gevangenen leek. Als ik minder in de war was geweest, zou hij me misschien eerder zijn opgevallen, maar dat was niet gebeurd. Tot op de dag van mijn aangekondigde dood was alles onwerkelijk voor me.

Ik was ongevoelig voor gedachten en niet in staat de angst van de op elkaar gedrongen deserteurs te delen. Het eerste vermoeden van mijn noodlot werd niet gewekt door de voetstappen of het omdraaien van de sleutel, maar door de openbrekende lucht die me deed denken aan het grijze laken van mijn moeder. Ik zag voor me dat het versleten, rokerige stuk verstelde linnen door een toevallige vonk geschroeid werd toen het bij het vuur hing te drogen. Ik voelde haar ergernis over die aantasting van haar kostbare bezit. Toen kreeg ik een voorproefje van haar verdriet over mij, en dat bracht een scherpe pijn in mijn borst teweeg en benam me bijna de adem, waardoor ik niet kon reageren toen ik mijn naam hoorde. Hij werd opnieuw afgeroepen.

Dit is de kroniek van mijn wedergeboorte; het visioen van mijn leven na de dood. Als u uw aandacht een poosje aan me wilt toevertrouwen, zal ik u vertellen hoe ik de paradoxale wereld heb betreden. Ik zal u meevoeren vanuit de gevangenis waar ik vrij was om te dromen (en droomde om niet gek te worden) naar de vrijheid van de obsessie. Dergelijke termen zijn de woorden van anderen. Ik zal het in mijn eigen woorden vertellen, beginnend met wat mijn laatste nacht zou zijn geweest.

Ik lag in het donker op een rand van de stenen bank en kon niet slapen doordat mijn kuiten verkrampten van de kou. In mijn dorp zou het hooi voor de ezels allang zijn binnengehaald, en de gerst en maïs zouden bijna rijp zijn. De eerste tomaten zouden groen zwellen aan hun kwetsbare stengels en zich koesteren in de dagelijkse zon. Dit waren de maanden van droogte en hitte. Alleen deze heilige steen leek geen seizoenen te erkennen. Ondanks mijn vermoeidheid lag ik met mijn armen om me heen geslagen aan een vrouw te denken. Toen bespeurde ik een gevoelig moment; een kentering onder het ijs. Ik wist dat Vitelli ook wakker was. Als hij wakker was, trok hij nooit aan onze gemeenschappelijke ketenen; alleen wanneer hij sliep, trok hij me onbewust weleens naar zich toe alsof hij de kloof wilde verkleinen die ons, in weerwil van onze gedwongen intimiteit, altijd scheidde. Ik voelde dat zijn ogen knipperden en op de griezelige manier die hem eigen was het zichtbare en het onzichtbare registreerden. Vitelli dacht vast niet aan een vrouw; hij had iets jezuïtisch over zich wat daar te streng voor was. Hij was een man van denkbeelden en idealen. Ik dacht altijd dat we alleen de negentien schakels van onze ketting en onze situatie gemeen hadden. We waren beiden krijgsgevangenen, die gevangengezet waren door de Kerkelijke Staat. We hadden voor Garibaldi en de Roodhemden gevochten – ik voor het geld, hij voor zijn overtuiging. Nu deelden de meeloper en de kolonel een slaapplaats, waren samengebracht in de duisternis van de nacht, hun lichamen verenigd door de zware ketenen van de echt.

Donna Donatello, nooit wilde u uw zijden rokken voor me optillen. Nee, en u sloeg zelfs nooit uw ogen naar me op. Ik ben inmiddels tweeëntwintig; toen was ik nog maar een kind, maar ik heb altijd naar u verlangd. De vrieskou omstreeks nieuwjaar was niet erger dan de pijn die ik, ingegeven door mijn onwaardigheid, om u heb gevoeld. Voor u heb ik mijn tijd als gezel uitgediend. Ik heb mijn vingers tot op het bot opengehaald toen ik in steen leerde hakken. Ik ben nu bedrevener in het hakken van engelenvleugels dan menig handwerksman. Komt het doordat mijn herinneringen van zo lang geleden stammen of door mijn eigen falen te bestaan, dat u zelfs in mijn dromen uw rok niet wilt optillen? Ook ontbreekt het oranjebloesemwater dat u op uw onderrokken sprenkelde, terwijl ik aan een heimelijk vleugje al genoeg zou hebben gehad. Zelfs de zoom van uw japon lijkt met steen verzwaard.

Dus sloeg ik mijn armen om me heen en lag zo stil als een overmeesterde krankzinnige te wachten tot de zon door het tralievenster zou kieren en haar licht in mijn schoot zou werpen als plakken gouden polenta, zodat ik kon ontbijten met herinneringen aan thuis. Eerst de schroeivlek en daarna de reepjes zonlicht. Maar toen het nog halfdonker was, werd de grendel teruggeschoven en hoorde ik sleutels rinkelen. Er kwamen twee donkere gedaantes binnen. Ze versmolten tot één gestalte. Ik hoorde een stem door de cel schallen die van onder mijn voeten en onder de stenen banken vandaan leek te komen. Het was een stem zonder lichaam die mijn naam kende. De stem sprak de naam uit, deelde hem op in lettergrepen, sneed de draden door die me met mijn leven verbonden. Er viel een beschuldigende stilte toen ik 'present' had moeten zeggen. Ik voelde de spanning zich om me heen ophopen. Ik stelde me voor, maar kon niet zien dat de deserteurs gretig wegkeken, omdat ze in elk geval weer vierentwintig uur uitstel hadden gekregen. De kale zou wel op zijn rafelige mouw zitten kauwen om zijn vreugde te bedwingen. Ik had hem dat al zoveel ochtenden zien doen.

'Maak voort,' drongen de stemmen aan.

Ik merkte dat ik slaapwandelend over de koude vloer liep. De ketting aan mijn been trok, maar kon me blijkbaar niet tegenhouden. Na een korte hapering liet hij me gaan. Een por in mijn zij met het geweer van de bewaker maakte dat ik het wilde uitschreeuwen. Mijn voeten bewogen, en zelfs de ketting wilde niet met me meekomen. Ik werd beschenen door het omfloerste licht waar ik op had gewacht. Ik stuntelde met mijn laarzen en boog mijn hoofd om de tranen te verbergen die ik voelde opwellen.

'Laat die laarzen maar achter, jongen,' zei een bewaker niet onvriendelijk. 'Laarzen zijn schaars.'

Hij kwam op zijn hurken naast me zitten; zo dichtbij dat ik zijn pet tegen mijn pols voelde toen hij de beenijzers van mijn enkels losmaakte. Ik zette mijn laarzen, met hun lange veters die als ingewanden uit hun gapende gaten stroomden, netjes onder de granieten bank. Ik vroeg me af wie de volgende zou zijn die ze droeg, en of hij, net als ik, zijn leven zou vergooien. Ik probeerde iets op te maken uit mijn tweeëntwintig levensjaren, maar ze vergingen als ragfijn weefsel onder mijn trillende vingers.

Mijn lichaam bleef in elkaar gedoken op de stenen bank zitten, maar mijn geest begon door de verlichte hoeken van de cel rond te sluipen, op zoek naar resten van het ragfijne weefsel dat ik was geweest, of had kunnen zijn. De stem joeg me op, voerde me weg voor ik zelfs maar tot bestaan was gekomen. Ik bespeurde de aanwezigheid van Donatella als volwassen vrouw en als kind. Ik wist dat ze me niet kon zien; voor haar bestond ik evenmin als voor mezelf. Ik was nog onzichtbaarder dan een spin die zich terugtrekt in zijn web. Eén keer, en niet vaker, had ze naar me gelachen, en terwijl de twee bewakers me overeind trokken, hervond ik die lach van zoveel jaar geleden.

Het bood me echter geen troost; het bracht zo'n onverwacht verdriet teweeg dat ik me ineens naakt en kwetsbaar voelde. Mijn ogen prikten van schaamte en spijt. Donna Donatella, als ieders ogen zo blind als de uwe konden zijn voor mijn hopeloze toestand, dan zou ik tenminste onopgemerkt kunnen wegsluipen uit dit oord en zouden mijn angsten en verlangens verborgen blijven.

Vitelli, de kolonel, zou nu zijn masker wel hebben opgetrokken: die mantel van ik-weet-niet-wat om zijn naaktheid te bedekken. Hij zou wel weten hoe je uit deze cel naar het vuurpeloton moest lopen en die lach kon behouden. Hij zou vast niet alleen door zijn oude moeder gemist worden. Zou mijn moeder me missen? Als ze Vitelli doodschoten, doodden ze meer dan een lichaam. Ik besefte dat hij geheimen had, honderden geheimen die hij voor zichzelf zou houden en meenemen in zijn graf. Als de tijd kon verstenen, zou ik teruggaan om met hem te praten en naar hem te luisteren in een poging iets van het mysterie te doorgronden. Ik drukte mijn handen tegen mijn gezicht in een poging mijn tranen terug te dringen. Een vuist of een geweerloop porde me voort toen ik zijn stem, de stem van Vitelli, om me heen hoorde zweven.

'Kom gauw terug, vriend, ik zal op je wachten.'

Merkwaardige woorden tegen een ter dood veroordeelde; toch hoorde ik ze dankbaar aan en door de impliciete boodschap ervan wist ik een masker op te trekken. Mijn voeten bewogen zich weer voort en mijn ogen waren droog. Ik haastte me zelfs door de lage gang. Ik was bereid daarheen te gaan waar die bewakers me naar toe voerden en ik zou doen wat gedaan moest worden, en daarna moest ik terug naar kolonel Vitelli. Het is niet goed om een vriend te laten wachten.

Buiten stond de zon al aan de hemel. Het was warm, zo warm dat ik mijn ogen wilde sluiten, maar die waren opengesperd als de verstarde ogen van een overleden kind. Het vuurpeloton schuifelde rusteloos met de voeten. Toen twee soldaten naar voren kwamen met een eind touw, hoorde ik sommigen van hen mompelen.

Ik wilde niet meer genegeerd worden, ik wilde opgemerkt worden en was teleurgesteld toen tot me doordrong dat het gemompel alleen voortkwam uit onvrede over het wachten. Mijn handen werden door het touw strak tegen versplinterd hout aan getrokken. De muur achter me was roze en net zo pokdalig als de wang van een oom van vaders kant. Met oud en nieuw en Pasen kwam hij bij ons thuis, deed schamper over onze gastvrijheid en bezag onze povere voorraden met waterige ogen, terwijl hij onze wijn dronk en tegen zijn snotterende grappaneus tikte. Zio Luciano, het enige welvarende lid van onze familie, zat dan in ons midden, geïsoleerd door zijn succes. Ik moest zijn wangen kussen, zijn pokdalige gezicht aanraken en zijn vieze adem ruiken in de hoop dat hij 'iets voor me zou doen'. Zio Luciano, voor Jan en alleman verloren door zijn trots, maar nooit in staat zich helemaal los te maken van de aantrekkingskracht van kastanjebrood en de rokerige walm van een arbeiderskeuken. Gedoemd, ik was gedoemd om zo dadelijk tegen een reusachtige uitvoering van zijn gehavende roze huid geduwd te worden, er voorgoed tegenaan gedrukt te worden, onlosmakelijk met mijn droge lippen tegen zijn kleffe wang geperst te worden.

Gehaast kwam er een priester met een grote neus op me aflopen, die eruitzag alsof hij net zijn bed was uitgejaagd. Zijn lippen raffelden binnensmonds het laatste sacrament af in een tempo dat niets met mij te maken had. Ik probeerde een paar woorden van gebed uit te spreken om het gebrek aan troost van zijn woorden te vergoeden, maar zelfs in mijn hoofd klonken de woorden hol. 'Bid voor ons zondaars, nu en op ons stervensuur.' Wie waren dat: ons? Ik was alleen, en ik had dat zinnetje al zo vaak gefluisterd, met evenveel onverschilligheid als de vogelachtige priester, dat de woorden geen betekenis meer hadden en geen troost meer boden nu mijn stervensuur was aangebroken.

Ik wilde niet doodgaan. Ik wilde niet dat ik niet had geleefd. Er groeide lavendelblauwe wikke in het gras op de binnenplaats. Het gras en de kinderhoofdjes waren koel aan mijn blote voeten. Er kwam een soldaat met een doek die hij voor mijn ogen wilde binden. Ik rolde mijn hoofd van de ene naar de andere kant, en toen ging hij weg. Toen bespeurde ik een eerste sprankje belangstelling. Hij zal hebben gedacht dat ik de blinddoek uit trots of moed weigerde. Ik kon het niet opbrengen om iets zeggen, maar ik vreesde de aanraking van een hand op mijn gezicht, zelfs de ruwe hand van een vreemde. Het zou me hebben doen denken aan de ruwe handen van mijn moeder op mijn huid, voorgoed tegen mijn voorhoofd gelegd.

Die ochtend was de dood een woord met weinig betekenis. Het was iets wat buren overkwam, pasgeboren baby's, broers en zusters, en soldaten met een minder fortuinlijk lot dan het mijne. Ik had doden gezien die waren opgebaard met bloemen, en doden die in greppels waren achtergelaten. Voor mij was het echter slechts een woord, als een vonkje in een tondeldoos dat mijn povere herinneringen opwekte, of een spaander die ze aanwakkerde. Een lach, een aanraking – niet genoeg om troost te bieden aan mijn verlamde geest. De priester was ervandoor en stortte zich op een andere zondaar. Mijn voet had een stengel van de wikke vertrapt en had de lila bloemblaadjes gekneusd. Ik voelde een plotselinge tederheid en keek op of ik een soortgelijk gevoel kon aflezen aan de soldaten die voor me stonden opgesteld. Ik voelde me niet meer onzichtbaar, zelfs niet blind. Er roerde zich iets in mijn bloed waardoor mijn zintuigen zich voor de wereld openden.

Ik zag de twee rijen zwarte ogen, de ogen van onbekende meisjes die wachtten tot ze ten dans gevraagd zouden worden. De ronde, zwarte, uitdrukkingsloze ogen die soms uit winterse gezichten keken. In de verte hoorde ik in een poel kikkers kwaken. Mijn handen schuurden met de rug langs de ruwe stof van mijn broek. Ik slikte een vieze smaak van mijn tong weg. Ergens achter de muur moest weelderige brem groeien. De ogen keken hoopvol, ongeduldig.

'Vuur!'

Ik herinner me dat er iets met de kracht van een waterval op mijn hart drukte. Er was een tumult in mijn borst dat ik ten onrechte voor de dood hield; maar het moment verstreek, en een andere borst, die van een officier, stond vlak voor de mijne. Ik rook een wolk van cordiet. Ik voelde een kortstondige vervoering. Dit is de genadeslag, dacht ik; dit is het dan. Maar hij pakte me bij mijn haar, hief mijn hoofd op, keek me aan en liet me los. Er werd geen woord gezegd. Achter hem was het peloton aan het kwetteren als een zwerm spreeuwen, tot een nieuw bevel het deed inrukken.

Dat was mijn wedergeboorte en mijn eerste dood. Wat de redenen voor zo'n schijnexecutie kunnen zijn geweest, weet ik niet. Het zou louter een gril van het garnizoen kunnen zijn geweest, want het is moeilijk aan te nemen dat dit op bevel van het Vaticaan gebeurde. Ik had toen nauwelijks van Zijne Heiligheid, de paus, gehoord, dus hoe kon Zijne Heiligheid van een gevangengenomen soldaat, zo onbeduidend als ik, hebben gehoord?

Het kan evenmin als hulpmiddel bij mijn ondervraging zijn bedoeld. Er was me maar weinig gevraagd. Het was van meet af aan duidelijk dat ik Giuseppe Garibaldi had gediend en aan de kant van de opstandelingen had gevochten: ik had mijn armzalige uniform om het te bewijzen, mijn gestreepte rode hemd. Was er iemand rijk genoeg om losgeld voor me te betalen? Toen ik ontkennend antwoordde, schudden ze hun hoofd en zeiden dat het des te spijtiger was. Ons dieet was speciaal bedacht voor armen en onterfden; recepten om het geheugen af te pijnigen om te zien of er niet een neef, peetoom of begunstiger was die kon worden bewogen medelijden op te vatten voor een uitgehongerde gevangene. Het kon het kruit dat gebruikt was niet waard zijn geweest om mij door een schijnexecutie geheimen te ontfutselen. Ik was nog maar een jongen, en hoewel ik een handwerksman was, was ik zo duidelijk van boerenafkomst dat de bewakers van mij geen buit konden verwachten om onderling te verdelen. Wat geheimen betreft had ik alleen mijn liefde voor Donna Donatella en de namen van een paar meisjes die me in de bossen om Urbino gunsten hadden verleend.

Ik werd dus wedergeboren door middel van een zinloze truc. Toen ik uiteindelijk naar mijn cel werd teruggebracht, was ik niet alleen mijn angst, maar ook mijn onverschilligheid kwijtgeraakt, en ik besloot me nooit meer aan dergelijke tijdverspilling over te geven. Ik zou kolonel Vitelli vragen me alles te leren wat in zijn vermogen lag. Ik had al geleerd hoe ik muziek uit een blok steen kon opwekken, hoe ik een hals zo kon vormen dat mensen onwillekeurig hun hand uitstaken om hem te strelen, hoe ik gezichten kon maken die een blik urenlang konden vasthouden. Ik kende de anatomie van steen, en weinig anders. Nu zou ik de stukjes en beetjes van Vitelli's onderricht samenvoegen als de brokstukken van een standbeeld, tot er een nieuwe man was ontstaan.

Daaruit bestond mijn leven in de mij resterende tijd in die Vaticaanse gevangenis. Imolo Vitelli werd mijn vriend en leermeester. Ik nam zijn manier van doen over, zijn wijsheid en zijn ijdelheid. Ik leerde eten met zijn zilveren bestek, en ik leerde een andere taal dan de mijne spreken en verruilde mijn met Urbino vermengde Eugubino-accent voor het Toscaans.

Mijn hoofd stroomde vol met deze nieuwe kennis. Ik werd me bewust van alles en iedereen om me heen. Aan de ene kant was ik vastgeketend aan Imolo Vitelli; aan de andere kant aan mijn eigen gevoeligheid. Vitelli vertelde me over zijn denkbeelden en zijn hoop op een verenigd Italië. Hij vertelde me over een nieuw Italië, gegrondvest op Onafhankelijkheid, Eenheid en Vrijheid. Hij vertelde over de Oostenrijkse indringers en de noodzaak hen te verjagen. Hij vertelde over Mazzini en Cavour, maar vooral over Garibaldi zelf, die hij vereerde. Garibaldi, voor wie Italië op de eerste en de laatste plaats kwam.

Vitelli vertelde me ook iets over zijn eigen familie, de markiezen van Bourbon, de graven en de latere hertogen van Gravina. Zij waren grotendeels trouw gebleven aan koning Karel Albert en onderschreven diens godsdienstige overtuiging, zodat er een scheiding tussen hen was ontstaan, maar Vitelli ging liever in op Byron en Foscole, de opkomst van de Beweging, zijn eigen denkbeelden over het verleden en zijn hoop voor de toekomst. Hij vertelde me waarvoor ik had gestreden en voor wie. Ik hoorde over de tirannie van de Oostenrijkers, en over de poging tot opstand van 1848 en de vlucht naar Zuid-Amerika. Vitelli bestookte me niet met een salvo van losse flodders, maar met echt streven en echte verlangens. Ik wilde niets liever dan met hem terugkeren naar de strijd, ervan overtuigd dat het beter was te sterven voor de vrijheid dan te leven als een slaaf. Zulke dromen werden echter getemperd door een portie maïspap en koolsoep, en door het kleine tralievenster, dat alleen uitzicht bood op een wereld vol laarzen.

Soms, als ik me zo levenslustig en zo opgesloten voelde, werd ik belaagd door wanhoop. Aanvankelijk had ik geen wapen om dat gevoel mee te bestrijden. Het drukte op me als een plaat graniet. Ik kon er net zomin met mijn hoofd en vuisten doorheen breken als dat ik zonder gereedschap een stukje uit een blok Carrara-marmer kon slaan. Op zulke momenten was het advies van Vitelli noch de herinnering aan Donatella voldoende om te verhinderen dat ik verdronk op het droge.

Stuk voor stuk werden de deserteurs uit ons midden weggehaald en tegen die muur doodgeschoten. Er waren twee mannen en een jongen die zich zorgen maakten over hun oogst en hun gezin. Als ik het voorgaande jaar een van hen in een loopgraaf was tegengekomen, zou ik hem met mijn bajonet hebben neergestoken zonder hem nog één blik waardig te keuren. Nu ik een winter en een zomer met hen opgesloten had gezeten, zag ik in dat als er al een echte vijand bestond, zij daar niet toe behoorden. De mannen van het pauselijke leger die deserteerden om voor hun gewassen te zorgen en hun gezinnen te onderhouden, waren geen vijanden van me, evenmin als de andere deserteurs – degenen die waren aangestoken door Garibaldi's retoriek en die hun leven voor de vrijheid hadden gegeven. Bij een ieder die werd weggevoerd, kreeg ik het vermoeden dat slavernij toch nog niet zo slecht was geweest. Als ze tegen de muur stonden, wilden velen liever een levende slaaf zijn dan een dode idealist. Waren degenen die tegen de Roodhemden vochten dan echt anders dan die bange jongens, of dan ik? Er waren zoveel deserteurs met hun heimelijke sympathieën en hun heimelijke driekleur. De paus verleende geen absolutie aan degenen die op heterdaad waren betrapt. Biechten was aan de orde van de dag, maar vergiffenis was tijdelijk geschrapt uit het onzevader. Gebeden vielen op de keien als een fijne motregen, en telkens wanneer er blote voeten langs onze tralies liepen, verviel mijn hoop tot as.

In gedachten probeerde ik een engel uit te hakken om hun kletsende voetstappen, hun gejammer en het doffe gedreun van doodskistnagels die in provisorische deksels werden geslagen buiten te sluiten. Was ik vroeger in staat geweest een vredig gezicht in steen uit te hakken, nu kon ik alleen een gelijkenis maken, en die had zo weinig engelachtigs, dat het me met afschuw vervulde. Telkens wanneer ik in gedachten de achthoekige greep van een denkbeeldige beitel pakte en begon te werken, staarde de gevangenispriester, de vogel met de grote snavel – het slechte voorteken – me uit mijn blok steen aan. Ik stelde me voor hoe hij zijn zogenaamde gebeden zou hebben afgeraffeld voor mijn celgenoten die waren gestorven, en dan huiverde ik om hunnentwille. De engel zou mijn eigen gebed zijn geweest, en iets om mijn verstand te behouden. Maar mijn hoofd was een troosteloos oord en even onvruchtbaar als de kale heuvels van de markies. Tot ik er ging bouwen, nestelden er alleen gieren.

Het paleis begon als een eenvoudige, gewelfd vertrek, dat in evenredigheid met mijn depressie groeide. Het begon als een oefening om mijn geest van zijn melancholie af te houden, later werd het een droom en een noodzaak. Er wordt gezegd dat alle grote forten in oorlogstijd verzwakt of verwoest worden. Er wordt gezegd dat gebouwen altijd onder de dwaasheden van de mens te lijden hebben. Als dat het geval is, heb ik een andere natuurwet overtreden, want ik heb in gedachten een tempel gebouwd met uitgehouwen stenen en met specie uit die gevangeniscel. De trapportalen waren zo verheven als een kathedraal, en de welving van de vensters was zo vloeiend als een boog. De gangen waren als de kronkelwegen van mijn eigen hersenen.

Wanneer ik eraan twijfelde of ik die vochtige cel ooit zou verlaten, sloeg ik opnieuw de ontwerpen open (die helemaal in mijn hoofd waren getekend en uitgemeten) van de keukens tot de koepel, en dwaalde ik door het paleis dat ikzelf had bedacht, waar tirannie noch onwetendheid bestond. Niemand die erlangs loopt,

blijft onberoerd door de schoonheid ervan. Zelfs Donna Donatella zou haar prachtige ogen opslaan om de gevel te bewonderen.
Ik stond zelf verbaasd over mijn creatie.

Er was een kamer voor iedereen die iets vriendelijks tegen me
had gezegd, van de oude Nicola, die me liet zien waar de beste *porcini* in het bos verscholen zijn, tot aan Taddeo, de vriend uit mijn
jeugd. Er was een kamer voor mijn oude meester die me leerde
om de stemmen in de steen te horen en er vorm aan te geven. Hij
was een meesterhandwerksman, die in Gubbio was geboren en
van de curie naar Urbino had moeten verhuizen. Hij had een
kamer die even rijk bewerkt was als de graftombe die hij voor kardinaal Lerici had gemaakt. Er was een kabinet voor mijn zio
Luciano, met kastanjehouten panelen waarin duizend laden ver-
nuftig zijn weggewerkt; plekjes om zijn munten en zijn grappa te
verstoppen. Er waren kamers voor al mijn lievelingshonden,
maar geen stallen; er zullen geen hoefafdrukken op mijn vloeren
komen. Er waren kamers waar mijn moeder haar zieke zusters
kon onderbrengen. En kamers voor de vier meisjes die me gunsten verleenden, en kamers voor degenen die hun beloften nog
niet waren nagekomen. De deserteurs uit de Kerkelijke Staat hebben er allemaal een rustplaats. Maar de mooiste, meest sublieme
vertrekken waren voorbehouden aan Donna Donatella. De dagen
waren lang, en de nachten nog langer, maar de waslijst van details
en ornamenten voor mijn paleis overtrof alles.

2

Het donker is een zachte stenen trap. Het donker is een Etruskische graftombe met laag na laag van aflopende vochtige tufsteenblokken. Donker is met een uitgedoofde kaars niet verder kunnen op de smalle trap, terwijl ik de brokkelige tufsteen tegen mijn haar voel raspen en kruimelen. Het is je een weg banen door duizenden jaren bedompte lucht en je tastend een weg zoeken naar het laagstgelegen vertrek en de beenderen. Mijn leermeester heeft me allerlei graftombes ingestuurd. Hij gaf me een por met zijn stok en dwong me de onderwereld in te gaan met een stompje kaars als troost. Wanneer dat licht het liet afweten, zoals steevast gebeurde, moest ik kiezen tussen zijn woede en het pak slaag dat, naar ik wist, zou volgen als ik niet verder afdaalde, en mijn angst voor het donker. Er waren graftombes, zei hij, waar gouden harnassen, schilden, bokalen en juwelen waren gevonden. Er waren graftombes, zei hij, waar een jongen zo klein als ik zijn weg kon vinden door afbrokkelende tufsteen en schatten kon ontdekken die mijn meester een rijk man zouden maken.

Ik was echter bang voor het donker en bang voor de beenderen. Zelfs wanneer de gangen niet vol lagen met puin en zand, was ik banger voor die duisternis dan voor mijn leermeester.

De muren in onze gevangeniscel waren vochtig en de lucht was muf, en soms was die duisternis overal, binnen en buiten. Die slikte ik weg met de kwalijk riekende lucht van de gemeenschappelijke emmer die overliep en stonk. Dat gebrek aan licht kroop mijn oren in als een stroom trage mieren en dempte alle geluiden tot de zwevende duisternis van de nacht.

Dan werd er in de gevangenis alleen maar gewacht: niet gewacht op vrijkomen, maar gewacht tot de nacht ten einde zou zijn, tot de duisternis zou wijken. Tijd is bedrieglijk in de nacht en laat zich niet meten. Tijdens een goede nacht kon ik de tijd afmeten aan de gevoelloosheid van mijn voeten. Het gewicht van mijn ketenen maakte dat het gevoel in mijn voeten wegtrok met de regelmaat van een luidende klok in een klokketoren. Uur na uur vroegen de twee levenloze klompen die mijn benen met me deelden mijn aandacht. Ze wekten me om verzorgd te worden, wat ik deed met de zorgzaamheid van een oudere broer, nu eens de ene, dan de andere iets verleggend en het beenijzer verschuivend om het bloed vrijer te doen stromen.

Er waren kwalen genoeg in onze cel: zweren en schaafwonden, hoestbuien en koorts. Mannen verloren hun haar bij bosjes tegelijk en leken dat net zo te betreuren als de vrijheid die ze verloren hadden. Tanden gingen vanzelf loszitten, vielen uit en lagen in de slijkerige laag op de grond. Vitelli had af en toe last van heftige koortsaanvallen, waardoor hij in zijn slaap mompelde en ijlde. Van alle gevangenen was ik de gezondste, want ik heb nauwelijks een dag koorts gehad. De anderen verzwakten, maar ik gedijde als een landkrab die zich te goed doet aan de overblijfselen van een veldslag. Ik floreerde in die graftombe vol levende beenderen. Wat zou mijn leermeester gezegd hebben als hij me had kunnen zien? Na zoveel mislukte afdalingen zat ik uiteindelijk opgesloten in een vertrek vol beenderen.

Hoezeer de anderen in de cel ook leden, ze leken minder last van hun ketenen te hebben dan ik. De roestige enkelboeien schuurden bij hen zeker minder. Vitelli en ik bespraken de schaafwonden en korsten die om mijn enkels zaten. Hij kwam met suggesties die mijn schaafwonden verlichting konden bieden en die de zwelling konden verminderen. Hij zorgde er altijd voor dat hij nooit aan onze gemeenschappelijke ketting rukte, en daarnaast ontstond uit zijn bezorgdheid over mijn verbannen voeten een vertrouwelijkheid waardoor de kern van zijn ziel in de mijne overvloeide.

Toen ik na mijn schijnexecutie terugkeerde naar mijn cel en een bewaker me in de boeien sloeg, zei Vitelli: 'Die wandeling zal ze goed gedaan hebben. Ze hebben het meest te lijden door het gebrek aan doorbloeding en er gaat niets boven een wandeling om dat te verhelpen.'

Tijdens mijn schuifeltocht van de binnenplaats naar de cel had ik in mijn lichaam vanaf de knieën een vreemde verdoving gevoeld, terwijl mijn voeten tekeer waren gegaan alsof er twee zakken vuurwerk waren ontstoken in talloze vlammende explosies. Bij wijze van afscheid had de bewaker me mijn laarzen toegeworpen. Ik boog me over ze heen, worstelend met de veters voor ik mijn voeten weer kon opsluiten, toen Vitelli opnieuw sprak. Spreken was in onze cel niet gebruikelijk. Woorden kregen daardoor een grotere betekenis, en zelfs de eenvoudigste woorden balden zich samen met een kracht die ik niet kon definiëren. Door zoveel salvo's van observatie op mijn voeten af te vuren, die de neutrale derde partij waren, ontspon zich een gesprek, en elke zin smeedde een nieuwe schakel in een keten, die zo lang was dat hij me een vrijheid verleende waar ik nooit van had gehoord of gedroomd.

'Ik zou die laarzen maar een dag of twee uit laten,' zei Vitelli op zo'n zachte toon dat het me vermurwde. 'Die derrie op de grond is smerig en gevaarlijk en zal infectie veroorzaken als die ook maar in de buurt van je schaafwonden komt. Droog je voeten en zet die laarzen uit je hoofd tot die twee zich hebben hersteld.'

'Ze doen alsof ze deserteurs zijn,' zei ik tegen hem met mijn zware accent, waarop hij glimlachte en het woord op soortgelijke wijze nazei in zijn eigen taal.

'Niemand hier zou zijn laarzen uit willen laten; blote voeten zijn de voorboden van het vuurpeloton. Hier betekenen blote voeten ongeluk. Maar jij, soldaat, hebt vandaag laten zien dat de goden je welgevallig zijn. Je hebt de dood getrotseerd en hebt het overleefd, zodat je je misschien blote voeten kunt permitteren en de weinige lucht die er is bij je schaafwonden kunt laten komen.'

Vitelli praatte maar door, wiegde me in zijn monoloog, liet me deinen op de verfijnde, zachte klanken van zijn stem en zette me over van het land van doffe stilte naar de kust van een nieuwe wereld. Hij besprak de ligging ervan met me en bracht het terrein in kaart. Het was of onze donkere cel met sterren werd gevuld en mijn leermeester, in een van zijn spraakzame buien, een jongere en elegantere gedaante had aangenomen en zijn zware, brommerige stem zachter was geworden om me met de gedrevenheid van een stervende man te gaan onderrichten. Ik werd niet meer de duisternis in gejaagd en daar bevend aan mezelf overgelaten om voor een ander een onbekende graftombe te plunderen.

Hoewel we maar negentien schakels van elkaar verwijderd waren, had ik tot mijn terugkeer nooit opgemerkt dat Vitelli in onze vunzige cel op een eiland leefde. Niet alleen had hij meer bezittingen dan wie dan ook, maar hij had er meer dan ik ooit had gezien: meer dan het gereedschap van mijn meester en meer dan de uitzet van mijn moeder. Ook hield hij de ruimte om zich heen, hoe klein die ook was, schoon en netjes. Het was me ook niet opgevallen dat een bewaker een keer per dag de vieze bundel twijgen bij Vitelli's voeten weghaalde en verving door een verse mat uitgestrooide twijgjes lavendel en rozemarijn, wikke of grashalmen.

Zijn boeken en siervoorwerpen en instrumenten waren als relikwieën om hem heen uitgestald. Ik zag ook dat zijn plaats zich niet bij toeval, maar met opzet onder het enige, kleine venster bevond. Ik was zo fortuinlijk zijn lucht met hem te delen, maar het was zijn fortuin dat hem, en later ook ons, in onze cel vele kleine voorrechten opleverde. Naar het scheen had Vitelli geweigerd op borgtocht te worden vrijgelaten. Dit had de woede opgewekt van de mensen die ons gevangen hadden gezet en korte tijd hadden ze hun adellijke gevangene mishandeld. Ze hadden hem zijn zegelring en zijn gouden ketting afgenomen, evenals alle andere waardevolle spullen uit zijn persoonlijke bezittingen, en lieten hem een minimum aan troost in de vorm van boeken en instrumenten die zij waardeloos achtten en die hij als onmisbaar voor zijn overleven beschouwde.

Het duurde echter niet lang voor ze tot het inzicht kwamen dat de gevangene Vitelli voor goud kon worden geruild. Met dat doel moesten ze hem voldoende mishandelen om zijn huidige verblijf zo onaangenaam te maken dat hij zou zwichten en borgtocht zou aanvragen. Ze wisten echter dat de ontberingen niet tot zijn dood mochten leiden, want als ze hem verspeelden, zouden ze ook hun beloning verspelen. Aan dit fijne evenwicht dankte Vitelli de aromatische kruiden onder zijn voeten, zijn strokussen, zijn grove stuk zeep, af en toe een emmer bijna vers water en de onaangekondigde toevoeging van aardappelen, wortelen en soms een kippevleugel aan zijn kom koolsoep. Sinds mijn terugkeer van de dodenplaats liet Vitelli me niet alleen in gesprekken delen, maar deelde hij ook zijn kleine voorrechten met me en, uiteindelijk, zijn voorraad bezittingen.

Een heel jaar lang gaf Vitelli me onderricht en hij zei dat ik meer vorderingen maakte dan hij ooit had durven hopen. Door de onafwendbaarheid van de dood hongerde ik naar kennis en nieuwe ondervindingen, ervaringen en inzicht in het leven. Ik snakte naar kennis. Mijn meester, de steenhouwer, noemde me vaak een halvegare en een dromer: telkens wanneer hij me zag wegdromen bij de schoonheid van een stenen gezicht of hand of het ingewikkelde werk van een netgewelf, sloeg hij me zo heftig om mijn oren met de palm van zijn eeltige hand, dat die kant tot op de dag van vandaag gevoelig is en ik bij voorkeur op mijn linkerzij slaap. Mijn leermeester was zo overtuigd van mijn domheid dat ik me bij zijn oordeel neerlegde. Mijn zio Luciano kon als enige van onze familie rekenen en zijn eigen naam schrijven. Mijn moeder beweerde altijd dat de duivel hem deze gave in ruil voor zijn ziel had gegeven. Als bewijs voerde ze aan dat hij ongelukkig was en niet in staat om te gaan zitten en zich te verpozen met iemand uit de tijd van voordat hij uit de vallei was weggegaan om in de stad te gaan handel drijven en rekenen.

'Arme Luciano,' lamenteerde ze dan, 'hij heeft zijn ziel aan de duivel verkocht en het brengt hem niets dan ellende!' Tijdens haar maandelijkse wasdagen weidde mijn moeder uit over zio Luciano's rijkdom, zijn afvalligheid en het feit dat hij ongelukkig was. Terwijl ze haar linnen laken, de twee hemden van mijn vader en onze andere povere lompen met as en kokend water schoon stampte, ging de houten wasstamper met zo'n woestheid op en neer dat ik altijd het gevoel had dat ze het iets rustiger aan gedaan zou hebben als zio Luciano iets minder van zijn slechtgehumeurdheid zou hebben meegebracht naar onze boerderij en iets meer van zijn op kwalijke wijze verkregen goud. Maar zio Luciano was gierig. Mijn moeder zei dat hij een schorpioen in zijn zak had en niet graag munten uit zijn zak haalde uit angst dat hij gestoken zou worden. Als mijn vader in het bos of op het land was, had mijn moeder altijd heel wat over zio Luciano te zeggen. Het waren echter geen woorden die ze hem recht in het gezicht kon zeggen, omdat de hoop dat hij iets voor me zou doen nooit verdween, en die hoop kon je niet door scherpe bewoordingen laten bederven. Zelfs toen mijn oom wel iets voor me deed en mijn moeder zo buiten zichzelf van razernij was dat ze de jurk van mijn kleine zus in de wasketel tot moes stampte, werd er niets gezegd ten overstaan van zio Luciano's pokdalige gezicht.

Het was een dag van rouw in ons gezin toen uitkwam dat mijn oom me had leren rekenen. Als de duivel in eigen persoon de afdruk van een gespleten hoef op mijn voorhoofd had gebrand, had mijn moeder niet erger van streek kunnen zijn. Lang nadat ik naar bed was gegaan, met mijn broers en zusters om en om liggend in ons ijzeren ledikant, mijn benen nog prikkend en naschrijnend van het pak slaag dat mijn moeder me had gegeven omdat ik het pad zonder terugkeer was ingeslagen, voelde ik de kou door de zoldervloer trekken, aangezien zij de kamer beneden met haar tranen in een ijzige ruimte deed veranderen. Mijn vader bleef bij haar zitten en probeerde haar te troosten met het verlies van een zoon. Tussen het gedempte snikken door hoorde ik haar mompelen: 'Nu is hij niets meer waard op het land, we zijn hem kwijt; hij heeft ons het brood uit de mond gestoten.'

Die getallen, en de getallen die ik later van Vitelli leerde, kwamen uit Arabië en bevatten alle geheimen van de kabbala en zelfs de geheimen van de sterren en waren mijn eerste bewuste hap van de vrucht van de boom der kennis. Geen vijg heeft me ooit zo zoet gesmaakt als de getallen die ik op de tong nam toen ik die avond ging slapen, afgescheiden van mijn hele familie en, als mijn moeder gelijk had, zelfs van het christendom. Aangezien ik daarna verloren was en gedoemd was een ambacht of beroep te leren, speelde ik met de getallen die me buiten de wet hadden geplaatst en genoot ervan. Ik telde de bladeren aan de bomen en de bramen aan de struiken. Ik telde de twijgen van takkenbossen, de stenen op het pad naar het bos en de stenen op het pad naar de rivier. Ik telde op en trok af, vermenigvuldigde en deelde tot ik net zo beneveld raakte door getallen als mijn vader door wijn als hij na een drinkgelag in het klooster naar huis kwam zwalken.

Later leerde ik meer van mijn meester dan ik ooit van mijn zio Luciano had kunnen opsteken, maar mijn meester stond nooit toe dat mijn kennis me naar het hoofd steeg. Trots werd niet getolereerd. Ik leerde, maar hij lachte om mijn onwetendheid. En hij onderrichtte me met tegenzin, alsof de tijd die aan mijn vooruitgang werd besteed verspild was, tenzij het rechtstreeks met steenhouwen te maken had. Lezen en schrijven pikte ik zijns ondanks op, en een beetje Latijn leerde ik in de kerken waar we werkten. Verder waren de trefzekerheid van mijn hand, mijn oog en de zuiverheid van vorm alles wat ik van hem moest weten.

Vitelli was het gouden harnas dat ik zo vaak had moeten zoeken. Hij was de kelk en de edelsteen. Hij was de boom der kennis, zoeter dan de geur van kweepeerbloesem en was me dierbaarder dan mijn eigen moeder. Door Vitelli repte ik me voort over de paden zonder terugkeer en vergaarde ik zo'n voorraad kennis dat mijn geest voorgoed een dorstige spons werd die steeds meer levensinzicht wilde absorberen.

We studeerden Frans, Latijn en Italiaans, etiquetteleer, poëzie, mythen, wiskunde, plantkunde en zelfs dierkunde, aan de hand van de insekten en muizen waar het in onze cel van wemelde. Door het tralievenster boven ons hoofd plukte hij een bloem van de wikke en liet me de stengel en kelkbladen zien, de kroonbladen, de meeldraden en het stuifmeel en verbond dat kleine zachtpaarse bloemetje met een groter patroon. Aan de enige baan licht die tot onze cel doordrong, voegde hij zijn eigen licht toe en schiep me als uit zijn eigen rib.

Ik had mijn moeder teleurgesteld en ik had mijn meester teleurgesteld en hoewel hij het nooit liet blijken, wist ik dat ik ook Vitelli teleurstelde, want er waren keren dat ik ondanks al zijn licht afdaalde in de duisternis. Het was de volslagen duisternis van de melancholie. Een sterven van de geest. Als dat me overviel, was er niets dat Vitelli kon doen of zeggen om de zwarte sluier die me verstikte weg te nemen.

In het donker was ik niets, niet eens een man in een overgangsfase, eigenlijk helemaal niets. Ik was geen jongen, maar evenmin een gevangene die aan een ander is vastgeketend. Ik was niets, en dat niet-zijn maakte me doodsbang. Ik was minder dan de luizen die over de vieze vloer krioelden, minder dan het slijk. Huid verandert in slijk, waarna er alleen botten overblijven, maar ik bezat geen van beide. Gedachten die door Vitelli waren ingegeven werden doods, doodser dan mijn voeten. Ik was niets. Alleen de duisternis was alomtegenwoordig.

Tijdens het komen en gaan van deze melancholie leek het of ik alleen mijn verstand kon bewaren door me te onderscheiden in steen en me daaraan vast te houden. Als tijdens de lange winternachten de kou in mijn schenen kroop, droeg Vitelli gedichten voor en passages uit de bijbel. Hij voerde me vele malen door de Hel van Dante, wellicht in de hoop me enig inzicht in de mijne te verschaffen. In mijn hel waren echter geen gezichten, er waren geen begrenzingen, geen cirkels, er was niets tastbaars. Wanneer de duisternis me overviel, was dat even willekeurig als wanneer een zeeman door de zee wordt overvallen. In gedachten probeerde ik een engel uit te hakken, een baken van licht om me terug te loodsen uit de onderwereld. Ik probeerde de sereniteit van Donna Donatella na te bootsen. Maar ik raakte haar kwijt, en de herinnering aan haar noch haar beeld bleef me bij.

Er was alleen de priester met de grote neus voor het niets begon, toen zelfs zijn gezicht met de haakneus verdween en me hulpeloos achterliet in de nacht.

Toen op een nacht de volle maan begon af te nemen, viel er een straal spookachtig licht onze cel binnen, die op de kleine, zilveren gesp van Vitelli's bijbel viel en afketste tegen het tongewelf van ons lage plafond en op een vreemde manier tegen de steen bleef zweven alsof hij ernaar verlangde iets van het grijze graniet van onze kerker weg te hakken. Toen begon de steenhouwer in mij het maanlicht te helpen, hakte in de vier richtingen van de windroos om het gewelf te verhogen en een patroon uit te houwen terwijl de manestraal boven mijn hoofd zich verplaatste.

Dat was het begin van het paleis. Dat was het binnenste gewelf van de koepel van de toren aan de westzijde. Het kwam langzaam op gang en won aan snelheid, als een haas op een renbaan; ijlde van gewelf naar gewelf en van vertrek naar vertrek. Het werd groter en behield zelfs in de duisternis zijn vorm. Het bestond in de anonimiteit van de nacht. Het verjoeg het niets uit onze cel en uit mijn hoofd en verving het door een bouwplan als een labyrint. Toen de maanden zich voortsleepten, verloren de nachten van dwaze angst hun greep op mij, en de angst dat ik gek zou worden nam af naarmate het gebouw groter werd en duidelijke vorm aannam. Daken werden veranderd, vleugels afgebroken, torens verlaagd, vensters gewijzigd, nissen toegevoegd, bogen weggehaald, binnenzalen onderverdeeld, en trappen werden van een balustrade en draagbalken voorzien en tot wenteltrap gemaakt. Het was zowel vast als vloeiend. Het nam elke nacht in beslag. Het vulde de uren dat ik wakker was en dat ik droomde. Ik hakte een fries met engelen die elk de verstilde schoonheid van Donna Donatella bezaten en plaatste die hoog langs de noordelijke gevel, beschut tegen de zon van Castello, terwijl hij mijn visioen grandeur verleende.

Zo werd ik van niets tot een man die bezeten was, en terwijl vroeger alleen Vitelli me kon onderrichten en inspireren en ik als grove klei in zijn handen was om tot iets fijners te worden gevormd, was ik nu in staat een fractie van wat hij me had geschonken terug te betalen door mijn droom met hem te delen en hem door de vele vertrekken ervan te leiden.

3

Wie weet hoeveel cellen als de onze er aan de ronde onderaardse gang lagen die naar de binnenplaats leidde? Vitelli en ik wisten alleen dat er aan weerskanten van ons gevangenen zaten; we hoorden hun gekerm en gejammer. Als de toiletemmers werden opgehaald, werd er met deuren geslagen en werden er sleutels omgedraaid, maar we wisten niet hoeveel. In een aangrenzende cel vertelde iemand aan een stuk door moppen, en iemand anders lachte erom. En weer een ander zong troosteloze coupletten in een gekwelde klaagzang. De woorden drongen nooit in hun geheel door de dikke steen heen, maar ik wist uit mijn jeugd dat de teksten van deze boerenballades allemaal eender luidden: het leven is zwaar en daarna ga je dood.

De vliegen en muggen vormden balletgroepen en ontwierpen de choreografie voor een tegen ons gerichte campagne die zo agressief was dat elke les een macabere rinkeldans van geketende slachtoffers omvatte die waren gestoken en zich probeerden te verweren. Zelfs Vitelli sloeg met armen en benen om zich heen en sprong op en neer wanneer de kieskeurige, geestdriftige paardevliegen zijn sproeterige huid als doelwit kozen en ronddansten in zijn baard. Hij en ik monterden elkaar op, maar de ontdekkingsreizen die onze celgenoten maakten waren niet van dien aard dat ze ervan opvrolijkten.

De broers die het hoekje bij de ijzeren deur tot hun privé-getto hadden gemaakt, die gebeden en verwensingen fluisterden en net zozeer deel van de cel waren gaan uitmaken als het kleine luchtrooster en de toiletemmer, stierven allebei aan dysenterie. Hun grote, uitgemergelde, grauwe gezichten, die vrijwel geheel schuilgingen achter even grote bossen borstelig haar, hadden Vitelli en mij als trouw publiek gadegeslagen. De cel was een schouwtoneel, Vitelli en ik waren het toneelstuk. Tijdens mijn schriftelijke lessen zakten de broers in verveelde berusting onderuit op hun stenen bank, maar tijdens etiquetteleer, persoonlijke hygiëne, houding en tafelmanieren keken ze verheugd toe en sloegen elkaar met kinderlijke uitgelatenheid op de schouders. Hun voorkeur ging echter uit naar dansles. Afgezien van twee keer per dag een rinkelende schuifelgang naar de toiletemmer had niets de broers ooit van hun schimmelige stenen bank weten te krijgen.

Als vroeger, tijdens het Schrikbewind, de bewakers de ronde deden om voedsel voor het vuurpeloton te vergaren, versteenden de broers. Hun grauwgevlekte gezichten versteenden als twee kameleons tegen de grauwgevlekte muur. Telkens hielden ze hun adem in tot de versterkte ijzeren deur achter hen weer in het slot viel. Dan slaakten beide mannen een zucht van opluchting die even lang en luid was als wanneer een met lucht gevulde varkensblaas leegloopt.

De maanden verstreken en de executies werden gestaakt, maar de broers bleven als aan hun plek genageld zitten. Alleen het dansen bracht hen op de been. De aanblik van twee mannen die met de enkels aan elkaar en aan negentien schakels smeedijzer waren geketend, en die elkaar stevig vasthielden terwijl ze zwoegden en zwierden op polka's en walsen, doorbrak hun camouflage. We waren toen nog maar met een armzalig zevental in onze cel, maar zelfs de broers gingen staan en keken toe terwijl ze proestend en snuivend applaudisseerden.

Er werd dunne pap gebracht en achtergelaten. Aanvankelijk werden er gevangenen afgeleverd en achtergelaten; de toiletemmer werd gebracht en achtergelaten, geleegd en achtergelaten; en op willekeurige ochtenden werden, voor zonsopgang, mannen ter dood veroordeeld. De dode mannen lieten hun laarzen en onvoorspelbare pakketjes met dierbare bezittingen achter. Als ze waren weggevoerd, merkte ik dat ik mannen die ik nauwelijks had gekend met een intens gevoel van verlies miste wanneer ik de dingen die hun dierbaar waren geweest zag en aanraakte. Sommigen waren zo arm dat hun dierbare bezittingen bestonden uit een eikel, een paar centimeter smoezelig lint, een haarlok, het oor van een porseleinen theekopje, de vleugel van een vlinder, een sinaasappel die zo uitgedroogd en gerimpeld was als een verschrompeld hoofd, maar die nog kruidig rook. Een van hen had een tondeldoos, een ander de afdruk van een kinderhand op een stuk papier. Weer een ander had een kanten babyschoentje en een volgende de restanten van het eitje van een vink.

Toen ze nog leefden, waren de mannen die omkwamen in hun eigen vuil (wij waren ook vuil, maar er waren gradaties), half bedekt met lompen, met een verwilderde of apathische blik in hun ogen, maar altijd overdekt met haar, grotendeels schimmen voor me geweest. En toch voelde ik zodra de karabijnen stopten met vuren en hun lichamen ophielden te leven, verwantschap met hen en welde er verdriet op: een verlate verantwoordelijkheid.

De twee broers die zich met zoveel succes aan de aandacht van de bewakers hadden onttrokken, zouden zich wezenloos zijn geschrokken als ze hadden kunnen zien hoeveel aandacht aan hen werd besteed nadat ze aan de dysenterie waren bezweken. Ze stierven 's nachts, stilletjes, en het duurde een paar uur voor we merkten dat ze dood waren. Vitelli trok me met zich mee, bonkte tegen de deur en riep de norse, dronken bewaker. De broers waren groot en zwaar, en de twee bewakers konden hun lichamen niet verplaatsen. Ze stompten en sloegen hen, schopten hen en sjorden, dreigden en vloekten, maar de broers leken wel vastgelijmd aan hun bank. Nadat de lijken eindelijk waren weggesleept, duurde het dagen voor we de sporen van hun dysenterie weggeboend hadden.

Het leek die nacht eenzaam in de cel zonder hen. Ooit was hij zo overbevolkt geweest dat we er alleen konden staan, toen was het aantal mensen teruggebracht tot zeven, en toen tot vijf, de broers en kapitein Del Campo meegerekend. Na drie weken had het vuurpeloton kapitein Del Campo al opgeëist. Hij was de laatste van de veroordeelde mannen, als een verlate ingeving wellicht. Hij was niet stilletjes gegaan. Del Campo was een prater geweest, iemand die nachtenlang doorkletste om de moed erin te houden.

Hij vertelde dat hij in zijn jeugd voogden had gehad die hij verafschuwde en van de grote vreugde die hij had gevoeld toen hij meerderjarig werd. Hij ging er prat op dat hij zijn erfenis er in minder dan een jaar doorheen had gejaagd om hen dwars te zitten. Telkens wanneer een bewaker hem vroeg of er niemand was die zijn borgtocht zou willen betalen, ontlokte dat een breedsprakige schimprede tegen hun gierigheid. 'Zelfs mijn neven lieten me verrekken,' klaagde hij. 'Ik heb mijn familietrouw beschaamd. Ik onderhield zelfs mijn maîtresses. Maar met iets meer tijd zou ik het anders hebben aangepakt.' Hij vertelde over alle plannen die hij had voor na de oorlog. Hij repte met geen woord over de dood, hoewel hij en wij de nabijheid daarvan voortdurend voelden. Hij praatte de hele nacht, mompelde zelfs tijdens zijn korte slaap, alsof hij door te praten zijn scherprechters op een afstand kon houden. Toen de bewakers hem kwamen halen, praatte hij nog steeds en vertelde een ingewikkeld verhaal dat ik allang niet meer volgde. Toen ze hem wegvoerden, praatte hij nog door. Ik hoorde zijn stem, praatziek en onaangedaan, over de binnenplaats, die slechts tot zwijgen werd gebracht door het salvo van kogels dat, naar hij had geweten, het besluit van zijn anekdotes zou zijn.

Zonder kapitein Del Campo en de broers waren Vitelli en ik

alleen, alleen in de cel, alleen op de wereld. We kregen slechts gezelschap van gedempte klanken, en van insekten, ratten, muizen en af en toe een vleermuis.

Er waren heel wat dagen waarop ik gelukkig was in onze cel; gelukkiger, denk ik, dan ik ooit was geweest. (De nachten waarin zwartgalligheid mijn hoofd opslokte en duisternis de dag opslokte, werden door mijn bouwwerk op een afstand gehouden.) De afwezigheid van andere gevangenen gaf Vitelli en mij niet alleen de vrijheid tot ongehinderd discussiëren en debatteren, reciteren en lezen, het betekende ook dat we geen celgenoten meer verloren aan het vuurpeloton. Geen mannen meer die we zouden missen. Als de bewakers nu voor zonsopgang zouden komen, zou het voor mij zijn. Soms stond ik stil bij die mogelijkheid, verzette me tegen de vreemde stemmingen die deze opriep, voegde een hele vleugel aan mijn paleis toe, een huisje voor een weduwe, een stallencomplex, een gotische eetzaal of een galerij, om de droevige paniek het hoofd te bieden die de gedachte aan sterven bij me opriep. Het enige wat ten gunste van de dood sprak, als ik rationeel redeneerde zoals Vitelli me had geleerd, was dat als ik nu genoodzaakt zou zijn het leven vaarwel te zeggen, ik een notie zou hebben van wat het was, en als mijn scherfje uit het menselijk mozaïek zou verdwijnen, iemand het zou opmerken, iemand erom zou geven.

Al mijn wilskracht, mijn gedachten en mijn hoop waren op Vitelli gericht. Hij beschreef onze vriendschap als affiniteit. Voor ik dat woord kende, zou ik het liefde hebben genoemd. Ik beschouwde hem als een volmaakte man: de essentie van harmonie. Ik bestudeerde zijn woordenboek met de kleine lettertjes om superlatieven te vinden waarmee ik hem kon prijzen. Ik heb altijd naar complimenten gesnakt. Ik ben een gedresseerde hond. En ik was ijdel. Toen Vitelli mijn haar knipte, me leerde om me fatsoenlijk te scheren, bakkebaarden te laten staan, mijn handen te wassen en te manicuren, er zo elegant mogelijk uit te zien, was ik bijna met stomheid geslagen door de knappe kerel die me aanstaarde van de zilveren gesp van Vitelli's bijbel.

Vitelli was echter niet ijdel, alleen misschien een beetje over zijn baard. Hij vertroetelde zijn sikje en besteedde er veel aandacht aan. Hij werkte het bij, streelde en aaide het, zij het alleen wanneer hij dacht dat er niemand keek. Maar waar kon je privacy vinden in een stenen ruimte van twintig schuifelpassen lang en vijftien breed? Nee, Vitelli was niet ijdel, maar ik ben dat wel, en misschien nooit zozeer als toen ik een ijdele knaap van mezelf maakte in dat vunzige boudoir. Ik was heel tevreden over mezelf met een van Vitelli's zijden halsdoeken om, mijn handen met goed verzorgde nagelriemen en schone, gevijlde nagels, en een manier van lopen die het midden hield tussen sloom, pompeus en de onvermijdelijke schuifeltred.

De bewakers begonnen oog voor me te krijgen. Ze grijnsden, ze staarden me aan, en toen ze mij uiteindelijk iets van het respect betoonden waarmee ze kolonel Vitelli behandelden, was ik ervan overtuigd dat zij me ook prachtig vonden. Ik was een vlinder die voor hun ogen uit mijn kleurloze omhulsel te voorschijn kwam. Ik was een wonder der natuur. Mijn enige spiegel was de gesp van de bijbel, maar omdat hij op de bijbel zat, was het alsof hij niet kon liegen.

Ik was vol zelfvertrouwen in onze cel. Vol liefde voor Donna Donatella (en verlangend naar alles wat zich in een rok voortbewoog). Ik besef nu dat Vitelli's geduld met mijn absurde boersheid het zoveelste bewijs van zijn goedheid was. Eén woord van hem en ik zou zijn teruggezakt in de modder, maar hij hield me op zijn eiland van welriekende kruiden en bezielde me met zijn plannen. Net als mijn vroegere leermeester me had opgeleid om zijn vak te leren, zijn plaats in het leven in te nemen, zo leidde Vitelli me op om de zijne in te nemen. Maar wist ik toen niet. Dat weet ik nu.

Vitelli zorgde ervoor dat mijn nieuwe persoonlijkheid hem niet zou gaan verheerlijken.

'Denk nooit dat ik volmaakt ben,' zei hij. 'De muzelmannen

zeggen dat alleen Allah, hun god, volmaakt is, en dat geen enkel mens dat is of kan zijn. Om die reden maken ze altijd een weeffout in de prachtige tapijten die ze weven, om aan te tonen dat ze zelfs geen goddelijkheid nastreven. Denk niet dat ik vriendelijk ben omdat ik vriendelijk tegen jou doe, of dat ik goed ben omdat ik goed voor jou ben. Je weet niet wat ik in mijn leven heb gedaan, noch waar ik geweest ben.'

Aangezien ik me met Vitelli mat, vond ik het niet prettig te horen dat hij zichzelf omlaaghaalde. Niet lang daarvoor had hijzelf gezegd dat alle dingen betrekkelijk waren. En als hij, mijn heilige, slecht was, wat zei dat dan over mij? Als hij slecht was, moest ik wel een monster van verdorvenheid zijn. Hij zag mijn ongenoegen.

'Ik ben geen slecht mens en ik ben geen goed mens, dat is alles. Ik ben een mens en ik probeer goed te zijn. Het leven biedt ons niet altijd de kansen die we nodig hebben om onze betere kant te laten zien, dus moeten we proberen die te creëren of te grijpen.'

Ik haalde mijn schouders op.

'Hoor eens, op een dag zullen we hier weg zijn, en dan heb je nog een heel leven voor je. Je kunt ervan maken wat je wilt. Je hebt zelf gezien hoe kort een leven kan zijn. Ik zeg alleen dat je niets en niemand voor vanzelfsprekend moet nemen.'

'Hoe kan ik u als anders dan goed beschouwen? En waarom zou u willen dat ik dat deed? Wat hebt u me geleerd dat voor slecht kan worden gehouden?' vroeg ik.

'Sommige mensen zouden zeggen dat kennis geen onverdeeld genoegen is, en anderen zouden zeggen dat het puur kwaad is. Je zult nooit meer dezelfde zijn die je geweest bent; je kunt niet meer terug. Je hebt geen andere keus dan verder te gaan. Ik heb je dus een toekomst gegeven, maar ik heb je je verleden ontnomen.'

Ik vertelde hem opnieuw dat ik op de binnenplaats had gewenst een leerling te worden, over de leegheid die bezit van me had genomen toen ik voor het vuurpeloton stond, en over mijn ontwaken. Zijn plannen hadden met mijn eigen verlangens gestrookt, dus had hij me niets ontnomen. Ik vertelde hem dat mijn moeder me het huis uit had gezet omdat ik had leren rekenen.

'Hmm,' zei hij met de beslistheid van een amen.

Het regende buiten, en dat deed het de hele ochtend al zo'n beetje op een druilerige manier. We zaten samen te kijken naar verdwaalde regendruppels die langs de muur dropen. We zagen een bliksemflits in onze cel, en zonder verdere waarschuwing brak er een noodweer los dat gedurende een paar koortsachtige minuten een eind aan ons gesprek maakte, omdat we ons hemd en onze laarzen uittrokken en half struikelend een plekje onder het tralierooster innamen om een uiterst welkom stortbad te nemen. Bij oostenwind stroomden de regenbuien onze cel binnen, als een waterval door het tralierooster, waardoor we onszelf en onze kleren konden wassen, en tot slot de vieze vloer konden schoonmaken.

Toen die met bundels gras en wikke was schoongeveegd, onze kleren waren uitgewrongen en over uitstekende stenen waren gehangen, ons haar verzorgd en onze huid schoon geboend was, zei Vitelli: 'Iedereen heeft zijn fouten, van de vrouw die je trouwt en het kind dat je verwekt tot je beste vriend. Er bestaan natuurlijk grote en minder grote ondeugden, maar als je van mensen houdt, moet je hen liefhebben met inbegrip van hun fouten en onvolkomenheden. Sommige mensen weten niet wat hun fouten zijn, en dat maakt ze gevaarlijk. Ik zal je vertellen wat de mijne zijn, want omdat ik zoveel met je heb gedeeld, van onze dagelijkse behoeften op die walgelijke emmer tot de denkbeelden die me het dierbaarst zijn, wil ik ze niet voor me houden.

Ik ben een gokker. Ik gok bij het kaartspelen. Voor ik hier belandde, schaamde ik me er nooit voor, maar nu wel. Het is niet zo'n onbeduidende slechte gewoonte als ik vroeger dacht.

Buiten de muren van deze gevangenis zette ik levens op het spel, soldatenlevens van jongens als jij en zoals die daar buiten zijn doodgeschoten. Ik verloor. Daarom wil ik niet dat er een borgsom voor me wordt betaald. Ik heb gegokt en verloren, en wat ik verloor was kostbaarder dan een buidel met goudstukken. Op een dag zal ik er meer voor moeten boeten dan met deze enkelboeien en deze cel. Intussen rot ik weg in deze schemering, maar als jij er niet was en alles wat je voor me bent gaan betekenen, zou ik niet weten of ik de vrije wereld zou willen terugzien... En hiermee eindigt de negende les, jongeman. De tiende zal zijn hoe we onze kaarten maken... Bewaker! Bewaker!' schreeuwde hij, terwijl hij opsprong en naar de deur schuifelde, en ik noodgedwongen achter hem aan strompelde. 'Bewaker, ik heb meel nodig, zoveel als er in de palm van je hand past.'

De bewaker kwam op een holletje naar onze cel. Geroepen worden zou losgeld, capitulatie en goud kunnen betekenen. Hij stond bedrogen achter het ijzeren traliewerk en maakte geen aanstalten om weg te snellen zoals hem gezegd was.

'Meel, haal wat broodmeel voor me.' De bewaker keek hem aan en bleef staan.

'Haal wat voor me, dan zal ik je een waardevol kleinood geven.'

'Wat?'

'Een kleinood.'

'Welk kleinood?'

'Het kornalijnen tegengewicht van mijn uurwerk.'

De bewaker wist net zomin wat een tegengewicht was als dat hij zou hebben geweten hoe hij tegenwicht had moeten bieden aan de scheve toren van Pisa.

'Die kun je voor goud verkopen; de rand is van goud.'

'Hoeveel?'

Uiteindelijk kwamen ze tot een overeenkomst en werd het kornalijn verkwanseld voor een halve kop bedorven meel.

4

Het regende hard en op de keien van de binnenplaats plensde het. Ergens sloeg een lijster een slakkehuisje stuk tegen een steen. Hoewel we geen druppel wijn in onze cel hadden, leek Vitelli opgewonden alsof hij gedronken had.

'Eén boek moet eraan geloven, maar welk? We hebben papier nodig. Je moet me helpen kiezen, het doet pijn om mijn bibliotheek op te offeren. Welk... Niet Dante, niet het woordenboek, niet La Rochefoucauld, niet Vergilius, vanzelfsprekend niet mijn bijbel, niet...'

'Er zijn vier bijbels,' bracht ik hem in herinnering. 'Die van kapitein Del Campo, die van de man met die snee in zijn wang, die van Grazzini, en de bijbel die aan de grond zat vastgekoekt toen ik kwam.' Vitelli fronste zijn voorhoofd. 'Dat zou heiligschennis zijn.'

'Het ruikt naar pis.'

'Het is een heilig boek.'

'We zitten in een heilige gevangenis. Het zou zonde zijn een van de weinige boeken die u bezit kwijt te raken. En trouwens, al mijn lessen staan tussen de regels geschreven.'

Vitelli fronste opnieuw, maar iets minder, naar ik dacht.

'Ik doe het wel,' zei ik, hem meetrekkend naar de andere kant van de cel. Ik haalde het boek uit zijn bergplaats en scheurde er bladzijden uit.

'Gezien de omstandigheden zou het louter bijgeloof zijn als ik een kruis zou slaan. Maar denk eraan dat ik je had kunnen tegenhouden en het niet gedaan heb; zo groot is mijn liefde voor briscola.'

De daaropvolgende dagen werd de bank van de weggevoerde broers een werkbank. Vitelli mengde een papje van water en meel, en het bijbelpapier werd in laagjes op elkaar geplakt om er zesendertig speelkaarten van te maken. Toen ze gedroogd waren, werden de kaarten genummerd en werd er door mij een boer, vrouw en heer op getekend in de vier kleuren, *picche*, *denari*, *coppe* en *bastoni*. Er werden vier azen gemaakt, elk met een engelengezicht, en vier drieën, omgeven door fasces. Het was de eerste gelegenheid om mijn leraar mijn tekenkunst te laten zien, het resultaat van mijn twaalf jaar als gezel.

Het spel kaarten besloeg niet meer dan Genesis, Exodus en een hoofdstuk Leviticus, waardoor er honderden pagina's overbleven waarop ik mijn paleis kon tekenen. Dat waren de eerste schetsen van mijn droom. Tot die tijd had ik ze zorgvuldig in mijn hoofd opgeslagen. Ik heb ze nog steeds, die vroege decoraties en ontwerpen; vooraanzichten en dwarsdoorsneden. Ik bewaar ze in een blikken trommel, want hoewel de geur van urine is verminderd, is hij nooit helemaal verdwenen.

Vitelli had geen woord gelogen. Hij was een onverzadigbare gokker. Hij deed met liefde het ene na het andere spelletje. Wie de winnaar werd van drie spelletjes, van dertig spelletjes, van driehonderd spelletjes: het maakte hem niet uit, zolang er altijd maar een winnaar en een verliezer waren, en iets om te winnen of te verliezen.

Achter elk van de mooi uitgewerkte tekeningen en de Arabische cijfers van de speelkaarten lag de kleine drukletter van de bijbel. Sommige pagina's kregen een nieuwe betekenis voor me, en toen ik de kaarten telkens weer in mijn handen kreeg, leek het meer dan toeval dat ik Genesis 11 vers 4 zo vaak tegenkwam. 'Nu zeiden ze: "Laten we een stad bouwen met een toren, waarvan de spits tot in de hemel reikt; dan krijgen wij naam en worden niet over de aardbodem verspreid."' En Genesis 32:31: 'Jakob noemde die plaats Peniël; "Want," zo zeide hij, "ik heb God gezien van aangezicht tot aangezicht, en ik ben toch in leven gebleven."' Het gezicht van de denari-vrouw was op een gevangenistekst getekend: '... Ze bleven lange tijd in hechtenis.

De schenker zowel als de bakker van de koning van Egypte, die in de gevangenis zaten opgesloten, hadden beiden in dezelfde nacht een droom, ieder zijn eigen droom met een eigen betekenis. Toen Jozef in de ochtend bij hen kwam, zag hij dat ze somber gestemd waren. Hij vroeg de hovelingen van de farao, die met hem in het huis van zijn meester in hechtenis zaten: "Waarom kijkt u zo somber vandaag?" Zij antwoordden hem: "Wij hebben een droom gehad, en er is niemand die hem kan uitleggen."'

Er waren gunstige en ongunstige teksten. Soms waren de woorden zelf een voorteken van ongeluk, soms werd een kaart ongunstig en sleepte zijn tekst door gebruik mee omlaag. Als Vitelli de vijf van bastoni in handen kreeg, was hij gedoemd te verliezen. De woorden uit Exodus waren niet langer een overwinningskreet, maar een onheilsdreiging.

'Toen zongen Mozes en de Israëlieten ter ere van de Heer dit lied: "Ik wil zingen voor de Heer, want Hij is de Hoogste: paard en berijder dreef Hij in zee."'

Aanvankelijk voelde Vitelli zich onbehaaglijk als hij het verdronken paard en zijn berijder in handen kreeg, later ik ook. Het deed er niet toe dat het lied verder ging met: 'De Heer is mijn sterkte en kracht, Hij is mijn redding geweest. Hij is mijn God en Hem wil ik loven; de God van mijn vader, Hem zal ik prijzen. De Heer is een strijder, Heer is zijn naam.'

We waren gewend geraakt aan de muffe lucht in onze cel en hadden ons best gedaan de stank en de oorsprong ervan weg te krijgen, niet alleen vanwege de overlast, maar ook om gezondheidsredenen. Zo maakte de cel vele fasen en gradaties van geur door, maar met het trage verstrijken van de maanden, toen de cel leeg raakte, vergrootten we onze inspanningen om hem te schrobben en schoon te maken, en werd de stank minder. Toen de broers eenmaal vertrokken waren met hun klamme, zweterige uitwaseming en hun dysenterie, was onze ruimte zo schoon dat mijn neus gevoelig voor geur werd.

'Heel goed, heel goed, je wordt een echte heer: kieskeurig en een kenner van geuren. Ik moet je laten kennismaken met de essence van limoen, pimentawater, rozenwater, Westindische jasmijn en...'

'... en oranjebloesem en gewone jasmijn, blauweregen en viooltjes,' vulde ik aan. 'Zelfs boeren hebben een neus.'

'Hmmm,' zei hij, en hij keek me plagerig aan, zoals hij heel af en toe deed wanneer hij merkte dat zijn tact te kort schoot.

De grote kaarten met hun tekst en voorboden waren lastig vast te houden, en ze roken sterk naar urine. Maar Vitelli was zo dol op briscola dat hij deed of hij de stank van onze kaarten niet opmerkte. Hij hield zijn drie kaarten vast alsof het een exquise waaier van met rozenwater geparfumeerde wafels was. Het stond me tegen dat ik de urine in mijn pas gewassen vingers voelde trekken, en ik ademde met tegenzin de prikkelende lucht ervan in.

'Dat is het urinezuur,' zei Vitelli, 'en dat vervliegt niet zo snel.'

Door het kaarten werden onze rollen omgedraaid. Leraar en leerling wisselden van rol. Ik won de meeste spelletjes en kreeg meer aanzien. Vitelli verloor en probeerde erachter te komen door welke toverkunst ik steevast troeven draaide. Die zomer, met zijn regenachtige begin en smoorhete einde, kaartten we elke nacht, een nacht die slechts werd verlicht door een handvol vuurvliegjes in een pot. Soms doezelde Vitelli overdag, uitgeput door de inspanning.

Ik won alles wat hij bezat: de boeken, zijn instrumenten, zijn ganzeveren, zijn zegel met de stierekop, zijn fruitmesje met het parelmoeren heft, zijn schrijfkist en het batisten hemd dat hij aan had. Ik wilde zijn spullen niet, maar het was een hele klus om het zo te schikken dat de kansen keerden en hij ze kon terugwinnen. Op het laatst speelden we om een pand en namen het gokken op in onze lessen. Ik geloof dat ik zo meer leerde dan door onze eerdere lessen. Als hij verloor, reciteerde Vitelli met hartstocht canto na canto, couplet na couplet, hoofdstuk na hoofdstuk, veldslag na veldslag.

Twee keer weigerde Vitelli te spelen. Telkens rechtvaardigde hij zich door te zeggen: 'Je moet weten wanneer je moet stoppen. Gokken is een ziekte die dodelijk kan zijn. Van gokken kun je rijk worden, maar je moet weten wanneer je moet stoppen.'

Maar toen ik zijn raad ter harte nam en een keer weigerde te spelen, berispte hij me. 'Gokken is een verslaving, een obsessie. Het heeft jou niet in zijn ban. Het is geen verdienste dat je nu stopt. Ik bedoel later, later moet je weten wanneer je moet stoppen en naar huis moet gaan.'

'Naar huis,' zei ik na, bedenkend dat ik geen huis had.

'Ja, naar huis. Je paleis zal je huis zijn... Deel nu maar.'

Volgens Vitelli zaten we al een jaar en vijf maanden in de gevangenis toen het ondenkbare gebeurde. Onze cel was betrekkelijk schoon, hij was netjes, ons rantsoen was verbeterd en verhoogd toen de kerkers leeg raakten. We studeerden en praatten en we deden eindeloos veel kaartspelletjes. Mijn paleis besloeg het hele Oude Testament, tot het boek Joël. Onze kleren waren tot op de draad versleten en onze laarzen rotten weg, maar onze enkelboeien waren eindelijk verwijderd. Het stond ons vrij om door onze vochtige cel te lopen. In het begin voelde ik me zo hulpeloos als een in doeken gewikkelde zuigeling nu mijn gids niet aan mijn zijde was gekluisterd. We waren zo aan de ketenen gewend dat we nog weken lang intuïtief opstonden als de ander dat deed, en het duurde nog langer voor we niet meer schuifelden.

De gevangenis vulde zich met een zo dichte novembermist dat we soms in nevelen gehuld wakker werden. Op een van die mistige dagen werd ik vroeg wakker door een ongewone opschudding op de binnenplaats. We hadden de hele nacht gepraat over de idee van ware liefde. Ik had beweerd dat mijn liefde voor Donna Donatella net zozeer een deel van mij was als mijn eigen bloed. Vitelli vertelde over transfusies. Ik voerde aan dat het mijn hart was. Vitelli vertelde over beroertes en bloedingen en hartstilstanden.

'Maar Dante en Beatrice dan?'

'Zou hij evenveel van haar hebben gehouden als hij met haar getrouwd was?' vroeg Vitelli. 'Zou die liefde hebben standgehouden? Kan liefde altijd even intens blijven?' Tot het vroege ochtendlicht hield ik hem wakker; ik kon niet anders, zonder Donna Donatella kon ik noch het paleis bestaan. Vitelli trok de gedachte in twijfel dat mijn liefde en de gedachte aan haar me mijn leven lang op de been zouden houden. Bij het ochtendgloren viel hij in een diepe slaap, comfortabel languit op zijn eigen bank. Toen de herfst zijn intrede deed, was Vitelli naar de bank van de broers verhuisd, weg van de bijtende wind die door het open tralievenster binnendrong. Ik was nog niet zo beschaafd dat ik mijn jaren van onder heggen slapen met mijn vroegere meester afgeschud had en niet genoot van de koude windvlagen. Daarom sliep ik op wat vroeger onze gezamenlijke granieten brits was.

Met zijn deken als een lijkwade om zich heen gewikkeld sliep Vitelli ongehinderd door de kennelijke rel op de binnenplaats. Er stampten laarzen heen en weer langs het tralievenster. Na een poos ontdekte ik een patroon in het lawaai. Celdeuren werden opengesmeten en gevangenen werden zonder plichtplegingen weggesleurd, en het vuurpeloton, dat zoveel maanden had gezwegen, bracht ratelend een snelle dood teweeg bij dat meest koelbloedige woord 'Vuur!'.

Ik liet Vitelli slapen en wachtte tot het patroon zich verhevigde. Een, twee, drie executies hadden zonder pardon plaatsgevonden aan de overkant van die binnenplaats, tegen de pokdalige muur. Om mijn angst te onderdrukken ging ik met Vitelli's mahoniehouten schrijfkist op schoot op de bank zitten, en met zijn mooiste ganzeveer tekende ik een binnenplaats voor mezelf met een zuilengang en een honingraat van gewelven met een fontein in het midden ervan, gemaakt uit het doopvont van roze travertijn die het gehoor van mijn vroegere meester in gijzeling had genomen.

Daar zat ik met Vitelli's geborduurde kalotje op om de moed erin te houden toen een bewaker die ik niet eerder had gezien op de deur van onze cel bonkte.

'Bent u de edelman?' zei hij mompelend; tot mijn verrassing merkte ik dat hij in het dialect van Urbino sprak. Uit mijn zwijgen kon hij ja noch nee concluderen.

'Bent u de verrader Vitelli?' vroeg hij duidelijker en kwader, terwijl hij een uitval naar me deed.

'Dat ben ik,' antwoordde ik trots, waarop hij me wegsleurde, de gang met de tongewelven op, langs cellen waarvan de deuren wijdopen stonden (er waren er acht aan die kant) en langs het bewakersvertrek met zijn stank van zure, donkere wijn. Hij trok me mee, het daglicht in, en voor het eerst sinds ik aan het vuurpeloton was ontkomen kwam ik buiten.

Op de met keien geplaveide binnenplaats, onder een nimbus van grijze mist, zaten drie soldaten aan een tafel in hun Vaticaanse uniformen. Een groepje Vaticaanse officieren in licht gehavende, prachtige praaluniformen waren ernaast bijeengedreven met de punt van de bajonet op hen gericht. Ze waren ontwapend, maar gebaarden woedend met hun gehandschoende handen. Ze bedreigden iedere soldaat die hun een haar op hun hoofd durfde krenken met de dood, de krijgsraad, excommunicatie en eeuwig hellevuur.

'Niet op hun haar richten, mannen,' riep mijn bewaker hen toe, waarop de dronken soldaten om hem heen in lachen uitbarstten.

'Hier tekenen!' gebood een van de drie soldaten die aan de tafel zaten en kwam half overeind om de kapitein die tegenover hem zat tegen de borst te porren.

'Hier tekenen, aristocratisch tuig. Wij dragen nu de kokardes, en jij en je soort kunnen naar de hel lopen!'

'Ik weiger pertinent te tekenen,' lispelde de officier die een por had gekregen. 'Dit is een onwettige procedure. Jullie hebben geen enkel gezag.'

'Schiet hem dood,' blafte de soldaat. Dat deed mijn bewaker.

'Hier tekenen.'

De opwinding, de spanning en een waas van wijn voegden zich bijeen tot een bepaald ritme. De neergeschoten, lispelende officier zakte in traag tempo door zijn knieën alsof door een omkeringsproces zijn skelet en het stervende lichaam uit stof bestonden. Wat hij zei was nauwelijks meer te verstaan, maar de woorden bleven uit zijn mond sijpelen. 'Ik weiger te tekenen,' fluisterde hij. Een smal bloedspoor benadrukte postuum zijn lippen en bleef stromen nadat zijn mond tot zwijgen was gebracht. Geknield bleef hij tegen de door houtworm aangetaste tafelpoot hangen. Overal om hem heen glinsterden de plassen als gebroken spiegels.

Overal om hem heen namen het geschreeuw en de verwarring toe tot een woeste roffel van stemmen, en het kloppen van mijn eigen bloed dat in mijn oren klonk werd het da da da dum, da da dum van de trommels van Gubbio, het bezeten ritme van de Ceri: het oude lichtfeest met de kaarsen dat de stad kenmerkte en beheerste. Ik bevind me op het Piazza Grande en ben getuige van het opladen met pure energie en de ontlading ervan, de bovenmenselijke manifestatie van de menselijke geest. De handwerkslieden die de reusachtige kaars dragen worden *ceraioli* genoemd; zij zijn de goden van Gubbio, de goden van het moment, en het hele leven balt zich samen tot één moment, één dag waarop de ceraioli angst en moed overwinnen, elke man tegen zichzelf laat strijden in de dodenrace door de ommuurde stad.

Het hele jaar leven de Eugubini naar die dag toe, de vijftiende mei; ze leven en sterven ervoor. Het is de droom van iedere Eugubino om de reusachtige kaars te dragen, en het is de droom van iedere steenhouwer om de Capitano te zijn en de leiding over dat feest te hebben.

Alle menselijke emoties bereikten het kookpunt in de illustere heksenketel van de wedren met de kaarsen. Dat waren de grote wonderen uit mijn jeugd. Tijdens de negen jaar van mijn jeugd had ik er elk jaar naar gekeken, met de gouden driehoek van Sant' Ubaldo om mijn nek, net als mijn hele familie, en ik verlangde ernaar mans genoeg te zijn om zelf op een dag de kaars te mogen dragen. De grootste desillusie van het opgroeien was de ontdekking dat ik nooit een ceraiolo kon worden, dat ik, terwijl ik me evenzeer een Eugubino voelde als alle andere jongens die ik kende, vanaf mijn geboorte van dat glorieuze moment was uitgesloten. Omdat ik buiten de grens van de drie wijken van Gubbio was geboren, werd ik uit mijn voorland verbannen. Ik kon nooit een ceraiolo worden, en de mensenmenigte zou nooit voor me juichen en zingen.

Vitelli's gerafelde zijden halsdoek was van het zachtgeel van Sant' Ubaldo, de patroonheilige van Gubbio en patroon van een van de drie wijken. Mijn familie had hem altijd hoog gehouden; wij waren gelen en staken het blauw van Sint-Joris en het rood van Sint-Antonius naar de kroon. Een troep dronken gevangenbewaarders had zich naar de poorten verplaatst en ze stonden als enclavisten bijeen en probeerden stuntelig rode driehoeken om hun hals te knopen, maar kwamen tot de ontdekking dat hun vingers minder flexibel waren dan zij. Geel, rood en blauw: dat waren de kleuren. Maar in Gubbio waren er nooit winnaars en verliezers, er waren winnaars en wat wij de gevallenen noemden.

Binnen het ommuurde grondgebied van de binnenplaats van de gevangenis zag ik de gevallenen neergezonken in hun eigen bloed; ik liep langzaam, behoedzaam, naar hen toe. Ik werd met mezelf geconfronteerd en voelde het martelende gewicht van Sant' Ubaldo's grote, loodzware kaars met even grote stelligheid op me drukken alsof het standbeeld van de goede heilige zelf op het schild van beukehouten planken stond. Ik offerde mijn leven in een kwelling van pijn en uitputting als eerbewijs aan allen die ik liefhad. Ik hield de kaars nu schuin als eerbetoon aan Vitelli, liep toen verder door de smalle straatjes om een buiging te maken voor mijn moeder, mijn leermeester en ging door naar Donna Donatella, terwijl de trommels en het geschreeuw, de stampende voeten van de menigte en de andere ceraioli met me voortrenden in een gesublimeerde strijd, rennend over steen, rennend over lucht.

Ik keek naar de soldaten om me heen, gekluisterd in spanning, niet in staat te bewegen, terwijl de grote processie voorbijsnelde. Hoewel ik zo hard ik kon naar de bestemming rende die alle echte Eugubini gemeen hadden, scheen ik, toen ik een fractie van een seconde haperde en de moed verloor, niet voorbij de tafel van de soldaten of de doodgeschoten officier te zijn of dichter bij de pokdalige muur te zijn gekomen, en bleek de menigte niet uit de uitzinnig juichende stedelingen en dorpelingen van Gubbio te bestaan, maar uit een groep muitende soldaten die bloed wilde zien. Dus rende en torste ik en werd ten slotte de essentie van het leven.

Driehonderdvierenzestig dagen van het jaar zijn dagen van grondige voorbereiding voor die ene dag die telt, voor het moment van overwinning en eensgezinde euforie. Mijn leven was een grondige voorbereiding geweest, en het onderwijs van Vitelli was een inwijdingsceremonie geweest. Ik was waardig bevonden. Ik droeg de kaars.

Vitelli zei dat iedere man een doel nodig heeft, een bestaansreden die uitstijgt boven overleven. De Eugubini zijn gezegenden onder de mensen. Hun bestaansreden is de kaars.

Het zat in mijn bloed. Het was een stukje steen van het Palazzo dei Consoli in mijn aderen dat mij beheersing over de materie gaf en inzicht in de georkestreerde hysterie, de extase van het lichtfeest.

In afwachting van mijn executie beleefde ik een moment van intense vreugde, delend in het gewicht van mijn patroonheilige, verlicht door mijn onverwachte overwinning van de angst. Ik voelde dat mijn geest rust nam en boog voor de hernieuwde moed, dat hij deze harnaste en in vertraagd tempo verder rende over de nevelbanken.

'Hier tekenen,' herhaalde de dienstdoende soldaat tegen de resterende officieren en mijzelf, waarna hij ging zitten en aan zijn lip krabde.

'Hier tekenen, en jij en jij ook. Garibaldi staat voor de poort met zijn Roodhemden; we willen weleens zien wat de paus daartegen begint!' Alle geschrokken officieren tekenden hun zogenaamde schuldbelijdenis. Zelfs een verbijsterde, dikbuikige generaal, die trillend op de rand van een beroerte was, tekende. Ze werden met twee tegelijk weggevoerd over de keien die ik zo goed kende.

Het was mijn beurt.

'Hier tekenen.'

Met twee tegelijk stierven ze bij het woord 'Vuur!'.

De wikke die her en der bij de muur groeide was dood.

Ik tekende, kolonel Imolo Vitelli di Santa Rosa, marchese van Bourbon en graaf van Gravina.

'Vuur!'

Ergens achter me zongen rauwe stemmen, maar ik draaide me niet om. Dat kon ik niet, geen enkele ceraiolo kan dat. De woorden waren onverstaanbaar; ik probeerde ze op te vangen en in me op te nemen om mijn voeten standvastig te maken.

De inkt waarmee ik had geschreven droogde op. De menigte rukte op. Zongen ze het loflied op Sant' Ubaldo? De mist ving zinsneden op uit het gekrakeel en gaf die als votiefoffers aan mijn oor. Ineens werden godslasterlijke kreten verstaanbaar. Er werden altijd godslasterlijke dingen gezegd tijdens de Cero. Toen steeg er muziek uit me op:

'*Oh, lume della fede*
Della Chiesa solendore
Sostegno d'ogni cuore
Ubaldo santo...'

Ik drong naar voren en zette een rivaliserend lied in op dezelfde melodie als het lied van Sant' Ubaldo:

'*Perché non sei venuto?*
Perché non ho potuto
San Giorgio caduto...'

'Wegvoeren die klootzakken. Bewaar de handtekeningen,' beval de leider, 'je weet het maar nooit in deze tijden; we zouden hierdoor problemen kunnen krijgen met Garibaldi en zijn Roodhemden. Maar zelfs Roodhemden schieten verraders neer die bekend hebben. Ja, bewaar de bekentenissen.'

Rode hemden, rode halsdoeken van Sint-Antonius, rode rokken van dorpsmeisjes, rode ogen van de ceraioli.

Zweet prikte in mijn ogen. Voor me stonden twee officieren bij de muur. De een trok de geiteleren handschoenen van zijn vingers alsof hij tijdens een galabal een sinaasappel wilde pellen. De ander hield zijn hoed met pluim vast, zich nu eens de ene, dan de andere kant uit draaiend en de gehavende muur afturend op zoek naar een plek waar hij hem kon ophangen. Hij bewoog zijn voeten als een dansende vrouw, de plassen van verbrijzeld glas ontwijkend.

'Vuur!'

De geweren ratelden verder als tromgeroffel. De twee officieren vielen, de een na de ander, de een hield een ivoorkleurige geiteleren handschoen vastgeklampt, de ander zijn geveerde hoed. Achter hen werd de muur door hun eigen bloed tot een fresco, vermiljoen, hematiet en rode jaspis in laagjes over roze meekrap, rood lood, rode oker en de ijzeroxyde en sepiatinten van eerdere doden. Ze bevlekten het stucwerk zo duidelijk dat het als bij een echte fresco tot op de steen zou intrekken.

Er werd aan mijn elleboog getrokken en ik werd meegevoerd naar de wolken cordiet en die laatste officier bij de muur. De ceraioli werden altijd betast, gestreeld, aangeraakt voor geluk, verder geduwd. Het rook er sterk naar wijn. Mijn voeten hadden het ritme van de overwinning: da da da dum, da da da dum. Mijn hoofd werd overspoeld door gedachten. Er speelden woorden in mijn nek: da da da dum; er drongen zich woorden op in mijn hoofd, die mijn woorden waren, mijn laatste woorden; ze waren de godslasterlijke liedteksten van de ceraioli en de menigte, ze waren mijn gebeden:

'... *Ballaeremo diverse quadriglie*
putana la mamma con tutte le fije...'

En ik rende verder en verder. Ik kon niet stoppen; dat kan geen enkele ceraiolo.

'Halt,' schreeuwde een soldaat en hij pakte me bij mijn rechterelleboog.

'Wat?' riep mijn begeleider terug, aan mijn mouw trekkend. Ik werd twee kanten uit getrokken, maar ik ploeterde door. Ik moest wel. Da da dum, da da da dum; ik zocht naar woorden in het ritme, maar die waren zo ongrijpbaar als de mist.

'Wat moet hij hier?'

'Wie?'

'Hij.'

'Wie bedoel je?'

'*Dio buono!* Hij daar! Die jongen is geen edelman.'

De soldaat met de stapel bekentenissen tuurde naar de namen.

'Dat is... kolonel Imolo Vitelli di...'

'Dat had je gedacht. Het is een bedrieger. Hij is die achterlijke boerenkinkel aan wie Vitelli vastzit.'

Ik was er bijna, bijna bij de muur, bijna bij de Basilica van Sant'

Ubaldo. Ik bleef rennen, ik moest wel.

Buiten de gevangenismuren hoorde ik vuurwerk. Mijn hoofd leek te exploderen toen een regen van vuisten en geweerkolven op mijn hoofd neerdaalde.

Wat er zich het volgende uur afspeelde werd me door Vitelli verteld. Hij vertelde hoe hij door slagen werd gewekt en zonder laarzen door de gang werd weggesleurd.

'Het was een gekkenhuis op de binnenplaats, volstrekte verwarring; het lawaai had iets woests over zich. Ik kan het niet uitleggen...'

Zevenentwintig trommels, tien hoorns, de klokken van negen kerken en drieduizend stemmen die schor waren van het juichen en joelen. Als wij Eugubini gek zijn, dan is dat de klank van gekte, en het ritme ervan is het ritme van rennende voeten en het da da da dum dat aanzwelt tot TUM-tata: TUM-tata/TUM TUM/TUM TUM.

'De zaak werd opgehouden doordat er een gekrabbelde bekentenis voor me werd opgesteld. Die vertraging heeft me het leven gered, weet je. Jij hebt me mijn leven gered,' vertelde Vitelli me telkens weer.

'En de poorten werden opengeramd door de Roodhemden. Er werden een paar schoten afgevuurd...'

TUM-tata/TUM TUM.

'De bewakers gaven zich over. De Roodhemden stroomden in zulke aantallen binnen dat het hier wel een dorpsfeest leek. Ik werd bevrijd, nog steeds half slapend en zonder laarzen.

Toen je aan mijn voeten lag, heb ik je gedoopt: kapitein Annibale Gabriele Matteucci del Campo.

Nu is de oorlog afgelopen, Del Campo. De strijd is gewonnen. De Kerkelijke Staat Umbrië is niet langer een vazalstaat van de paus. Dit is de eerste dag, Del Campo, van een nieuw leven.'

Mijn vriend had me na mijn pak slaag heel voorzichtig bij bewustzijn gebracht en had mijn hoofd vastgehouden terwijl hij een tinnen beker koffie met een scheutje cognac tegen mijn lippen had gedrukt. Het was een hemels drankje waaraan ik mijn tong brandde.

Terwijl hij tegen me praatte, hoorde ik met mijn ene oor zijn stem en met mijn andere oor het geroffel van zevenentwintig trommels.

5

De stenen van Venetië zagen groen van het mos. Ze waren even klam en benauwend als de cel die ik pas had verlaten. Toen ik in de stad was aangekomen, had ik mijn eerste dagen doorgebracht als een rat die langs de randen van dat netwerk van uitgestrekte riolen scharrelde. Mijn vermomming was nog nieuw voor me, hij voelde onbeproefd en ik voelde me onzeker. Het was of bij elke bocht van een steegje iemand me naar mijn identiteit zou kunnen vragen. Hoewel de stad echode van het geluid van haar eigen mysterieuze orkest van stemmen en water, leek ze voor mij de voortdurende dreiging van spottend gelach in te houden. Gekleed in de fattige kleding die ik onderweg had gekocht en gestolen, voelde ik me naakter dan in mijn eigen huid.

Iedere visvrouw en kwajongen, maar vooral iedere soldaat die me passeerde, veranderde me van een man in een koudbloedig dier, een reptiel, iets kruipends, van angst verlamd tegen de klamme steen. Ik was ervan overtuigd dat ze mijn mooie kuitbroek aanzagen voor wat hij was, gestolen van het lijk van een officier in een greppel buiten Forlí. En de kousen en laarzen die ik tot mijn vreugde aan zijn dode benen had aangetroffen, uitten in het donker toch ongetwijfeld zuchtend bovennatuurlijke boodschappen die op hun herkomst duidden. Getuigde de aan het oog onttrokken bloedvlek op de neus van mijn rechterlaars, de donkere plek die het uitschreeuwde vanaf het leer, niet van ontheiliging?

Tijdens mijn eerste week in die waterrijke stad was ik, telkens wanneer er een priester langskwam – de zoom van zijn donkere gewaad oplichtend boven de modderige drek – klaar om op mijn knieën te vallen en mijn diefstal en oplichterij op te biechten. Maar die priesters hadden altijd haast. Ze hadden geen belangstelling voor mij en mijn getergde ziel. Er heerste dysenterie in de stad. De rijken werden overdag begraven en de armen 's nachts. Er werd gezegd dat de dag nauwelijks genoeg uren telde om de doden te begraven en dat op de oevers van het Isola San Michele de doodskisten stonden opgestapeld.

Het fascinerende van de stad was dat alles schijn was, Venetië was een meester in vermommingen. Ik had gehoord dat ik me door de aanschaf van een klein, wit masker, een uitdrukkingsloos gezicht dat een *bautta* heette en bestond uit lijm en vele lagen papier, in anonimiteit door de stad zou kunnen bewegen. Niemand zou me daar natuurlijk hebben herkend, maar mijn eigen gezicht was als een masker waarvan ik nog niet wist hoe ik het moest dragen. Aangezien het de mode was om een masker te dragen, had ik me voorgenomen dit Venetiaanse masker alle uren dat ik wakker was op te zetten om geen verdenking op te wekken of commentaar te ontlokken.

Helaas had ik geruchten uit vervlogen tijden opgevangen; maskers waren nu verboden. Maar na verloop van tijd zag ik echter fantastische kostuums opduiken, en de stad gaf zich over aan een opmerkelijke staat van opwinding. Deze kostuums waren verboden door de Oostenrijkers, maar de rijkere burgers dosten zich er nog dagelijks mee uit. In winkels langs de Frezzeria zag ik de gesnavelde maskers van de pestdokter, afgezwakte versies van de priesterneus die me achtervolgden, die onaangename herinneringen bij me opriep.

Ik had verhalen gehoord over de rijkdom en decadentie van

Venetië: ik wist dat hele adellijke families zich te gronde hadden gericht met kaartspelen. Dit gokken was ook verboden, maar ik had gehoord dat er geheime plaatsen waren waar een man bergen geld kon verdienen of verliezen. Ik had niets te verliezen en veel te verdienen. Al mijn lessen van Vitelli hadden me binnen de beperking van onze kleine, overvolle cel een heer doen lijken, maar ze konden me geen toegang tot Donna Donatella verschaffen noch het paleis voor me bouwen dat ik me had gedroomd. Daarom bewoog ik me behoedzaam door het donkere labyrint: een ongemaskerde man in een gemaskerde stad, bang de weg te vragen, maar erop vertrouwend dat het geluk zelf me erheen zou voeren. In die tijd dacht ik dat geluk een vallende ster was. Ik dacht dat ik alleen mijn handen hoefde uitsteken om haar te vangen.

Ik had gehoord over een speelhol dat eigendom was van een manke legerkapitein die zich Bastoni noemde. Ik had gegokt toen ik onderweg was naar de open replica van mijn gewelfde cel. Toen ik nog Emiliaanse winst op zak had, had angst me ervan weerhouden hem op te zoeken. Toen dat geld op was, wist ik dat ik naar hem toe gedreven zou worden. Bastoni: die naam voorspelde goeds, bastoni was mijn gelukskleur bij het kaarten. Als bastoni troef werd, won ik.

Mijn vader had me geleerd naar de sterren te kijken, en mijn leermeester in Urbino had me geleerd waar de sterrenbeelden stonden. Hij deelde niet graag andere geheimen met me dan die ons vak betroffen, maar soms zwichtte hij en schoof me kruimeltjes van zijn kennis toe. Mijn leermeester had bij de jezuïeten gestudeerd en was een geleerd man. Zijn lichaam was verschrompeld en hij had een scherpe tong, maar hij behield een levendige belangstelling voor het leven en zette die om in steen. Sinds mijn tiende jaar, toen mijn zio Luciano me aan hem had verkocht, gingen mijn meester en ik voor dag en dauw op pad naar de steengroeve met pietra serena, naar een kerkhof of een kapel, naar een kasteel of een kerk. Het merendeel van zijn werk verrichtte hij voor de curie. Met onze tas vol gereedschap gingen we op pad en reisden langs Umbrische paden en wegen, geleid door de maan en sterren. Als hij ervoor in de stemming was, vertelde hij erover.

Mijn leermeester was een oude man, maar hij was vlug ter been. Ik moest me inspannen om hem bij te houden. De slaap prikte in mijn ogen. De oren van mijn meester waren doof geworden door het dreunen van de steen. Hij had zijn eigen leertijd doorgebracht in de steengroeven van het groothertogdom, en het lawaai van het buskruit had, zo zei hij, zijn gehoor weggenomen en in een groot blok marmer gestopt. Hij beweerde dat zijn gehoor ergens in de Sint-Pieter zelf rondhing, daarnaar toe gelokt door kardinaal Ettore Consalvi in een blok roze travertijn dat bestemd was voor de Heilige Stoel.

Mijn meester zei altijd: 'Let goed op de Poolster, jongen, laat je leiden door het licht dat het enige ware licht is. Het komt uit de poolstreken. Als je eraan voorbijgaat, zal het je hart bevriezen en je karkas achterlaten zodat de zon het kan ontdooien en de wolven het kunnen verslinden.'

Zo leerde ik de sterren en hun jezuïtische macht en wraakzuchtige toorn respecteren en vrezen. Toen kolonel Vitelli me vertelde dat mijn eigen grote ster alleen mij bescheen, vervulde die gedachte me met angst. Daarna veranderde de angst in ambitie, en het levenssap van ambitie is hebzucht. De grote ster die me had gered zou me rijk maken. Die rijkdom zou als goud zijn in het vuur van mijn dromen, dat dit edele metaal zou omsmelten tot mijn paleis. In zo'n periode, als zijn geest doolde en het werk schaars was, had mijn meester me naar beneden gestuurd om Etruskische botten in goud te veranderen. Hij had het vaak over een kelk. Dan sprak hij met ontzag. Mijn paleis zou als een gouden kelk zijn die met liefde werd gevuld. Er hadden zich rondom mijn cel zulke wonderen voltrokken dat ik niet alleen in die ster, mijn ster, begon te geloven, maar ook in haar magische kracht. Maar meer nog dan door het noorderlicht of een echte of denkbeeldige ster van mezelf, liet ik me leiden door Vitelli. Nu hij niet bij me was en ik veel noordelijker was dan ik ooit was geweest, leek de grote ster waarover hij had verteld inderdaad voor me te schijnen. Maar zonder zijn licht en leiding voelde ik me verloren. De nevel uit de lagune hulde me in zijn benauwende duisternis, en de doolhof van steegjes vervulde me met angst. Vaak dacht ik erover om de stad te ontvluchten. Ik bekeek de herkomst van alle kledingstukken met wantrouwen, en ik nam andere edellieden met achterdocht op, wetend waar mijn eigen kostuum vandaan kwam. Toen ik mijn kledij voor het eerst had aangetrokken, vond ik die nogal zonderling, maar toen ik er in Venetië voorzichtig mee door de muffe straten paradeerde en door de koele, zwart-wit geblokte arcaden liep, leek ze bescheiden vergeleken met de bizarre en fantasierijke kleding van de andere burgers. Mijn eigen kostuum hield ontheiliging en heimelijkheid in en ik probeerde me voor te stellen welke mate van misdadigheid er onder dergelijk schaamteloos vertoon schuilging.

Onder de sinistere mist van Venetië lag een laag van onaantastbaarheid. Er waren nog andere lagen, even talrijk als de lagen van een rots, maar aanvankelijk was ik te zenuwachtig om daarnaar te kijken. Er was het olijfgroene water van de lagune, de steen, de baksteen en de mist, en ik was bang om verder te kijken, niet wetende welke corrumperende lagen ik daartussen zou aantreffen. Als ik geen afspraak met Vitelli had gehad, zou ik vrijwel zeker zijn gevlucht. Mijn enige band met hem was een toekomstige afspraak: op de dag dat de lente begon, in caffè Florian op het San Marcoplein, aan een tafeltje vooraan bij het raam.

Ik zou beslist zijn doodgegaan als ik de hoop niet had gekoesterd mijn vriend en mentor terug te zien. Ik kwam op 21 januari in Venetië aan, en toen telde ik de dagen en soms de uren af tot die afspraak zou plaatsvinden. Ik liep om de plaats van het rendez-vous heen; het was een modieuze gelegenheid waar dandy's en edellieden bijeenkwamen. Het was de enige plek waar zowel Venetianen als Oostenrijkers bijeenzaten. De rest van het maatschappelijke leven was strikt gescheiden. Over het algemeen werden de Oostenrijkers veracht, en dat was een ander nadeel van mijn vermomming. Hoe kon ik langs een van de soldaten van het Oostenrijkse bezettingsleger lopen en hem te slim af zijn, terwijl ik nog steeds schrok van mijn eigen schaduw en ongewild voor mijn eigen spiegelbeeld boog?

Wat een plaaggeest was die stad! Binnen en buiten was er niets anders dan weerspiegeling. Ik werd door het trage water voortgestuwd samen met honderden andere vreemdelingen in de stad. De gezaghebbers waren op zoek naar spionnen. Ik ging in Rialto wonen, en tijdens mijn tweede week toonde de Oostenrijkse geheime politie enige belangstelling voor me. Ze moeten tot de conclusie zijn gekomen dat ik geen bedreiging vormde, want in de drie jaar die ik daarna in Venetië doorbracht, werd ik nooit meer door hen lastig gevallen.

Hoe koud was het niet in die stad: een grote, waterrijke graftombe, verzonken in haar stinkende opsmuk. Venetië had al de opalen glans van visseschubben. Het magere winterzonnetje scheen door deze heldere transparantie tot op het rottende vlees van de afgehakte kop. De glans was een namaakharnas. En hoe trots waren ze toch niet op hun wegzakkende verschijning! Voor Giovanni bij me in dienst kwam, werd ik, als woorden me te kort schoten, gered door de wonderbaarlijke schoonheid van de stad ter sprake te brengen. Er werd snel en raar gesproken, een onbeschaafde dreun die in mijn oor bleef naklinken als afgelikt gefluister met half ingeslikte, verloren betekenissen. Ik leerde lofzangen uitwisselen. Het scheen dat er van generatie op generatie een schat van bewonderende woorden was overgeleverd. Zelfs de ongeletterde kokkelrapers konden de schatten van de San Marco opnoemen. Die dingen maakten grotere indruk op me dan de carnavalsfantasieën.

'O Venezia benedetta
Non le vogio piu lasar!'

zongen ze, terwijl ze hun gehavende visnetten, kreeftenfuiken en wintervoeten verzorgden. Ik leerde de refreinen kennen, omdat ik als een papegaai was en alles nazei wat ik hoorde zonder enig idee te hebben wat het betekende.

Mijn liefde voor de plaats die de inwoners zo liefkozend de Keizerin van de Adriatische Zee noemden, was geheel geveinsd. Het vormde een nieuwe sport aan de ladder van leugens die ik besteeg om een heer te worden. Maar net als zoveel andere leugens werd wat als bedrog begon uiteindelijk gemeend. Want onder leiding van Giovanni, mijn nauwgezette gondelier, ging ik liefde koesteren voor dat sombere, drijvende mausoleum. Ik raakte gesteld op de weergalming van zijn lege zalen, keek met welgevallen naar de zompige groene aanslag die zelfs de timpanen van de mooiste paleizen bedekte. Ik leerde genieten van het klatergoud en de prisma's van geslepen kristal, de krokodilletranen van geblazen Murano-glas die aan elke kandelaar biggelden. Gesust door Giovanni's woordenrijke sloomheid werd ik een bewonderaar van Venetië. Ik dobberde over kanalen, geleid door Giovanni Contarini. Giovanni droeg, zoals de gewoonte was, de naam van het geslacht waar zijn familie vroeger voor had gewerkt. Dat gaf aanleiding tot eindeloze verhalen over buitenechtelijke dochters en zonen van vooraanstaande edellieden van de stad, samen met gefluisterde aanspraken op hun enorme fortuin.

Ik denk dat de arme stadsbewoners genoten van het gezelschap van ons buitenstaanders. Wij vormden een geboeid publiek. In hun begrafenisgondels hadden ze ons languit, hulpeloos aan hun genade overgeleverd als zij hun geheimen en fantasieën verklapten. Het maakte niet uit of je hen geloofde of niet; ze hadden er plezier in verhalen te vertellen, dat was voldoende. Giovanni vormde hierop geen uitzondering: bij elke tocht die we maakten speelde hij het klaar langs de roze met witte bruidstaart van de Ca' Contarini te varen, om makkelijker over zijn eigen aanspraken te kunnen vertellen.

6

Ik had drie redenen om naar Venetië te gaan, waarvan de voornaamste was mijn vriend Vitelli te ontmoeten, de tweede de illegale speelholen van de stad te benutten om mijn fortuin te maken onder het licht van mijn geluksster, en de derde reden betrof de aard van de stad. Ik zou kunnen zeggen dat het met haar ligging te maken had; het was echter, net als alles in Venetië, een afspiegeling van iets anders. Mijn angst voor paarden.

Als jongen had ik zelden een paard gezien, en als ik er al een zag, was dat meestal van een afstand. De keren dat we voor het werk van mijn meester naar de stad moesten, zag ik die beesten van dichterbij. Ik wist dat een trap dodelijk kon zijn. Ik had horen vertellen over een jongen die was bezweken na een trap van een hoef tegen zijn hoofd. Ik zag nu zelf de kwijlerige lippen, de schuimende mond die bij het opensperren groot genoeg leek om mijn hele hoofd te verzwelgen, en tanden zo reusachtig dat ze mijn nek even makkelijk hadden kunnen doorbijten als de steel van een abrikoos. Voor zover de smalle straatjes in onze steden en de woedende vermaningen van mijn leermeester toelieten, maakte ik een zo wijd mogelijke boog om zo'n beest heen en bekeek de boosaardige blik in het paardeoog en het ongeduld om verwoesting aan te richten. Mijn leermeester dreigde me met wolven en beren als ik in het bos of langs de kant van de weg treuzelde wanneer we naar ons werk liepen. Hij had me aan het rennen kunnen krijgen als hij geweten had hoe bang ik voor paarden was.

Een boerenjongen en een steenhouwersleerling hebben weinig aan een paard. In de akkers om mijn vaders boerderijtje werden ossen gebruikt om de ploeg te trekken. Als die er niet waren, nam een ploeg jonge mannen het halster om hem door de aarde te trekken. Ik had muilezels gezien die met ladingen hout en zakken maïs op hun rug balanceerden. Later zag ik opnieuw muilezels en ossen die steen wegsleepten uit de groeven. Ik zag muilezels die de lange greep van de olijfpers in het rond trokken, hun ogen afgedekt om hun lot te verhullen. Zelfs toen was ik bang, maar aangezien niemand me vroeg dichterbij te komen, hoefde ik niemand anders dan mezelf mijn angst te bekennen.

Toen ik me echter als een aardworm in de cocon van een zijderups begon te hullen, toen ik modder ging versmaden ten gunste van de sappige moerbei, moest ik erkennen dat edellieden paardreden. Vanuit het vunzige isolement van mijn gevangeniscel had deze eventualiteit zo onwaarschijnlijk geleken, dat ik er niet bij had stilgestaan. Pas bij onze gezamenlijke vrijlating, toen Vitelli me vertelde hoe ik naar het noorden moest komen, dat ik onderweg een paard moest kopen en dat we elkaar dan in Venetië zouden ontmoeten, werd het reëel.

'Wat?' vroeg ik hem. 'Ik op een paard stappen en naar Venetië rijden?'

'Niet de stad in, Gabriele, hoe zou dat nu kunnen? Venetië is op het water gebouwd. Venetianen verplaatsen zich per boot of lopen als krabben door hun vochtige stegen.'

Ik besloot dat Venetië mijn thuis zou zijn tot het lot me een ander thuis zou wijzen.

In de twee maanden die volgden leerde ik evenveel over etiquette als in al mijn tijd in de gevangenis, onderwijl mijn fouten verbloemend en aflerend. Toen ik op slechts vijf kilometer afstand van de gevangenis brood, *pecorino* en een kan warme melk bestelde in een *taverna*, werd ik het mikpunt van spot en speculatie. Mijn eerste avond in vrijheid was een vreselijke avond. Pas na het invallen van de duisternis, toen ik me geen zorgen meer maakte en mijn medereizigers begon gade te slaan, ontdekte ik dat de hoon en achterdocht waren toe te schrijven aan het feit dat ik geen fooi had gegeven. Nadat ik anderen dat wel had zien doen, riep ik de knorrige bediende bij me, pakte een munt uit mijn povere voorraad en maakte door sociale toverkunst een vijand tot vriend en veranderde zijn knorrige minachting in openlijke vleierij. Een tweede kan schapemelk werd ongevraagd naar mijn tafeltje gebracht en neergezet met een handvol amandelkoekjes erbij: 'Voor mijn heer.' Ik had gezien dat een heer zijn brood niet in de melk doopt en erop zuigt. En een heer omhelst de bedienden niet. Evenmin gaat een heer op de trap zitten of neemt hij zijn hoed af voor stalknechten of venters. Ook nijgt hij het hoofd niet en slaat de ogen niet neer als hij door een andere heer wordt aangesproken. Evenmin slaat hij met boerenvertoon een kruis bij elke kapel. Dergelijke zaken had ik in mijn cel niet kunnen leren, maar door om me heen te kijken constateerde ik dat het zo was.

In Reggio Emilia kon ik er ondanks mijn blunders mee door, maar alleen dank zij de chaos die er heerste. Een gewest dat nog onlangs door oorlog werd verscheurd, is als een verwoeste mierenhoop: iedereen is zo druk bezig rond te rennen, te repareren en gewonden bijeen te brengen, dat er weinig tijd overblijft voor een officier die op doortocht is. Ik had heel wat maanden gehad om te leren praten, lopen, eten, wat Frans te spreken en de verfijnde salonmanieren onder de knie te krijgen. Ik kon me bewegen, schermen en schrijven als een edelman, zolang er niet van me werd gevraagd iets dergelijks op hoog niveau of te lang achter elkaar te doen. Het moeilijkst van alles was echter de naam die ik had aangenomen. Die was zo nieuw dat ik er moeite mee had hem uit te spreken, laat staan hem met hooghartige onverschilligheid van mijn tong te laten rollen.

Ik had te laat beseft dat ik iemand had moeten uitkiezen die lang geleden was gestorven in plaats van de identiteit van kapitein Del Campo aan te nemen. Ik had het aantrekkelijk gevonden omdat ik op het land was geboren en getogen en de naam met die betekenis iets beter bij me paste dan een andere. Vitelli bood aan me officieel te pensioneren en mijn papieren in orde te maken, en hij gaf me een horloge dat de echte Del Campo hem had toegestopt toen de bewakers hem uit onze cel wegvoerden naar het vuurpeloton. Maar hoe vaak ik ook oefende op de naam kapitein Annibale Gabriele Matteucci del Campo, ik struikelde er altijd over.

In Ravenna had ik zowel het 'kapitein' als het 'Annibale' laten vallen. De Romeinse geschiedenis had de naam overgenomen. Ik had enorm genoten van mijn geschiedenislessen en had de namen van alle generaals uit mijn hoofd geleerd. In vrijheid slingerde ik heen en weer tussen leerling en stomkop; in plaats van Annibale zei ik steeds de namen van zijn generaals en ik besefte dat het me met een dergelijke innerlijke verwarring slecht zou vergaan tijdens mijn reis naar het noorden, ongeacht hoe succesvol mijn historische naamgenoot was geweest bij het overtrekken van de Alpen. Daarom hield ik voor mezelf de naam Gabriele en probeerde die met de aartsengel te associëren.

In Rovigo liep ik letterlijk een Matteucci-liefhebber tegen het lijf die aanbood me aan een van mijn familieleden voor te stellen. Toen ik in Padua kwam, was ik eenvoudig Gabriele del Campo geworden, een naam die ik mijn hele leven heb gehouden, zonder dat hij de mijne was of ik hem verdiende. Ik ben de schim van een geëxecuteerde officier.

Mijn eerste dagen in Venetië sloop ik rond door Castellani en durfde nauwelijks mijn hoofd op te heffen. Het wemelde in de stad van de priesters, die zich als ongedierte naar de stervenden repten in de wirwar van stegen. Ik herinnerde me de laatste sacramenten die ook mij waren toegediend en wist nog met hoeveel tegenzin dat was gedaan. Die herinnering sterkte me in mijn

inspanningen. De straatjes waren een en al drukte en bedrijvig-
heid. Ze waren te roerig voor een behoedzame geest als de mijne.
Ik vluchtte vaak ijskoude kerken binnen. De sobere, gewelfde
tombes pasten beter bij mijn stemming. In die kerken werd ik
achtervolgd door de gedachte aan mijn moeder. Alleen de aanblik
van een altaar was al genoeg om mijn ogen met tranen te vullen.

Mijn moeder had nooit zoveel greep op de leer. Ongeacht het
weer ging ze elke eerste zondag van de maand naar de mis en liep
de drie kilometer naar Sant' Angelo. Ze kon haar ave-maria's,
haar credo's en haar paternosters met ons meeprevelen, zonder
ooit te begrijpen wat ze betekenden en ook zonder dat te willen.
Ze wist dat er leven en dood was, hemel, hel en vagevuur, en tijdens de onvermijdelijke gang naar de dood streefde ze naar het
paradijs. In Venetië dacht ik aan haar lot, aan haar rode handen
met kloven, haar geloken ogen en haar brede lach met verwoeste
tanden.

Het paradijs betekende voor haar een hereniging met mijn
overleden oudere broer en misschien verlichting van de last die
de opgezette, kronkelige aderen van haar benen veroorzaakten.
De kerk bood haar die mogelijkheid, en door haar volharding verstarde haar bitterheid. Mijn vader was een trage en over het algemeen zwijgzame man. Voor het lichtfeest kwam hij elk jaar tot
leven, ging zich te buiten en trok zich weer terug in zijn schulp.
Hij zwoegde, hield zich schuil en verdroeg het ergste van mijn
moeders bitterheid. Ik heb zelfs nooit geprobeerd mijn vader te
begrijpen. Ik deed zo mijn best mijn moeder te behagen dat er
voor hem geen tijd overschoot. Hoe ik ook mijn best deed, ik kon
haar nooit tevreden stellen. Ik kon niets anders doen dan me aan-
passen aan uiterlijke conventies.

Ik was benieuwd wat ze zou zeggen als ze kon zien wat ik nu
geworden was: een man die een gedaanteverwisseling had ondergaan en zich in het voorgeborchte van de hel bevond. Ik had de
juistheid van haar ergste angsten over mij aangetoond. Ik zou
nooit naar het geploeter op de akkers kunnen terugkeren, maar

vaak voelde ik me evenmin in staat een heer te worden. Ze zou een kruis slaan, prevelen en het teken van het boze oog maken. Ze zou me als een geruïneerd man zien, niet alleen verloren voor haar, maar totaal verloren. Ik wist dat ze voor mijn vrijlating uit het vagevuur zou bidden voor het geval mijn toestand de hare zou beïnvloeden. Maar ze zou er huiverig voor zijn me terug te nemen. Ze zou denken dat mijn vervloeking besmettelijk was. Ik, die niets anders van mijn familie te erven had dan hun povere liefde en warmte, zou onterfd worden.

Het was koud in Venetië, zo steenkoud in die kerken, dat de kou tot in het merg van mijn gebeente kroop. Hij kroop door mijn lichaam, kromde mijn rug en groef zijn vuist in de onderkant van mijn ruggegraat als een ijskoude glasscherf.

Buiten hing een verstikkende mist. Mijn klamme, zwarte Venetiaanse cape was overdekt met vocht. Hij zat als een vochtig, gedraaid laken om me heen. De steegjes gingen hier en daar over in donkere tunnels die zo laag waren dat ik moest bukken. Angst was een onwelkome gast in mijn hemd. Hij zigzagde met me mee door de dichte mistbanken, verzamelde weergalmende voetstappen, verzon ijle, graaiende vingers die uit de afbladderende muren kwamen om me te pakken. Vreemde jongens zaten me achterna, slingerden dozen en karretjes mijn richting uit als ik me voorbijrepte. De weldoorvoede ratten die de steegjes met me deelden keken me strak aan en bewogen hun snorharen met een zelfvertrouwen dat me ergerde. Toiletemmers werden op mijn hoofd geleegd. De stad wist dat ik in alle punten van mijn driesteek lafheid met me meedroeg.

De eenvoudige laarzen die mijn leermeester voor me had laten maken bij de schoenmaker in Miraduolo, waar we waren aangenomen om de kapel van Onze-Lieve-Vrouwe te restaureren, hadden toen ze nieuw waren aangevoeld als ijzeren klompen. Elke twee jaar bestelde hij een nieuw paar rundleren laarzen voor me, echte schuiten, waar mijn brede boerenvoeten in konden groeien. In het begin slipte ik heen en weer in het stugge leer. Als ik eruit was gegroeid, werden mijn tenen gekneld tot vormen die de botten nauwelijks konden aannemen. Het schoeisel uit mijn jeugd paste me zelden. Ik dacht dat ik alles wist wat er te weten viel over pijn en kramp in de voeten.

Mijn moeder had me met een somber, bedenkelijk gezicht aangekeken toen ik haar thuis bezocht met schoenen aan mijn voeten. Het was niet de enorme grootte ervan die haar schokte, het was hun bestaan. Ze schopte as over de kwetsbare neuzen ervan als om de sporen van haar moederschap te verhullen. Met de as liet ze me gaan; in haar ogen een kleine uitgave van zio Luciano: een kruising, nuttig, maar onvruchtbaar. Ik was elf jaar oud toen mijn schoenen tussen ons kwamen en me uit haar gespierde armen verdreven.

In Venetië leerde ik inzien dat ik niet de kenner van de schoenenkwelling was die ik dacht te zijn. Van Emilia, waar ik de knellende laarzen had aangetroffen, tot Padua had ik de gestolen laarzen afgewisseld met mijn eigen versleten en volledig afgetrapte paar. Ik hield me voor dat dit noodzakelijk was om de bloedvlek van de ene neus te verwijderen. Tijdens die weken verlokten de gestolen laarzen me met een vals gevoel van comfort. Als ik ze niet langer dan een uur achtereen droeg, leken ze een leven vol luxe te voorspellen. Iets buiten Padua liet ik mijn eigen oude laarzen in een greppel achter, in zekere zin hopend mijn eerdere diefstal goed te maken.

Kapotte wintervoeten, geschaafde eksterogen en blaren: ik verving de oorspronkelijke bloedvlek met nieuwe van mezelf. Ik weet niet wat me het meest kwelde, mijn geweten of mijn voeten. Mijn voeten deden echter voortdurend pijn, terwijl mijn geweten zich beperkte tot perioden van wroeging. Mijn angst ontmaskerd te worden was veel groter dan mijn berouw.

Toen ik me in het begin strompelend en schuifelend voortbewoog door de smalle steegjes van San Lio, te bang voor het water om weer in een boot te stappen, volgde ik de stroom van de massa, als een menselijke pendel heen en weer geslingerd op dat woelige tij. De mensenmenigte repte zich door de trechter van de Merceria en werd het San Marcoplein op- en afgestuwd als door de ademhaling van een reusachtige vis. Vervolgens werd de menigte naar de statige arcaden gezogen en teruggedrongen en naar de Rialto gevoerd. Ik klampte me aan bruggen vast en probeerde me te verstoppen in nissen en klemde me vast aan schoorstenen, terwijl golven mensen aan een stuk door kwetterend en krijsend voorbijspoelden. Soms zat ik de hele dag gevangen in die zinloze, voortijlende en stuwende stroom, en kreeg wel honderd scherpe ellebogen per uur tegen mijn stijf ingepakte ribben. Soms zocht ik mijn heil in de kerk van San Lio en soms ontvluchtte ik de menigte en zocht mijn heil in San Zanipolo.

Ik was al vaak in San Zanipolo geweest, ineengedoken om me onzichtbaar te maken in een van de donkere kerkbanken, mijn voeten rust gunnend en Napoleon vervloekend om alles wat hij had afgeschaft, toen ik voor het eerst de tombe van Bragadino zag. Als steenhouwer was ik heel vertrouwd met tomben en kerkhoven. Ik had vroeger op heel wat grafstenen gezeten als ik een Latijnse tekst zat uit te hakken of aan de steen zelf werkte. Ik maakte me geen onnodige zorgen over de doden. Ik neem aan dat het gemak waarmee ik de broek van een officier had uitgetrokken hier ook van getuigt. Ik besteedde nauwelijks aandacht aan de gedenkplaten van de kerken waar ik binnenvluchtte. Ik kon niet laten met een kennersoog naar het beeldhouwwerk te kijken en ondanks mijn grimmige stemming bewonderde ik onwillekeurig de schoonheid en het vakmanschap die in de stad te vinden waren.

Op een dag, toen aan de gewone gruwelen van de straat een bui vlijmscherpe hagel werd toegevoegd, zat ik in Zanipolo en liet mijn oog vallen op de buste van deze Bragadino, met daarboven een donkere fresco met een krachtige uitstraling die ik niet kon thuisbrengen. Toen ik naar de verbleekte pigmenten staarde, werd ik aangesproken door een monnik, wiens mond bij het praten een grote, holle ruimte leek, waar de stompjes van zijn ontbrekende tanden in dreigden te vallen. Door luid te zuigen hield hij ze bij elkaar.

'Ik zie dat u aan admiraal Bragadino zit te denken,' zei hij, luid smakkend. 'Wilt u zijn huid zien?' De vraag ging vergezeld van een regen van slijmerig spuug. Ik deinsde achteruit. De teleurgestelde monnik volgde me.

'Van zijn rug gestroopt,' zei hij slurpend, 'zo zacht als een handschoen en netjes opgevouwen, dus er is niets te vrezen.'

Buiten de kerkdeuren striemde de hagel in schuine vlagen tegen mijn huid en geselde mijn wangen. Ik vond een wijnlokaal en nam plaats tussen een groep ruwe mannen. Voor deze ene keer vond ik het niet erg om me niet op mijn gemak te voelen. Ik vervloekte Napoleon Bonaparte, die het gebruik van maskers had verboden, waardoor ik mijn gedaanteverandering moest volbrengen terwijl ik net zomin huid had als een man die is gevild.

Als ik mijn droom niet had gehad, zou ik in die begintijd met plezier zijn doodgegaan. Ik had een paleis verzonnen, en het aanschouwen van al die paleizen in Venetië sterkte me slechts in de overtuiging dat zulke dromen konden uitkomen. En het was mijn plicht Donna Donatella waardig te worden. Ik durfde er nauwelijks over na te denken of ze ooit wel van me zou houden, maar ze moest me in elk geval gaan opmerken en bewonderen. Ik besefte heel goed dat ik voor dat doel elke geseling en pijn zou verdragen en dat mijn verpopping als een insekt uiteindelijk voltooid zou worden.

7

Hoewel ik me al heel wat dingen eigen had gemaakt, leerde ik in Venetië pas de wijn kennen. Het was een nieuwe en machtige leermeester. Ik had als kind de *vin santo* van de communie geproefd en had net als alle anderen geprobeerd meer naar binnen te gieten dan het ene slokje dat werd aangeboden. De zoete, rozijnachtige smaak ervan steeg me altijd meteen naar het hoofd. Ik zou graag vertellen dat ik even makkelijk leerde drinken als dat ik mijn andere lessen had geleerd, maar helaas werd ik geen wijnkenner, maar een dronkaard. Ik wist dat ik drinkend in wijnlokalen mijn mond voorbij zou kunnen praten en dat ik misselijk zou worden en daarom bleef ik hele dagen in een dronken roes op mijn kamer rondhangen. Tussen twee kannen wijn in werd ik vaak overvallen door een gevoel van onwaardigheid, hetzij ten opzichte van Donna Donatella, mezelf of van Vitelli. Dat waren de drie mensen die ik het meest miste.

Ik slaagde er niet in door te drinken in zo'n staat van vergetelheid te geraken dat ik kon negeren dat mijn geld opraakte. Een echte edelman kon zich permitteren op zwart zaad te zitten; ik niet. Het werd tijd om Bastoni op te zoeken. Mijn ziel was er nog niet aan toe, maar mijn lege broekzak noodzaakte me ertoe. Ik wist te veel over Bastoni om er luchthartig over te denken. Het was een gokhol dat strikt werd geleid volgens de perverse regels van kapitein Bastoni. Met overtredingen werd korte metten gemaakt in de piratenstijl waarmee hij, naar het verluidde, zijn fortuin had gemaakt. Ik hoorde vertellen dat sommige van de zakken die bij Sant' Ariano werden gedumpt net zomin de slacht-offers van malaria bevatten als de biscuits of de kooltjes van het Driekoningenfeest. Naar verluidde had Bastoni de beruchte Venetiaanse moordenaars met hun glazen stiletto's niet nodig; hij rekende zelf met mensen af. Dergelijke vermaningen en toespe-lingen op zijn karakter had ik zelfs helemaal in Ravenna horen vertellen. De omvang van de verwoestingen die hij aanrichtte, was even groot als de uitgestrekte vlakte van Santa Maria degli Ange-li. Ik had, dwaas genoeg, gedacht dat een man die zo beroemd en gevreesd was makkelijk te vinden zou zijn, maar in Venetië was niets makkelijk te vinden. Ik sloofde me uit als een opwindpop-petje. Ik had nog maar een paar frank. Mijn onderkomen in Rial-to had ik sinds eind januari niet meer betaald, want als ik mijn huisbaas betaalde, zou ik berooid zijn. Mijn kleren waren sleets geworden, en mijn ontvelde voeten schreeuwden om een nieuw paar laarzen. De dreigende armoede, die als stimulans had moe-ten werken, zoog de laatste energie uit me weg.

De gure wind en een springvloed hadden de straten doen onderlopen. Van de San Marco tot de Rialto stond alles blank. Het koude zeewater was over de rand van mijn laarzen naar binnen gestroomd, had mijn enkels doen bevriezen en had uitgebeten plekken op mijn benen achtergelaten. Ik stak de Rialtobrug over en liep doelloos van Santa Croce naar San Stae. Toen ik in Vene-tië was aangekomen, was ik door de gondelier die me had geroeid naar mijn onderkomen verwezen. De huisbaas was een grote, bazige man met een rood gezicht, die er uitgesproken meningen op nahield. Toen ik naar Bastoni had geïnformeerd, kreeg ik met grote felheid en veel driftige hoofdbewegingen te horen: 'Daar wilt u niet naar toe, beslist niet. U kunt zelfs beter zijn naam niet noemen. Ik zal doen alsof ik u niet gehoord heb.'

Zijn gezicht werd weer even karakterloos en verwelkomend als bij mijn aankomst, en het leek of alle sporen van walging en afkeuring er met een lap waren afgeveegd.

Bij een andere gelegenheid, toen hij me de tegenovergestelde richting van mijn gebruikelijke route zag uitgaan, wilde hij weten: 'Waar gaat u naar toe, signor?'

Was het verbeelding dat hij het signor er nonchalant aan toevoegde? Had deze man me doorzien?

'Ik ben van plan aan de overkant van de brug op verkenning uit te gaan.'

Mijn gastheer liet een theatraal geproest horen, waarna zijn adem ernstig stokte en hij woest zijn grijze manen schudde; toen sloeg hij een kruis, keek bezorgd om zich heen, leunde voorover alsof hij wilde fluisteren en bulderde toen in mijn oor: 'Nooit doen, daar moet u nooit naar toe gaan, signor. De brug is een hoer, signor. De mooiste brug ter wereld, daar gebouwd om u naar de overkant te lokken. Doe het niet, signor. Doe het niet, zeg ik u. Die brug is het vagevuur. Jazeker, hij scheidt hemel en hel. Als u die brug wilt oversteken, moet ik u vragen uw rekening te voldoen, want dan zie ik u misschien nooit meer terug. Ben ik duidelijk?'

Die boodschap klonk nog uren na in mijn oren. Tijdens mijn eerste weken had ik de brug vermeden, maar nu begaf ik me in een doolhof van kleine straatjes die zo donker en smal waren en zo vol hingen met wasgoed, dat ik er nauwelijks meer uit kon komen voor wat frisse lucht. Toen ik terugging, verdwaalde ik alleen nog meer en raakte verder verstrikt in steegjes vol krotten en afval. Ik werd duizelig van de stank en het donkere, wanordelijke gevoel dat die tunnelachtige straatjes bij me opriepen. Ik ging een poosje op een kleine voetbrug met een hoge boog zitten en klampte me aan de leuning vast om te voorkomen dat ik zou flauwvallen. Toen ik weer tot mezelf kwam, zag ik door zwart ijzerwerk een doorkijkje over een water waar aan weerskanten vooroverhellende huizen langs stonden. Dergelijke doorkijkjes kon je overal in Venetië zien, maar ik was nooit blijven staan om het uitzicht te bewonderen. Ik werd getroffen door de stilte van die waterrijke straat en ook weer door de eenvoud van de gotische rondingen van het ijzerwerk die samen met een rond, geornamenteerd middenstuk een van de mooiste leuningen vormden die ik ooit had gezien. Ik besefte dat toen niet, maar ik was alweer half genezen. Ik was weer details aan het verzamelen en sloeg ideeën op voor mijn paleis.

Gaandeweg belandde ik bij een doodlopend stuk: een open kade geplaveid met marmer voor de zuilengang van San Stae. Je kon nergens anders zitten dan op de grond, dus ging ik bij de treden naar het water zitten, als een pakketje dat op bestelling wacht. Ik trok mijn wollen cape dichter om me heen en liet mijn pijnlijke voeten over de rand van het Canal Grande bengelen. Daar trof mijn gondelier en toekomstige vertrouweling, Giovanni Contarini, me aan, slapend als een zuigeling die te vondeling is gelegd en geheel in het zwart gehuld, zoals hij me later vaak in herinnering bracht. Toen hij me voor de rest van de dag zijn diensten aanbood, kon ik weinig anders doen dan die accepteren. Ik huiverde bij de gedachte aan het stinkende labyrint dat achter me lag en, in tegenstelling tot de Engelse lord die zo tot de verbeelding van de stad had gesproken, kon ik niet zwemmen.

'Waar gaat u naar toe, *milord*?' vroeg Giovanni me met licht spottende vleierij.

'Breng me naar Bastoni,' zei ik met alle autoriteit die ik in de afgelopen zeven weken had kunnen opdoen. 'En laat dat milord maar achterwege, begrepen?'

Giovanni lachte en trok een fraai gewelfde pruillip. Later vertelde hij me dat het iets was wat hij had geoefend en tot een kunst had verheven. Hij beweerde dat hij allang zou zijn verhongerd of aan koorts zou zijn bezweken als hij geen dikke, kastanjebruine krullen en een sensuele mond had gehad. 'De dames zijn er weg van en soms hebben de heren ook zo hun voorkeur. De winter is lang en niet makkelijk voor een gondelier. We moeten vissen en dat is weer niet eenvoudig voor een jongen die zoveel tijd heeft besteed aan het leren vissen naar complimenten,' zei hij, en hij lachte zo hartelijk dat ik onwillekeurig met hem meelachte.

'Hoor eens,' zei hij, toen hij me in de klamme kussens van zijn gondel had geïnstalleerd, 'Giovanni weet waar Bastoni zijn spelletjes speelt, maar zonder masker kunt u er niet binnengaan. Bij Bastoni zijn de huisregels erg belangrijk.' Hij boog zich voorover en streek met de nagel van zijn duim over zijn keel en verstoorde daardoor even het ritme van het roeien.

'Begrijpt u?' vroeg hij me, ineens bang dat hij me beledigd had en zijn klant voor die dag was kwijtgeraakt.

Ik knikte wat onverschillig. Door het trage wiegen van de gondel viel ik bijna in slaap.

'Als u wilt, kan Giovanni u naar een andere aardige gelegenheid brengen om te kaarten.' Ik knikte weer en sloot toen mijn ogen. Hoewel het nog licht was, zou de winteravond zo vallen. Er zouden al gauw sterren aan de hemel staan. Ik kon me geen betere plek voorstellen om ze te bekijken.

Ik zag Orion en de melkweg, de Grote Beer en de Poolster. 'Let goed op de Poolster, jongen!' Gewiegd door de gondel dacht ik aan mijn meester, de streken die ik hem had geleverd, het gereedschap dat ik had verstopt, de beitel die ik een keer had weggegooid. Hij had zelf hard gewerkt, en had mij ook zo laten zwoegen. Toen hij me kocht, leefde hij in angst voor zijn oude dag en het afnemen van zijn krachten. Ik had hem voor rampspoed moeten behoeden. Soms leek het erop dat hij me koortsachtig onderwees, mijn vingers pijnigde met een regen van slagen en mijn geest verwarde met al zijn eisen. Soms was ik nog maar net klaar met een stuk beeldhouwwerk of hij wierp het terzijde als gebrekkig en waardeloos en liet me opnieuw beginnen. Zijn ogen schoten vuur als ik een stuk steen verpestte en dan roste hij mijn rug af met wilgetakken. Nu besef ik dat hij dolgraag al zijn kennis op me wilde overdragen, zodat ik bekwaam genoeg zou zijn om de opdrachten die hij kreeg uit te voeren als hij ziek zou worden. De ziekte had toen al bezit van hem genomen en verstoorde zijn gemoedsrust. Het water was 's avonds echter zo vredig dat ik mijn leermeester al snel vergat.

Terwijl ik door de kanalen gleed en mijn gedachten soms alleen werden verstoord door kreten van zeevogels en door Giovanni als hij een blinde hoek omging, daalde er een rust over me neer die mijn angsten in slaap suste. Het water wiegde me met de tederheid van een moeder. Ik vergat dat ik op de vlucht was voor mijn verleden en mezelf; ik vergat dat ik een bedrieger was. Ik vergat zelfs dat ik een Eugubino was, een landrot uit Umbrië met een aangeboren vrees voor water. Telkens wanneer ik mijn ogen opende, zag ik paleizen, delen van paleizen die ik in mijn geheugen opsloeg om in de toekomst voor mijn eigen creatie te gebruiken. Voor het eerst sinds mijn aankomst deed de duisternis haar intrede zonder enig bijbehorend sinister gevoel. Ik voelde me volkomen veilig met Giovanni, wat aantoont hoe dwaas en hoe gelukkig ik was. Hij had me naar een deel van de stad geroeid dat ik niet kende en had aangelegd aan het begin van een onverlichte steeg, waarna hij me met een lantaarn in de hand naar een gehavende deur had gebracht en een soort klopsignaal had geroffeld. Ik werd over een al even donkere binnenplaats geduwd en getrokken en werd toen gemaand een paar treden op te lopen. Ik werd een kleine, bedompte kamer binnengebracht waar een groep dronken mensen zat te kaarten die me moordenaars en misdadigers leken. Angst maakte zich pas van me meester toen ik om me heen keek en zag dat mijn Giovanni verdwenen was.

'Giovanni?' vroeg ik.

'We houden het schorem buiten de deur,' kreeg ik kortaf te verstaan.

Ik kreeg een roze glas met warme kruidenwijn, wat zeer welkom was op zo'n koude avond. Er was nauwelijks verwarming in het vertrek waar, ondanks het hoge plafond, slechts een komfoortje met gloeiende as in de hoek stond.

'Ik begreep dat u wilt kaarten.'

'Misschien,' antwoordde ik met een zelfverzekerdheid die ik geenszins voelde.

'Hier is het ja of nee, dit is een serieuze zaak,' werd me gezegd door een man met een stompe neus en ogen als twee venijnige zwarte krenten. Zijn stem was even kil en scherp als een stalactiet die in de lucht hangt, onbetrouwbaar en gevaarlijk. Hij wreef zich in de handen en liet zijn knokkels kraken in de halve handschoenen die hij aan had.

'Misschien,' zei ik opnieuw, terwijl ik naar de drie tafeltjes met spelers keek.

Er viel een stilte in het algemene gesprek, als ik het grove geschreeuw tenminste zo kan betitelen, toen het gezelschap me opnam. De lange stilte werd verbroken toen een van de spelers me toeriep: 'Wat wilt u spelen?'

'Briscola,' riep ik terug, hoewel de grootte van het vertrek dat nauwelijks vereiste. Toen werd het rumoer hervat, meteen op volle sterkte, alsof het door een mes was afgekapt en de einden opnieuw met elkaar werden verbonden.

'Zullen we?' riep dezelfde man naar me, en hij gebaarde naar de plek tegenover hem aan het tafeltje dat nu werd bezet door een soldaat die volkomen in de olie was. Mijn tegenstander schudde de kaarten en gaf ze mij om te couperen. Ieder kreeg drie kaarten, en bastoni was troef. Ik wist dat ik zou winnen toen ik de vrouw van bastoni onderop zag liggen. Ik had maar zestig frank op zak, alles wat ik bezat. Ik zette er vijftig in en won. Ik had hem een tweede keer kunnen verslaan, maar ik had heel wat meer dan honderd frank nodig om het in Venetië te kunnen uitzingen. Ik liet mijn tegenstander het tweede spelletje winnen en gaf hem de vijftig frank terug die hij had verloren. Ik had besloten Giovanni voor de rest van mijn verblijf in dienst te nemen. Dat zou een stuk minder eenzaam zijn. Hij kon me rondleiden en als gids fungeren in zijn verwarrende geboorteplaats. Ik besloot dat hij me naar een laarzenmaker moest brengen. Ik zou me laarzen laten aanmeten. Doordat ik me niet concentreerde, verloor ik bijna het derde spelletje, maar toen ontwaakte mijn jachtinstinct. Ik volgde mijn prooi en joeg hem op. Ik moet hem tot op zijn laatste muntstuk hebben uitgeschud, want hij zweette en zijn ogen hadden diezelfde wanhopige blik die ik weleens vertoond had. Ik besloot hem gewond maar niet afgemaakt achter te laten. Hij smeekte me opnieuw te spelen, quitte of dubbel. Toen ik zei dat ik dat niet wilde, zag ik dat hij een dolk bij zich had, die hij gedeeltelijk onder zijn jasje had verborgen. Weer viel er een dreigende stilte, maar toen hief de onzichtbare dirigent zijn dirigeerstok en speelde het orkest verder.

Ik ging weg en verwachtte de scherpe punt van zijn dolk in mijn rug te voelen. Tot ik de trap was opgelopen, was ik de hele tijd bedacht op de geijkte Venetiaanse behandeling voor weglopers: de scherpe punt van een glazen dolk die in de rug of de zij werd gestoken en bij het handvat afbrak. Door de kolkende mist zag ik dat Giovanni op me stond te wachten, en hij voerde me veilig terug naar zijn gondel.

'Waar logeert u, signor?'

Toen ik hem dat vertelde, liet hij een minachtend gefluit horen. 'Waarom logeert u daar in vredesnaam?'

Ik haalde mijn schouders op en zei dat ik een vreemdeling was.

'Morgen om tien uur kom ik u halen. U zult mijn gondel bij de brug zien liggen. Ik zal een fatsoenlijk onderkomen en een knecht voor u zoeken.'

'Wat voor knecht?'

'Ik,' zei hij, en hij glimlachte zo stralend dat zijn hele gezicht ervan oplichtte. Ik probeerde hem te betalen, maar hij zei 'morgen' en wimpelde mijn geld af.

Die nacht droomde ik over een kamer waar overal gevouwen zijden stoffen lagen opgestapeld. Een kring van vrouwen was bezig de randen van de zijde aan elkaar te naaien, waardoor er een poel als van rimpelend water tussen hun knieën ontstond. Toen veranderde de kamer in een tuin die geurde naar meibloemen en kwam Donna Donatella langslopen in een japon met opgestikte bloemblaadjes. Ze hield een klein tasje in haar hand en toen ze langs me liep, kwam er een vleug oranjebloesem mee. Ze draaide zich om en sprak me aan. 'Ruik eens wat een heerlijke geur het heeft,' zei ze. Ze hield me het tasje voor om aan te ruiken. Ik viel op een knie en rook eraan. Haar pols rook naar oranjebloesem, maar het tasje sprong open en de huid van admiraal Bragadino viel eruit. Ik deinsde achteruit, maar ze lachte en stopte de huid terug in haar tasje met de snelheid waarmee een slang zijn tong uitsteekt.

De hele nacht ruiste het water buiten mijn hotelraam als zijde waar de wind mee speelt, en likte bij vloed het plaveisel.

Ik ben als een muilezel. Zonder aansporing kom ik niet vooruit. Mijn ideeën trekken van mijn hersens naar mijn mond en blijven dan in mijn keel steken. Ik schrijf dit aan mijn aangeboren onhandigheid toe. Mijn leermeester heeft weliswaar een steenhouwer van me gemaakt, en Vitelli heeft me veranderd tot iets wat het midden houdt tussen een heer en een hansworst, maar ik ben als boer ter wereld gekomen. Ik heb de brede handen en platvoeten van een *contadino*. Mijn voeten zijn verzwaard met aarde, verzwaard met steen. Sommige dingen zijn minder makkelijk te veranderen als andere. Ik schaam me ervoor te vertellen hoezeer de komst van Giovanni Contarini mijn leven in Venetië veranderde. Hij verhuisde me naar San Lio tegenover de Campo della Guerra. Voor een lachwekkend laag bedrag wist hij de eerste verdieping te huren van de voorname woning van een zekere signor Poccagnelli. Die bestond uit een lange ontvangkamer die volgens de verhuurder bij iedereen bekendstond als de 'pauwensalon', waar negen kamers op uitkwamen. Zowel de verhuurder als Giovanni verontschuldigden zich omstandig voor de aftandse staat van de stoffering en het meubilair, waarvan de weelderigheid alles overtrof wat ik me had voorgesteld. De verhuurder wilde een jaar huur vooruit betaald krijgen, wat belachelijk zou zijn geweest als het niet om zo'n luttel bedrag ging, zodat het weinig uitmaakte. Ik was absoluut niet van plan om langer dan tot het voorjaar in Venetië te blijven.

Ik denk dat de eerste serieuze twijfel die Giovanni over mijn afkomst had ontstond toen hij mijn enige kleine koffertje zag, openmaakte en alleen een bijbel, een zilveren mes en vork en een savonethorloge aantrof. Ik ving zijn achterdocht op en speelde die terug.

'De oorlog,' zei ik, suggererend dat die me tot deze jammerlijke staat had gereduceerd.

Giovanni haalde zijn schouders op, maar kon niet ontkennen dat er inderdaad kortgeleden een oorlog had gewoed die me van mijn spullen had kunnen beroven. Hij stond bij een hoog venster dat uitzicht bood op een binnenplaats vol standbeelden en oleanders. Zijn lippen bewogen en prevelden iets wat klonk als een verwensing, maar in werkelijkheid een berekening was. Giovanni kon op zijn twintigste geen woord lezen, maar hij kon wel rekenen en had zo'n hoofd voor getallen dat hij veel plezier had in rekenwerk. Hij had prijzen bestudeerd en beschikte over handelsgeest. Hoe traag hij ook leek, hij had altijd oog voor koopjes. Hij beheerde mijn povere kapitaal met de aandacht van een tuinder die op het eiland Sant' Erasmo zijn uien en asperges verzorgt. In sommige opzichten werd ik in zijn handen tot een marionet. Het was soms moeilijk te zeggen wie over wie de baas was. Aanvankelijk was ik degene die hem aannam, maar hij was degene die mij onder zijn hoede nam. Het kon mij niet schelen dat Giovanni soms de overhand had: ik wist dat zijn hand tijdelijk zekerder was dan de mijne. Ik hoefde maar naar mijn vingers te kijken om te zien dat ze verlamd van twijfel waren.

Heel Italië werd geregeerd door de *Galantuomo*, alleen Venetië en Rome waren nog immuun voor zijn manieren en charme. De nieuwe koning zette de toon voor een nieuw tijdperk. Ik was als een smekeling die in een donkere antichambre wacht tot hij toegang krijgt tot zijn licht. Mijn introductie tot de beau monde was zo nabij dat ik het spoor van bergamot en rozewater dat het naliet kon ruiken. Ik kwam uit een andere bevolkingsgroep, maar op een zeker moment moest ik de overstap maken naar de opgedirkte, pronkzuchtige hogere kringen die zich met afgemeten passen om me heen bewogen. Ik moest het erop wagen me daarin te begeven. De Venetianen noemden hun betere kringen de Salon van Europa, maar ik was nog steeds niet geïntroduceerd, hoe vaak ik ook door die uitgestrekte, mistige salon liep. Binnen niet al te lange tijd zou ik die paleizen moeten binnengaan en spitsroeden moeten lopen onder het kritisch oog van de beau monde om uit te proberen hoeveel mijn vermomming en Vitelli's experiment werkelijk waard waren. Intussen voorzag Giovanni me van wat nodig was voor die beproeving. Hij vergezelde me naar een schoenmaker naast San Tomà en naar een joodse kleermaker, die twee pakken voor me maakte, en hemden en vier halsdoeken, twee van zijde en twee van satijn, waardoor ik binnen een week een ander aanzien kreeg. Giovanni stond erop dat ik me de luxe zou permitteren een vest onder mijn nieuwe overjas te dragen en liet me handschoenen kopen in de Frezzaria en een wandelstok in een winkel aan de Campo San Bartolomeo.

'Ik heb nooit echt geloofd dat u een milord was,' vertrouwde Giovanni me toe, 'maar nu... We zullen zien. U zult uzelf wellicht verrassen door een dame te vangen als u uw netten uitgooit.'

De kleren die ik eerst had gedragen hadden weinig commentaar ontlokt, en mijn nieuwe kleren nog minder. De stad hield zichzelf van zo dichtbij een vergrotende spiegel voor dat ze geen oog had voor buitenstaanders. Net als bij een overladen en wat armoedig toneel haalde ze af en toe haar zware fluwelen doek op om een interessante en begeerlijke bezoeker te verzwelgen. Deze verwelkende schoonheid had een voorkeur voor eenvoudig eten en deed slechts alsof er exotische schotels werden geprobeerd, niets wat verdere schade kon aanrichten in haar toch al verstopte aderen en haar pokdalige huid. Kleine, alledaagse, onbedreigende hapjes werden opgepeuzeld en uitgespuugd als botjes die apart worden gehouden voor het beenderhuis. Verder was de stad vervuld van een sfeer van berusting en somberheid. De bezetting door het Oostenrijkse leger en de daarmee samenhangende nederlaag waar die buitenlandse soldaten voor stonden brachten een gevoel van malaise teweeg in de toch al aangeboren melancholie van de lagune.

Het hart begaf het, de longen piepten en het bloed stroomde traag door het oude lichaam. Waar de aderen door modder en rioolslijk helemaal verstopt raakten, kwam het leven tot stilstand. De dysenterieslachtoffers werden uit de ramen neergelaten en in boten geladen. Overdag hing de weezoete geur van gangreen in de lucht en 's nachts lag er een laag van immuniteit onder de verhullende mistbanken van Venetië. Overdag zonden de onstuimige melodieën van Oostenrijkse orkesten die in verschillende delen van de stad speelden hun heldere klanken de winterse nevel in. Deze muziek werd genegeerd met dezelfde wrokkige stilte als al het andere dat uit Wenen afkomstig was. 's Nachts werd de grimmige stilte verbroken door het geplons van lijken die moesten verdwijnen en door opstandig klokgelui. Houten palen, steen, botten, modder, slijk en water vormden slechts enkele van de lagen; de archeologie van de ziel van de stad was even rijk als haar schatkamers. Byzantijnse bogen verdrongen zich tegen gotische torentjes; renaissanceportalen waren ingeklemd tussen middeleeuwse zuilen; houten hutten op palen verdrongen Romeinse pilaren. Er waren goud, schimmel, mozaïeken en gepolijste steen, blokken en rottende planken, alles even schots en scheef, en soms leek het een stralende glimlach te vertonen en soms was het net een op groteske wijze verwoeste en opgelapte mond. Allerlei stijlen hadden er al zoveel eeuwen welig getierd. Het was een kadaver vol oudheden, een dienblad met kliekjes van de koninklijke tafel.

Nadat Giovanni zich over me had ontfermd, liep ik nog steeds heen en weer door de arcade bij caffè Florian als een losgeslagen schip op de deining van een rusteloze golf. Het felle lamplicht, het donkerrode pluche van de banken en stoelen, de bijzonder uitgevoerde fresco's en de in livrei geklede kelners die ieder op zijn wenken bedienden, deden denken aan de piepkleine interieurs van poppenhuizen die de handwerkslieden in San Stefano maakten. Als ik naar binnen zou gaan en op een van de gammele poppestoeltjes zou gaan zitten, zou ik er doorheen zakken, wist ik. Ik zou mijn enorme handen niet om die kleine koffiekopjes kunnen leggen. Daarbinnen was een andere wereld, een vreemde wereld die ik van buitenaf gadesloeg als was het een doorlopende poppenkastvoorstelling.

Als het zover was, zou ik echter naar binnen gaan door de smalle, dubbele deuren en mijn plaats innemen, die sprookjeswereld versplinteren om mijn afspraak met Vitelli te kunnen nakomen. Voor hem zou ik door de poorten van de hel zijn gegaan – dit zou wellicht makkelijker zijn geweest dan door de deur van Florian. Maar had Dante zijn hel niet afgekeken van Venetië zelf, van de ovens van het Arsenale? Venetië is alleen al uniek in de perversiteit van haar pracht. Heeft er ooit zo'n verwaand gezicht bestaan als dat van Venetië? Kunst, kunstgrepen en de natuur hadden allemaal samengewerkt om haar te flatteren. Complete eilanden weerspiegelden elkaars architectuur, spiegelden toren na toren in een spookachtig spel aan weerskanten van de lagune. De kanalen weerspiegelden de gevels, vingen ze op, vervlochten en verfrommelden ze als de grillige kronkelingen van de blauweregen. Vensters weerspiegelden vensters, en het water reflecteerde hun licht, glinsterend en dansend op glas daarbinnen en op spiegels als een netwerk van spionnen. Giovanni voer me door het trage water, doorsneed de voortdurende illusies met zijn vaardig bestuurde, maar enigszins wankele gondel. Zijn hulp veranderde me van een rioolrat in een van de vele honderden bezoekers aan de stad die deden wat alle buitenlanders moeten doen: over het Canal Grande varen op de klanken van accordeonmuziek.

Aan Giovanni ontleende ik persoonlijkheid; ik bestond omdat

ik zijn meester was. Mensen vroegen hem: 'Wie is die nerveuze, stille man?' En dan stilde Giovanni hun nieuwsgierigheid door te zeggen: 'Hij is mijn meester; hij woont in het Palazzo Poccagnelli aan de Rio dell' Guerra.'

'O,' knikte de vragensteller dan begrijpend en deels tevreden gesteld. 'Ik begrijp het.' En de sfeer van vervelende geheimzinnigheid die tot dan toe mijn stiekeme omzwervingen had omgeven begon te verdwijnen.

Hoewel er geen overeenkomst tussen ons bestond, werd Giovanni mijn factotum, mijn bediende. Hij deed alles voor me wat gedaan moest worden. Op sommige terreinen grensde zijn vaardigheid en efficiëntie aan het geniale; op andere gebieden blonk hij in negatieve zin uit. Hij deed niets half. In de keuken werd hij een gevaarlijk wapen. Hij slaagde erin ambitie aan zo'n groot onvermogen te paren dat zijn mislukkingen niet alleen oneetbaar waren, maar de stank ervan ook nog in alle negen vertrekken van mijn woning bleef hangen. Vandaar dat we op mijn suggestie uit eten gingen in plaatselijke taveernes en wijnlokalen waar een warme maaltijd werd geserveerd.

Als jongen dacht ik dat de rijken grote porties van al mijn lievelingskostjes aten, en daar benijdde ik hen vaak om. Toen mijn leermeester en ik oud brood met een rauwe ui wegkauwden, deden de klanken van feestmalen in de eetzalen van edellieden me het water in de mond lopen. Als ik had geweten dat een mens zelfs om te eten een leertijd moet doormaken, had ik me die jaren van afgunstige gedachten kunnen besparen. Verfijnde kost is als gif. Het kan zo bitter zijn als antimoon en bittere amandelen, en even walgelijk als het doorslikken van levende padden. Net als de keizer die elke dag gif innam om te verhinderen dat hij zou worden vergiftigd, moet je dagelijks fijne kost tot je nemen om je gestel immuun te maken voor wat het aanricht, en de smaakpapillen moeten geslagen en mishandeld worden tot het punt waarop ze elk smerig brouwsel onder de zon niet alleen accepteren, maar er ook nog van genieten.

Mijn ingewanden namen de rol van voornaamste slachtoffer van deze fase van mijn leertijd over van mijn voeten. Ik at in die stad dingen die van onnatuurlijke aard waren. Ik at vis die op eigen pootjes uit de zee was gekropen; een soort overgangsschepsels met uitpuilende ogen en een doorzichtige huid waar je hun anatomie doorheen kon zien. Ik at dingen waarvoor al mijn familieleden de benen zouden hebben genomen als hun in Gubbio zoiets was voorgezet.

En om de zaak nog te verergeren werd ik, terwijl de pootjes en vingers, ogen en snorharen misselijk makend in mijn keel kriebelden, voortdurend gebombardeerd met Venetiaanse trots. Zodra ik iets in mijn mond had, werd er iemand op me afgestuurd om me lastig te vallen.

'En, wat vindt u van Venetië? Prachtig, hè?'

Ik vroeg me af hoe de kelners, zwervers en half verhongerde venters zoiets wisten. Waar was de pracht in hun ellendige leven dat geteisterd werd door dysenterie en ontberingen? Hoe konden de overigens zo onwetenden zo goed onderlegd zijn? Ik wist zelf het een en ander van de torens en kerken van Gubbio; niet alleen had ik de Madonna met de Granaatappel gezien, die door Pier Francesco Fiorentino was geschilderd, en had andere kunstschatten van de stad bekeken, maar was bovendien tien jaar in de leer geweest bij een meestersteenhouwer en had ook nog twee jaar als steenhouwer in zijn werkplaats gewerkt. Ik werd gedwongen bepaalde dingen te zien. Mijn leermeester had me met een leren riem geslagen als ik de standbeelden en de schilderingen niet bestudeerde van de kerken waarin we werkten. Hij leidde mijn hand en mijn oog, maar wie had het oog en de verbeeldingskracht van al die armzalige hovelingen geleid?

'O Venezia benedetta,
Non le vogio piu lasar!'

Om de paar dagen veegde ik de minerale zouten die op de muren van mijn woning kwamen weg met dezelfde nonchalante zorg als waarmee een moeder het gezicht van haar zuigeling schoonveegt. Ik zag alles niet meer in termen van verval; de stad had me bekeerd. Ik bezweek voor haar misleiding. In weerwil van het feit dat duidelijk was aangetoond dat ze zonk, zag ik haar bestaan als een trotse weigering te sterven. Ik richtte me niet op de dode uiteinden van haar lichaam met hun wegterende overblijfselen, maar op het wonder van het voortbestaan van de delen van het grote skelet.

Gesust door Giovanni's ontspannen woordenvloed werd ik een bewonderaar van Venetië. Ik zag haar eerst zoals een vreemde een ouder wordende courtisane zou zien, om dan geleidelijk te ontdekken dat ze ondanks de schreeuwerige maquillage en de uitgelopen schmink, de rafelige zijde van haar japon en de onfrisse geur van haar oude huid nog altijd over meer pit en geestkracht beschikte dan menig aantrekkelijk meisje en dat ze een eigen parfum had, de essentiële oliën van sensualiteit, die verloren ging in alle kunstmatigheid, tenzij je heel dicht bij haar was.

Als we door de kanalen voeren om zoals Giovanni het lachend noemde 'een frisse neus te halen', vertelde hij me over zijn familie. Die viel uiteen in twee delen, die Giovanni in zijn hoofd gescheiden hield, maar die hij strikt om beurten te voorschijn haalde. Er was zijn directe familie, zijn moeder, die weduwe was, en zijn drie zusters, en een heleboel nichtjes die allemaal Maria heetten. Om ze uit elkaar te kunnen houden sprak hij over ze als Maria van die of Maria van dat, Maria van Giacomo of Maria uit San Lorenzo. Het duurde heel wat jaren voor ik die familierelaties kon volgen, vooral omdat het tweede deel van Giovanni's familie de hele geschiedenis van Venetië leek te omvatten, van de stichting van de stad door zijn voorouders in 421 tot de roof van het lichaam van Sint-Markus bij de moslims en het verstoppen van dat lichaam in een vat varkensvlees tot aan het uiteenspatten van een van zijn voorouders door vraatzucht. Dergelijke details werden me met hartstochtelijke trots meegedeeld. Telkens wanneer een nieuw voorval werd verteld, stopte Giovanni met het lome roeien om zich met betraande ogen op de borst te slaan.

'Mijn familie, signor Gabriele, mijn voorouders,' zei hij dan, en zijn gondel dreigde om te slaan door zijn emoties en zijn verlangen geloofd te worden. Er bestond nauwelijks een familie in Venetië die niet verweven was met het tapijt van Giovanni's verleden. Hij vertelde over de vijftiende eeuw alsof het om de vorige week ging. Alle voorname huizen van alle vermaarde Contarini's speelden een even vertrouwde rol in Giovanni's verhalen als zijn dierbare ooms en tantes. Omdat hij hiermee nog niet tevreden was, was hij ook nauw, 'werkelijk nauw verwant, signor Gabriele' aan de families Baffo, Balbi en Benzon en Dondolo, Foscari en Loredano en tevens verwant aan Marcello, Queriai, Tron en Vendramin.

'Allemaal familie,' barstte hij uit, niet in staat zijn opsomming te vervolgen, 'echt waar.' En dan werd zijn gezicht zo rood dat het leek of hij op het punt stond te exploderen in navolging van en als eerbetoon aan zijn vermaarde voorouder. Ik was zijn gefascineerde publiek; ik zat voor in zijn begrafenisgondel waar de zwarte verf afbladderde waar hij tegen rivaliserende boten was geschampt, ik luisterde en kreeg een merkwaardig misleide kijk op de geschiedenis van de stad. De routes die we volgden waren willekeurig, behalve dat Giovanni er altijd in slaagde minstens één keer per dag langs het roze en witte marmer van de Ca' Contarini te varen als een mohammedaan die zich voor zijn gebeden naar Mekka keert.

Giovanni ontwarde me als een in de knoop geraakt bolletje wol dat hij tot een keurige streng wikkelde. Altijd wanneer ik hem vroeg waarom hij uitvluchten verzon en weigerde me naar het speelhol van Bastoni te brengen, antwoordde hij: 'Ik kan nog steeds zien dat u zenuwachtig bent, signor. U weet dat u over een vaste hand moet beschikken als u met beroepsspelers wilt kaarten. Ik heb een leuke betrekking gevonden en die wil ik nog niet kwijt.'

Ik werd woedend om die veronderstelling. Ik protesteerde er een paar keer tegen, en uiteindelijk ging ik zo tegen hem tekeer en gaf hem zo'n onverbloemde uitbrander dat hij me in mokkend stilzwijgen terugbracht naar San Lio en toen wegroeide. Toen hij een dag later terugkwam, was ik zo blij hem te zien dat ik zijn gekrulde lippen had kunnen kussen. Ik was vervallen tot een schepsel van schaduw en duisternis, had het huis niet durven verlaten uit angst hem mis te lopen, en in de vorstelijke vertrekken voelde ik zo'n eenzaamheid dat ik ervan overtuigd raakte dat ik nooit meer mijn geduld zou verliezen. Toen hij ten slotte kwam, was hij verontschuldigend noch wrokkig. Hij nam zijn taken als huisknecht en manusje-van-alles met zo'n jongensachtig gemak weer op zich dat ik hem benijdde.

Giovanni was dol op geheimen. Hij had al vaak geprobeerd me zover te krijgen dat ik hem zou vertellen wat mijn eigen wensen en behoeften waren, zodat hij deelgenoot zou zijn van wat ik nastreefde. Hij vond het leuk dat ik een gokker was. Als een krab die ziet dat een ander schaaldier van behuizing verandert, genoot hij van mijn kwetsbaarheid. Hij zou graag al mijn zwakheden hebben gekend om zich ermee te vermaken, maar ook om de bevelhebbend generaal te kunnen spelen over de strategische verdediging van mijn zwakheden. Hij had vaak aangeboden een mooi meisje te zoeken dat af en toe de nacht met me kon doorbrengen. Ik merkte dat ik dat weigerde uit verlegenheid en onverwachte preutsheid. In mijn ogen zou Vitelli nooit hebben toegestaan dat zijn knecht als pooier fungeerde, en ik voelde me verplicht mijn idool na te streven. Anderzijds hadden mijn kuise dromen over Donna Donatella plaatsgemaakt voor sensuele verkenningstochten van haar haar en handen, haar hals en voeten, haar borsten, schouders, rug, dijen, haar huid, haar adem en haar geheime plekjes. In mijn dromen kuste ik haar zo hartstochtelijk dat onze hoofden één werden en onze tongen dagen achtereen verstrengeld bleven. Er was geen lichaamsdeel dat ik me niet had voorgesteld, had gestreeld, aangeraakt, geliefkoosd en gekust. Ik hield meer van haar dan ooit tevoren. Ik leefde naast haar warmte, zonk weg in haar geur van oranjebloesem en werd gesmoord door haar haar en ledematen.

In de gevangenis waren er tijden geweest dat ik de castraten in de zangkoren had benijd. Ik wist niet zeker of zulke halve mannen nog bestonden, maar mijn zio Luciano had ons als jongetjes gedreigd dat onze ballen eraf zouden gaan als we ons niet gedroegen en dat we dan in het koor moesten zingen. In het koor van Gubbio had ik sommige jongens zo hoog en prachtig horen zingen dat ik er duizelig van werd. Ik had mijn leermeester gevraagd of dat castraten waren, en dat had hij bevestigd. Ik wist ook dat Domenico Venturini door een dolle stier in zijn kruis was geraakt, en zijn stem klonk zo geknepen dat mensen hem achter zijn rug bespotten, maar ook medelijden met hem hadden. Na het eerste halfjaar in de gevangenis was mijn verlangen weggeëbd. Ik wist niet of ik dat nog een keer zou kunnen verdragen. Ik raakte soms opgewonden van de meest onaantrekkelijke taferelen. Ik begon verlekkerd naar beelden en schilderijen te kijken. Ik merkte dat ik maar beter geen kerken meer kon bezoeken. Ik fantaseerde dat de kuise maagden op hun graftomben van vlees en bloed waren en me naakt maar gesluierd kwamen bezoeken in mijn lage rolbed. Ik begroef me erin met de felheid van een briesende stier. Ik keek van een afstand naar de courtisanes op de lagune, ieder met een gekleurde lantaarn, ieder even aanlokkelijk als het leven zelf. Toen Giovanni was weggegaan, liep ik de hele avond op en neer door de pauwensalon naar hen te hunkeren. Mijn liefde voor Donna Donatella was nog even groot. Ik hield van haar met heel mijn ziel, maar mijn lichaam kwam dagelijks in opstand en eiste bevrediging.

Giovanni noodde me weer in zijn gondel. Ik nam plaats op de donkere kussens met de gevoelens van een man die aan de doodstraf is ontsnapt. We deinden op en neer in het ritme van teder liefdesspel. Ik had maar een dag overgeslagen, maar het had eindeloos veel langer geleken.

'En, hoe staat het ermee, signor Gabriele... vertel eens iets leuks.' Ik begreep dat ik hem iets sappigs of beschamends over mezelf moest vertellen. Ik speelde met de gedachte hem mijn angst voor paarden op te biechten. Als jongen van de lagune zou hij misschien met me sympathiseren, maar ik moest ervoor waken te veel over mijn afkomst los te laten, en daarom besloot ik een compromis te sluiten en ons allebei een plezier te doen door mijn wellust op te biechten.

'U hebt me tot een gelukkig man gemaakt,' kondigde hij aan, grijnzend op een manier die nauwelijks fatsoenlijk was en waardoor ik even vreesde dat zijn vreselijke dialect goed begrip in de weg had gestaan.

'Nee, werkelijk, u hebt een gelukkig man van me gemaakt.'

Ik wachtte gespannen af.

'Mijn nicht, Maria di San Polo, wacht op dit nieuws. Ze wacht hier al op sinds de eerste avond dat wij elkaar ontmoet hebben. Ze beschuldigt me er steeds van dat ik niet heb verteld hoe mooi en hoe schoon ze is. Laten we gaan,' zei hij, terwijl hij zich terughaastte naar de Rialto met een snelheid die een regatta waardig zou zijn.

In de jaren dat we elkaar kenden bood Giovanni vaak aan een meisje voor me te regelen, maar meestal kwam daar even weinig van terecht als van zijn kookkunst. Deze eerste keer was zijn beschrijving van Maria di San Polo zo mogelijk echter bescheiden. Het was een lang, bleek meisje met dik, kastanjebruin haar, dat ze los maar verzorgd droeg, en ze had grijsgroene ogen die aan de Adriatische Zee deden denken. Uit haar ogen sprak zelfs zoveel onschuld en vertrouwen dat ik er moeite mee had misbruik van haar te maken. Het gewetensbezwaar stak niet zo diep, en aangezien ze iets van het uitbundige karakter van Giovanni had, maakten we vaker gebruik van de woning in San Lio dan ik verwacht had. Elk van de negen vertrekken, waaronder ook Giovanni's bescheiden kamer, werd ingewijd door onze hartstocht. De met motieven ingelegde vloer van de pauwensalon liet zowel sporen na op haar rug als de mijne. Ik dronk het zweet van haar huid en volgde met mijn tong de contouren van haar botten. Het was geen haastige, onhandige stoeipartij onder een bosje, het waren uren van onderdrukte hartstocht die zich spanden als de strakke snaar van een viool tot er prachtige muziek opklonk. We genoten van elkaar, raakten in vervoering en wendden ons tot elkaar voor meer. Alleen vervaagde het zo mooie gezicht van Maria di San Polo als we zo dicht bij elkaar waren dat ze gezichtloos en mysterieus werd. Ik begeerde haar enorm, maar ik wilde dat ze een andere vrouw was. De eerste indruk van onschuld was een illusie geweest, maar Maria's lieftalligheid was wel echt, en de drie dagen die volgden hadden een kalmerender werking op mijn zenuwgestel dan al het afgemeten roeien van Giovanni. Op de derde dag kondigde Maria aan dat ze weg moest. Ze kleedde zich aan, noemde haar prijs en nam het geld met een zedige revérence aan. Giovanni bracht haar naar huis en kwam terug met een wit masker en het voornemen me naar Bastoni te brengen. Blijkbaar kon ik geen masker dragen toen ik een naakte ziel was, maar nu ik bevorderd was tot man met zelfvertrouwen moest ik mijn macht maskeren.

9

Met het avondlijke duister als dekmantel bracht Giovanni me naar het speelhol. Dank zij zijn inspanningen kende ik de stad inmiddels tamelijk goed. Er waren veel kanalen en kleinere *rii* die ik herkende toen hij me van de Rio della Guerra naar Santa Maria voer en vandaar naar San Severo, waarna we overstaken naar San Lorenzo. Die avond deed ik mijn best herkenningspunten langs de route te onthouden, zodat ikzelf mijn weg naar Bastoni zou kunnen vinden als dat in de toekomst nodig mocht zijn. We kwamen langs de Questura en stuurden de onwelriekende haarvaten van het Arsenale in. Toen we eindelijk aanlegden, was dat voor het armzalige speelhol waar Giovanni me eerst naar toe had gebracht.

'Hier is het niet,' zei ik hees fluisterend. Van Vitelli wist ik wel iets over Bastoni. Vitelli was degene geweest die me een eerste beschrijving van het speelhol had gegeven. Hij had verteld dat hij het had bezocht in een tijd van losbandigheid en teleurstelling nadat de Piëmontezen waren verslagen, en de vrede die daar het gevolg van was hem geen andere keus liet dan naar Venetië of Rome te gaan. Toen Rome in handen van de Fransen viel, bleef alleen Venetië over als vrijplaats voor bannelingen als hijzelf.

'We begonnen met gokken om geld voor een nieuwe republiek bijeen te brengen. In 1849 wendden we die ondeugd voor een goede zaak aan. Maar gaandeweg was het in ons bloed gekropen, in mijn bloed. Ik raakte aan het kaartspel verslaafd. In het begin deed ik het lachend af als blijk van affectie voor mijn Venetiaanse grootmoeder. Van moeders kant heb ik namelijk Alvise-bloed. Maar het was meer dan dat, meer dan een gewoonte, het was een ziekte, een koorts die me verteerde.

Mazzini zegt dat we allemaal onze eigen duivel hebben. Als dat het geval is, is gokken de mijne. Ik heb ertegen moeten vechten. Zelfs nu, ruim zes jaar nadat ik voor het laatst een spel kaarten heb aangeraakt, vecht ik nog steeds tegen de drang om te kaarten.

Bastoni had zijn speelhol de aanblik van een aquarium gegeven. Hij hield er een vreemd assortiment van schepsels op na. Sommige van zijn gasten waren verkleed als dieren, maar de allervreemdste wezens waren de gedrogeerde slaven die voor hem werkten. Het verhaal deed de ronde dat het mannen waren die hij aan de speeltafel te gronde had gericht en wier leven hij had gespaard in ruil voor hun onderworpenheid. Er werd gezegd dat deze trawanten als zijn beulen fungeerden, maar ik had ook horen zeggen dat Bastoni zelf degene was die lastige of insolvente spelers uit de weg ruimde. Er zijn zelfs mensen die beweren dat hij genoegen schept in die taak. Hoe het ook zij, zijn personeel ontdoet zich van de lijken. Een van die bedienden schijnt een Engelse edelman te zijn die al zijn bezittingen bij Bastoni heeft verspeeld.'

Als met stukjes van een legpuzzel had Vitelli een beeld van het speelhol voor me opgebouwd. Hij vertelde dat de tot slaaf gemaakte bedienden allemaal een zwartfluwelen wambuis en kuitbroek droegen, zwarte maskers op hadden en zwarte struisvogelveren op hun driekantige steek droegen. Hij vertelde dat ze nooit iets zeiden. Geruchten wilden dat hun tong was afgesneden als deel van de overeenkomst. Alles wat hij me over die moordzuchtige gelegenheid vertelde, had tot doel me af te schrikken voor de grijpgrage kaken. Mannen die er in goed vertrouwen naar toe waren gebracht, werden later in zakken weggedragen. Toen hij op een gegeven moment mijn ziekelijke fascinatie voor dat verderfelijke speelhol bemerkte, staakte hij zijn beschrijving ervan en pakte mijn hand vast.

'Zweer dat je er nooit naar toe zult gaan. Zweer me op je eer dat je je nooit zult overleveren aan de genade van die bloeddorstige piraat.'

'Kolonel,' verzekerde ik hem, omdat ik het als gewoonlijk moeilijk vond om hem bij de naam te noemen, 'u kunt er zeker van zijn dat ik me nooit aan Bastoni zal overleveren, maar wat een gelofte betreft: het is te vroeg om een gelofte te doen op een eer die ik nog niet heb verdiend. Wat stelt de gelofte van een worm, een made nu voor? Laat me eerst dit larvestadium ontgroeien. Ik weet niet eens wie ik ben.'

Hij verontschuldigde zich en bedaarde. Ik denk dat ik me had moeten verontschuldigen. Ik had voor het eerst gebruik gemaakt van zijn lessen over de dubbelzinnigheid van taal. Hij had me geleerd om welgemanierd gebruik te maken van woorden, en nu al keerden de woorden zich om en beten de hand die ze had gespeld. Ik was in werkelijkheid helemaal niet van plan me aan de genade van de meedogenloze Bastoni over te leveren: ik was van plan om te winnen.

Bij alle engelen die ik heb gebeeldhouwd en alle liefde die ik heb gegeven en bij iedereen die ik heb liefgehad, bij al mijn dromen vraag ik: hoe kan ik een god loven die ons alleen op onze oude dag wijsheid geeft? Hoe kan ik een god loven die ons pas inzicht in onze fouten geeft als het te laat is om ze te corrigeren? Wat is dat voor ironie? Wordt het menselijk hart recht gedaan door zulke liefdeloze leiding? Ik weet dat ik eerst moet vertellen hoe mijn beker gevuld raakte voor ik kan treuren om het verzuren van de inhoud. Laat het voldoende zijn dat ik geen medelijden meer heb met de onfortuinlijke man die noodgedwongen op gedachten moet terugvallen.

Soms raakt mijn geest in verwarring. Voorvallen raken bedolven onder lagen wier. Mijn geheugen slibt dicht. Giovanni zegt dat het ouderdom is, maar we zijn geen van beiden oud. Als ik gokte, had ik altijd een helder hoofd. Ik wist me altijd te concentreren en kalm te blijven. Als je om rijkdom of de dood speelt, leg je je hart op tafel. Ik was toen nog niet zover dat ik de volledige omvang van mijn liefde kon toegeven. Die hield ik verborgen tot ik door hartstocht voor het gokken mijn leertijd in de liefde had volbracht. Als ik speelde, gaf ik me helemaal aan het spel over. Moment na moment maakte ik het me meester. Ik wist dat ik ondanks haar innemende sensualiteit niet van Maria di San Polo hield of zou gaan houden. Ik had haar nodig. Ik genoot van haar en werd dol op haar, maar liefde maakte deel uit van de kaarten die ik in mijn hand had, en als de sluier werd opgetrokken, moest die voor Donna Donatella zijn. Ik ben weer gaan gokken om een helder hoofd te krijgen. Ik gebruik het gokken als medicijn. Soms mis ik het element van gevaar. Zoals Vitelli aangaf was een deel van de aantrekkingskracht van Bastoni dat je de dood riskeerde door ernaar toe te gaan.

Giovanni Contarini had het karakter van een echte Venetiaan. Hij bood zelden meer dan passief verzet tegen welk plan dan ook; het zat in zijn bloed om met de stroom mee te gaan. Hij roddelde omdat hij dat leuk vond, maar hij veroordeelde zelden iets of iemand. Als ik ontevreden over hem was, vond ik dat zijn geest als een modderig kanaal was, dat alles wat kwam aanstromen vasthield in zijn slijkerige bedding, slokkend en slikkend als een modderige schrokop. Meestal bevielen zijn eigenschappen me wel, zelfs zijn neiging om voortdurend informatie te vergaren. Ik beschouwde dat trekje als een ommuurde boomgaard waar alle zaden en vruchten en pitten van de natuur terechtkwamen. Op goede dagen beschikte Giovanni over een geest als de granaatappeltuin achter de villa in Castello waar Donna Donatella in de ochtendzon had gelopen, omlijst door de scharlaken bloesem die de granaatappelboom tooide als exotische vlinders. Het was nooit

Giovanni's wens geweest te verhinderen dat ik naar Bastoni ging, maar het was wel zijn vurige wens dat ik daar niet gedood zou worden. Zijn laatste passagier was nog steeds niet naar buiten gekomen.

'Ik heb een week op hem gewacht, ging alleen weg om te eten en kwam dan terug om te wachten op de plek die hij me had aangeduid. Op de derde dag nadat hij naar binnen was gegaan, zag ik een lange man en een dwerg, allebei in het zwart gekleed en met een hoed met veren op, die een zak wegdroegen.

Ik zou u zeer van nut kunnen zijn, signor, en u zou mij zeer van nut kunnen zijn. Giovanni vindt dat de signor ook als hij niets te doen heeft dat beter heelhuids kan doen.

Bastoni is een plek voor wanhopige mannen. Iedereen weet dat het een trefpunt is van dieven en moordenaars. Zelfs de autoriteiten weten dit, maar ze laten de desperado's elkaar afmaken, dat bespaart ze de kosten van een proces.

Als ik ronduit mag spreken: wat sommige dingen betreft is de signor goed op de hoogte, maar wat andere betreft is hij nog een kind,' aldus mijn oppasser.

'Denk nooit dat ik niets te doen heb,' zei ik tegen hem, voorbijgaand aan het meeste van wat hij had gezegd. 'Ik heb zoveel te doen dat mijn leven nauwelijks voldoende jaren zal tellen om alles uit te voeren.'

Giovanni glimlachte beleefd, met een bemoedigende blik die een mengeling was van ongeloof en geringschatting.

'Kijk me niet zo neerbuigend aan. Ik zeg je dat ik een opdracht in het leven heb.'

De ongeïnteresseerde stilte duurde voort.

'Echt waar. Ik ga een paleis bouwen.'

Giovanni roeide door, heen en weer lopend over de voorplecht en de riemen met lange, regelmatige halen naar zich toe trekkend. Ik voelde mijn geheime droom als een waterdruppel in het kanaal vallen. Aan beide kanten van het water rezen vorstelijke paleizen op, van binnenuit verlicht door honderden kaarsvlammen. We sloegen af naar het bredere Rio de San Lorenzo, met een doorkijkje naar weer andere paleizen.

'De helft van de paleizen van Venetië staat leeg of wordt alleen als opslagruimte gebruikt. U zou er makkelijk een kunnen kopen.'

'Ik wil er niet een kopen, Giovanni, ik wil er een bouwen.'

'Op zo'n manier,' zei hij verbaasd.

'Ik heb er in gedachten een ontworpen en die wil ik ergens op een heuvel bouwen, met een eigen park eromheen.'

Hij haalde zijn schouders op en roeide langs een aaneenschakeling van gevels met zuilen en balkons en ingelegd marmer die hoog boven ons uitstaken in het maanlicht. Hoe meer hij me vanuit zijn afkeurende stilzwijgen aanstaarde alsof ik zojuist uit het gekkenhuis op San Servolo was ontsnapt, hoe meer ik me genoodzaakt voelde mijn plan toe te lichten. Ik had de bouw van een aantal vleugels van het paleis met hem doorgenomen, toen hij me in de rede viel.

'Waarom? Waarom zou u dat doen?'

'Ik ben verliefd, Giovanni.'

'Lieve god,' zei hij met zoveel opluchting dat hij bijna in het slijkerige kanaal viel waar hij doorheen voer. 'O, nu begrijp ik het: u wilt een zomerverblijf voor uw bruid bouwen.'

'Misschien.'

'Weet u, een paleis is namelijk in de stad, een zomerverblijf op het land. U kunt op het land geen paleis bouwen. Dat is uitgesloten. Palazzo Contarini degli Scringi, Palazzo Contarini Fasan, Palazzo Contarini Angaran, dat zijn paleizen.'

Er daalde een fijne motregen neer op de stad en er werden mistvlagen aangevoerd die net opbollende voile leken. Ik leunde achterover onder de luifel en nam de bezoedelde en niet-begrepen stukjes van mijn plan als afgedwaalde kuikens onder mijn vleugels.

Ik realiseerde me dat ik te weinig balkons in mijn ontwerp had opgenomen. Ik moest er een paar aan toevoegen, en op de eerste verdieping een loggia met van die Venetiaanse zuilen, met motieven die ik nog niet eerder had gezien. Ik meende dat zelfs mijn leermeester die oosterse motieven niet had gekend. Hij zou verbaasd hebben gestaan over het beeldhouwwerk hier. De volgende ochtend zou ik wat houtskool kopen en die oriëntaalse kapitelen schetsen en ook de balustrades...

'We zijn er,' riep Giovanni me toe onder mijn beschermende *felza*. Toen ik de grijze mist in keek, zag ik dat hij me voor de gek had gehouden. Het was het speelhol waar ik de eerste keer had gegokt.

'Hier is het niet.'

'De signor heeft vanavond beslist meer dan een halve rol goudstukken nodig.'

Ik wilde zeggen dat hij moest doorroeien. Ik wilde uitleggen dat het geen geluk bracht om in twee verschillende gelegenheden te gokken; als ik hier won, riskeerde ik te verliezen waar het winnen het belangrijkst was. Voor ik iets samenhangends had kunnen uitbrengen, gingen de waterdeuren open en een in een cape gehulde figuur boog zich naar buiten. Als ik nu iets zou zeggen, betekende dat gezichtsverlies voor Giovanni en daarmee zou ik de kans lopen hem kwijt te raken, zo voelde het althans die avond. De gondel werd aangemeerd aan een vermolmde paal en even bleef ik zitten en hij staan, beiden gevangen in onze koppigheid.

'Wie is daar?' vroeg een achterdochtige stem vanuit de open deur.

'Een klant,' zei ik terwijl ik uitstapte.

Weer werd ik over een drassige binnenplaats geduwd en moest toen een paar treden op. Dit keer verlichtte de maan de smerigheid die ik me bij mijn vorige bezoek alleen had voorgesteld. Mijn trots welde op en ik moest er niets van hebben dat de bediende me duwde.

'Ik heb uw hulp niet nodig bij het lopen. Ik heb geen houten been.'

De bediende deinsde achteruit alsof hij door een horzel was gestoken. Het was alom bekend dat Bastoni een houten been had;

zijn naam was vermoedelijk slechts een zinspeling op zijn kunstbeen.

Ook dit keer was het koud en vochtig in het vertrek waar gespeeld werd. Nu viel me op dat de muren vettig en verkleurd waren. De vloer was erg smoezelig en er lag een symbolische laag zaagsel. Zes mannen stonden over de ruimte verspreid: twee waren blonde zeelieden die broers leken met fletse, bloeddoorlopen ogen van het drinken. Ze hielden elkaar in een hoekje op de been en knikten van tijd tot tijd naar elkaar en naar de anderen. Het vertrek stonk naar oude wijn en braaksel, een stank die sterker was dan de gebruikelijke bedompte lucht die zich als een onderstroom door de meeste Venetiaanse huizen bewoog. Een derde man, ouder en met een paars dooraderd gezicht en een opgezette neus, stond in zijn eentje te drinken en staarde stuurs in zijn wijn alsof die hem zojuist had geprobeerd te bedriegen. De overige drie gingen net zo gekleed als ik, hoewel hun kleding minder nieuw was en hun knopen minder goed gepoetst waren dan de mijne. Twee tafeltjes waren onbezet, elk met een pak speelkaarten als een stigma in de open handpalm gedrukt. Het derde tafeltje werd bezet door vier grimmig zwijgende pokerspelers.

'Wat speelt u?' vroeg een van de drie kerels, zoveel mogelijk verveling voorwendend als zijn aangeboren hebberigheid hem toestond.

'Briscola,' antwoordde ik.

De uiteinden van zijn smalle snor trilden van teleurstelling. Hij had een aantrekkelijk gezicht en trieste ogen, zoals in zwang was, maar zijn bleke winterse huid was puisterig. Een van zijn kameraden zei lallend vanachter zijn rug: 'Hier wordt gepokerd.'

'Gefeliciteerd. Ik speel briscola. Als ik geen partij kan vinden, ga ik weer.' Ik draaide me om en wilde weggaan. Ze kozen echter eieren voor hun geld, en we speelden het spel van mijn keuze. Toen er gedeeld was voor het eerste spel, wist ik dat ik zou winnen. Ik plukte hen alle drie zo kaal als een afgekloven visgraat. Hun metgezel was een buitenlander. Het had zelfs een Oostenrijker kunnen zijn, maar daarvoor leek hij me te nerveus. Ik dacht dat het misschien een Rus was. We deden het ene spelletje na het andere, en ik versloeg hen telkens weer. Ik was ervan overtuigd dat ze hadden willen valsspelen. Valsspelen is moeilijk bij briscola. Ze boden aan om twee tegen twee te spelen, maar ik vertrouwde geen van hen voldoende. Toen we klaar waren, beter gezegd: toen ik met hen klaar was en zij niets meer konden inzetten, zei de puistenkop: 'Nu gaan we pokeren.'

'Ik speel geen poker,' zei ik.

Afgaand op wat ik van het spel had gezien, bestond het uit liegen en bluffen. Geluk leek er niet zo'n grote rol in te spelen. Vitelli had me niet leren pokeren, maar had me bijgebracht wat geluk was en hoe broos het was. Briscola is een eenvoudig spel, er is niet veel geluk bij nodig om te winnen en ook niet veel vaardigheid. Maar bij poker draait het allemaal om bluffen.

Daarom speelde ik niet, maar eigende me hun tactiek toe, stopte mijn winst in een leren buidel die Giovanni me die avond had gegeven. De buitenlander hield mijn hand op tafel vast, maar ik rukte me los.

'En als we niet willen dat u weggaat?'

Hij keek me recht in de ogen. Ik stond op en deed een stap terug van de tafel.

'Dan maak ik je af,' zei ik zo achteloos mogelijk.

'Wij zijn in de meerderheid,' bracht een van zijn metgezellen te berde.

'Dan zal een houten been degenen te pakken nemen die ik oversla,' zei ik terwijl ik me omdraaide om te gaan, mijn rug blootstellend aan hun giftige blikken en mogelijke wapens die ze hadden getrokken. Ik keek niet om. Ik deed de deur open, ging een gang door naar een andere deur en liep de trap naar buiten op. Ik liet een huivering in de kamer achter die als bevroren nevel was. Ik was de politiek van de angst aan het leren.

Het zou nog maar tien dagen duren voor mijn ontmoeting met Vitelli zou plaatsvinden. Ik zou mijn buidel met tien- en twintigfrankstukken en mijn stapeltje gouden munten kunnen oppakken en teruggaan naar de Campo della Guerra om op hem te wachten. Ik zou 's morgens uit kunnen gaan en nog wat boeken kunnen kopen om te lezen en mijn leermeester te behagen met mijn leergierigheid. Ik zou dit geld, waarvan elke munt meer waard was dan mijn hele familie ooit bij elkaar zou zien, kunnen bewaren en er voldoende van naar huis sturen om mijn moeders oude dag te verlichten. Moeder, zei ik in gedachten. Moeder, kijk nu toch eens naar uw zoon, die als een dikke pad op het water hurkt. Hoor hoe hij kwaakt en zich verkneukelt. Kijk eens hoe hij zijn leven en het fortuin van anderen vergooit. Kijk eens hoe hij zijn geluk verkwanselt.

Giovanni roeide me voort, glijdend over het rimpelende, maanlicht reflecterende water dat wel verbrijzeld glas leek.

Mijn moeder zou bang zijn geweest voor zoveel geld. Ze zou er de hoefafdruk van de duivel in hebben gezien. Ik besloot een manier te verzinnen om haar tien frank per maand te zenden; dat zou voldoende zijn om haar voor armoe te behoeden en niet zoveel dat het haar zou afschrikken. Tien frank en een nieuw linnen laken.

'Signor,' fluisterde Giovanni in de regen.

Ik keek op en zag een hoge, donkere muur die op de zijmuur van een gevangenis of een weeshuis leek.

'Ik zal op u wachten,' fluisterde hij weer.

'Wat, een week lang?'

Giovanni sloeg een kruis en trok een grimas. Zijn gezicht vertoonde echte angst. Met de lage klank van een zeemeeuw riep hij: 'Stalì.'

Zijn vogelkreet werd met stilte beantwoord. Hij gaf me mijn witte masker van papier-maché en ik probeerde op stuntelige wijze de linten achter mijn hoofd vast te strikken. In de gevangenis was ik nooit goed geweest in knopen leggen; ik vond het een erg omslachtige manier om twee veters aan elkaar te bevestigen. Vitelli had er echter op gestaan dat ik het zou blijven proberen en uiteindelijk vond ik een omslachtige manier om veters te strikken. Die onhandige methode was niet geschikt om in het donker in een schommelende boot een strik achter mijn hoofd te maken bij een speelhol vol moordenaars. Uiteindelijk stelde ik me tevreden met een knoop en had nauwelijks tijd om de driesteek op mijn transpirerende hoofd te zetten voor Giovanni me het teken gaf op te staan.

Ik werd meegetroond door een hal die donkerder was dan de maanverlichte nacht buiten. Ik hoopte dat de speelzaal in ware Venetiaanse stijl zou zijn uitgevoerd, vol met spiegels, zodat ik mezelf zou kunnen zien en mijn zelfvertrouwen kon herwinnen. Ik moest sterk zijn om te winnen. Ik had genot beleefd in de armen van een andere vrouw. Had ik Donna Donatella verraden? Een spiegel zou mijn gemoed tot rust brengen. Ik had haar beeld vastgehouden. Ik beende met mijn handgemaakte laarzen over de natte marmeren vloer en herhaalde in gedachten al mijn zonden van de afgelopen tijd: wellust, hebzucht, luiheid, ijdelheid. Dat waren de ondeugden die ik had nagestreefd. Er was geen spoor van de contadino meer in me over toen ik het uitgestrekte labyrint doorstak. Door het masker was ik eindelijk uit mijn cocon te voorschijn gekomen en ik was dronken van macht.

Ik had eerst gedacht dat mijn gids een kind was; zijn korte benen konden de treden nauwelijks beklimmen, maar toen hij zich omdraaide en me plotseling een verlichte salon instuurde, zag ik dat het een dwerg was. Zijn handen waren misvormd, de vingers waren halverwege afgehakt en de korte stompjes gaven hem het aanzien van een amfibie, een indruk die versterkt werd door een zwart masker met een hagedissekam. Ik zag alleen dat hij een dwerg was aan de ogen die uit de daarvoor bestemde gaten in zijn masker keken, aan de massa's rimpels in de ziekelijk groene huid daaronder en de uitdrukking van oud misprijzen. De salon was flessegroen geschilderd en grof geel geaderd om de indruk te wekken dat de wanden van marmer waren. Het meubilair was bekleed met gemoireerde groene zijde in de kleur van de wanden, maar doordat het een verschoten was en het ander afbladderde kwam de kleur alleen hier en daar overeen. Op de stoelen en sofa's in dit vertrek lag een groot aantal dieren uitgespreid. Later zag ik dat vele daarvan opgezette dieren waren, hoewel een aantal hijgende jachthonden echt genoeg was. Op een achthoekige tafel met laden na was het midden van dit vertrek leeg. Daarop lagen verschillende vuurwapens, dolken en een zweep van ongelooide huid. Hoewel de salon helder verlicht was, leek dat uitsluitend voor de dieren te zijn gedaan.

Vanuit die groene kamer, dat voorportaal van de onderwereld, werd ik van de ene onderling verbonden salon naar de andere gevoerd, waarvan wanden en meubilair steeds een andere kleur hadden. In al die vertrekken was geen mens te bekennen.

Na vier of vijf van zulke vertrekken kwamen we bij een onwelriekend vertrek waar een stuk of tien in het zwart geklede figuren heen en weer liepen. Ze waren gemaskerd, allemaal even fantasierijk, geïnspireerd op de mythologie en schepsels van de zeebodem. Een van hen was zo lang dat ik er zeker van was dat hij op stelten liep of van die buitenissige plateauschoenen aan had die de adellijke dames van Venetië droegen om te voorkomen dat de fijne zijde die ze droegen door het slijk zou slepen. De sfeer was gespannen, broeierig en geladen met verderf, wat verergerd werd door het ijsberen. Er waren spiegels, vlekkerig en gespikkeld van ouderdom en bespat met bloed of iets wat daarop leek. Ik nam aan dat deze schepselen de gedrogeerde slaven van Bastoni waren. Ik zag mijn spiegelbeeld in de ooit zo protserige spiegels, maar mijn trots van daarvoor was verbleekt en had plaatsgemaakt voor nieuwsgierigheid om deze bizarre maskerade te bestuderen. Ik wilde ook graag Bastoni zelf ontmoeten.

Ik geloofde best dat Bastoni genadeloos wreed kon zijn en hardvochtig trekjes had die aan het licht zouden komen als hij zijn kans schoon zag, maar ik constateerde ook dat het een ijdele man was die zich in zijn eigen reputatie verlustigde. Toen hij uit de drom van bedienden naar voren trad, herkende ik hem niet aan zijn gehink, maar aan het ontbreken ervan. Hij liep juist volkomen gelijkmatig, zo volkomen normaal dat je toch aan het onzichtbare houten been moest denken dat, naar verluidde, precies naar de vorm en het gewicht van een echt been was gemaakt door een houtbewerker uit de buurt van de Accademia, wiens voornaamste bezigheid het snijden van de *forcola* van de gondels was. Men zei dat er op een avond bij de werkplaats het geamputeerde been van een man werd afgeleverd, dat de meestertimmerman tot de volgende ochtend mocht houden om alle maten te nemen en om het houten been precies het vereiste gewicht te geven. Ze zeiden ook dat hij zelfs de zwelling van de beginnende gangreen had overgenomen. Bastoni liep met de onmiskenbare tred van een dronkaard die nuchter probeert te lijken. Hij was makkelijk te herkennen aan zijn uitstraling en het kruiperige gedrag van zijn slaafjes, maar ook door een aangeboren eigenschap in hemzelf. Ook staken er plukjes van zijn zwarte baard uit onder de rand van zijn masker van een zwart zeemonster.

Het was een lange man, even groot als ik, en heel even kwam hij dicht bij me staan om me te intimideren. Zoals gezegd, was ik niet bang.

'Het entreegeld is honderd frank,' zei hij met een diepe, melodieuze stem die in strijd was met zijn uiterlijk.

Ik pakte honderd frank uit mijn buidel. Door zijn masker heen zag ik zijn ogen omlaagschieten om een blik in de leren buidel te kunnen werpen. Hij had Venetiaanse ogen van een grijsbruine tint die zo helder was als het grind op het strand, ogen die even doorschijnend en veranderlijk van kleur waren als zeewater dat over de rotsen spoelt. Als ik niet had geweten wie hij was, zou ik gezegd hebben dat hij oprechte ogen had. Misschien waren ze oprecht in hun wreedheid.

'Wat speelt u?' vroeg hij terwijl hij mijn geld aanpakte en overhandigde aan een jongen, die gehuld was in een zwartzijden kostuum waar je zijn ribben doorheen kon zien als bij een tweezijdige waaier.

'Briscola,' zei ik tegen hem.

'We zullen zien,' antwoordde hij, op de vloer tikkend met zijn houten been. Tijdens het praten besefte ik dat de minuten die sinds mijn binnenkomst waren verstreken in stilzwijgen waren verlopen. Ik herinnerde me wat Vitelli me had verteld over de tongloze verliezers. Misschien had ik meer onder de indruk moeten raken van het raffinement van zijn spel, maar helaas, de finesses ervan waren aan mij niet besteed. Ik had de opleiding noch de opvoeding gehad om me bang te laten maken door zijn doorwrochte toneelspel. Integendeel, ik voelde me lichtelijk opgewonden te worden toegelaten tot het carnaval dat ik dacht te zijn misgelopen. Achter de veilige beslotenheid van mijn eigen masker raakte ik in een roes bij het aanschouwen van zo'n zorgvuldig gearrangeerde fantasie.

10

Vervolgens bracht Bastoni me naar een salon vol wanhoop. Na de weelderige, maar verschoten aankleding van het andere vertrek bood deze ruimte een sobere, grimmige aanblik. In een hoek van een met zwart en grijs ingelegde marmeren vloer leek een berg half menselijke gedaantes elkaar stevig omhelsd te hebben en te zijn gestorven. Bij nadere beschouwing zag ik dat het om een kluitje uitgemergelde jongens ging, gekleed in wat het verplichte, strakke zwarte kostuum leek. Ze hadden allemaal een snoer parels om, als de ogen van even zoveel verdronken zeelieden. Hun hoofden gingen geheel schuil achter hun masker, maar aangezien ze oppervlakkig ademden, waren ze kennelijk in slaap gevallen of bewusteloos geraakt. Van een afstand leken ze een reusachtige spin of een grote zwarte krab. Langs de wanden zat op eenvoudige, evenwijdig aan elkaar opgestelde houten banken een aantal wanhopige mannen te wachten, als smekelingen aan het Hof van laatste Appel. Een van hen, die me onder zijn vermomming ouder voorkwam dan ik en op een of andere manier groot aanzien uitstraalde, hield zijn twee gekromde handen tegen zijn gezicht, naar ik aannam vanwege zijn bloedneus. Zijn witte handschoenen waren tot aan de pols besmeurd en zijn schouders schokten van ingehouden pijn. Aan weerskanten van deze lange, smalle kamer stond bij beide deuren een halfnaakte bewaker die zwarte schmink op zijn huid had gesmeerd en die een glanzend masker op had, dat voornamelijk uit tanden en grillige randen bestond. Ze hadden allebei stevig een lange zweep in handen, die zo zwaar was dat ze er een menselijke schedel mee hadden kunnen klieven.

Ik begon iets beter te beseffen waarvoor Vitelli me had proberen te waarschuwen; het was hier gevaarlijker dan in normale speelholen. Bastoni hield een hof van verderf; hij deelde vernedering uit met zijn kaarten, en geruïneerd zijn was de minste van de zorgen van de verliezers. Ik wist toen nog niets af van de grote handelaars in verderf en perversiteiten. Ik had nooit iets gehoord over de beruchte daden van Gilles de Rais. Achteraf bekeken denk ik dat Bastoni de Franse kwelgeest grondig had bestudeerd. Uit alles sprak de sfeer van kunstmatigheid en imitatie. Toch hadden eeuwen van staatsannalen, archieven en wreed ten uitvoer gebrachte wetten en regels hun sporen nagelaten, zelfs op de macabere farce van Bastoni's moordenaarshol. Er golden dus regels en wetten in dit gokhol. Net als de middeleeuwse doge vanuit zijn absolute machtspositie gedwongen werd een lijst van al zijn bezittingen te ondertekenen. Die lijst werd hem elk jaar voorgelezen om hem te herinneren aan de ongeëvenaarde onderdrukking van de traditie in Venetië. Zo wisten de gokkers aan de speeltafels door een aantal wrede geheugensteuntjes precies welk gruwelijk lot hun wachtte. Wat een Hof van Appel leek, was in feite ook niets anders dan dat. Daar kregen de spelers een laatste kans om te winnen of te verdwijnen.

Hoewel de sfeer in deze laatste salon uit pure misère bestond, kon ik door de deuren die het verst bij me vandaan waren flarden muziek horen. Violen speelden een aria uit *La Traviata*, en er klonk gedempt geroezemoes. Ik kreeg het warm onder mijn masker van papier-maché. De onderste helft van het masker stak vooruit als een gesloten snavel, wat me dwong om adem te halen door de kleine opening daaronder. Ik voelde het zweet over mijn gezicht stromen. Ik zag dat de meer ervaren maskerdragers twee gaatjes bij de neusvleugels hadden bijgemaakt. Toen we bij de tweede imposante bewaker kwamen, deed Bastoni, mijn gids en gastheer, een stap opzij.

'*Viva Verdi*,' dreunde de bewaker van de zeebodem op.

Ik was zo verbaasd te horen dát hij kon praten, dat ik terugviel op mijn eerste Venetiaanse angsten en zonder erbij na te denken zijn woorden herhaalde.

'Viva Verdi.'

Dat ene moment van angst bleek fortuinlijk te zijn. Ik hoorde later dat iedereen die naliet dit wachtwoord te herhalen de woorden werd bijgebracht door een uithaal van de zweep. Ik was op de hoogte van de strekking van het wachtwoord. Giovanni had me verteld dat alle patriottische Venetianen elke gelegenheid aangrepen om 'Viva Verdi' te roepen, want de woorden stonden voor 'Victor Emmanuel, koning van Italië'. Naar het scheen waren de voorwaarden waaraan je moest voldoen om binnen te komen eenvoudig; het moeilijke deel was om weer buiten te komen. De dubbele deuren gingen piepend open, en ik zag een schitterend tafereel van gemaskerde modegekken, een van hen met het masker voor van een zeepaard met manen. De muren hadden panelen met onbewerkte, roze koraal, klaar om iedereen aan de spies te rijgen wiens aandacht verflauwde of die tegen hun puntige uitsteeksels leunde. Ik voelde dat Bastoni achter me aan kwam. Ik verstrakte en vroeg me af of ik door een of andere truc was ontmaskerd. Dit was geen plek voor boeren. Zijn overvloedige vermaak was alleen voor edellieden bestemd. Ik voelde me als een man die zich onder een rok verstopt om de harem van een sultan te betreden. Er naderde iemand van achteren. Het zag ernaar uit dat ik mijn kalmte moest bewaren, ongeacht wat er gebeurde, omdat ik anders met een gewicht om mijn nek mijn dagen op de bodem van het Canale Orfano kon slijten, waar vroeger in het holst van de nacht de willekeurige moordpartijen van de Staat plaatsvonden en waar geen mens ooit zal vissen, ook al is de vangst rijk in dat troebele stuk water. Giovanni zei dat er een walgelijke stank van rottend vlees in dat deel van de lagune hing; het werd geteisterd door zijn onwelriekende geheimen.

Voor me zag ik het felle schijnsel van honderden druipende kaarsen. In tegenstelling tot de vochtige kou van alle voorgaande vertrekken was het in dit laatste zo warm als in een operaloge. Het vertrek was vol schitterend geklede mensen die allemaal gemaskerd waren en allemaal tegelijk leken te praten. Als een herinnering aan de zalen waar ik net doorheen was gekomen, kwam van achter me een smerige vlaag rioollucht die zich om mijn achterhoofd krulde en doordrong tot onder mijn masker en in de benauwde gevangenis voor mijn gezicht bleef hangen. Toen ik het vertrek betrad en naar de speeltafels liep die zo discreet langs de wanden stonden opgesteld dat je nauwelijks kon weten dat zij de reden voor het bal waren, zag ik dat de verliezer met het bloedende gezicht me was nagelopen. Hij stond vlak achter me, zo dichtbij dat zijn bloed bijna op mijn kleding droop en dat ik kon ruiken dat zijn adem de giftige stank voortbracht.

Ik stond op enige afstand van de spelers en bekeek hun spel vanuit het neutrale midden van het vertrek. Een kelner die op een reptiel leek bracht me een glas mousserende wijn, die Asti of champagne kon zijn geweest. Ik ben altijd van mening geweest dat die twee op elkaar lijken, hoewel Vitelli me verzekerde dat dit niet het geval was en dat de Italiaanse wijn niet zo licht en over het algemeen veel lekkerder en beter was. Er werden verschillende spelen gedaan, waarvan ik poker, rummy, 151, briscola en bezique herkende. Ik wist dat ik briscola zou kiezen, want dat was het enige kaartspel dat ik goed kende. Het was een van de weinige dingen die ik uit de tijd van mijn gedaanteverwisseling had meegenomen, samen met mijn naakte lichaam en mijn dromen. Als jongen had ik elk jaar met *Capodanno* en ook bij het feest van de Madonna briscola gespeeld. Mijn zio Luciano had het spel uit Castello meegebracht; de eerste kiem van stadsleven die bij me aansloeg. Mijn ouders vonden het niet makkelijk met hem om te gaan sinds hij in welvaart verstrikt was geraakt. Zio Luciano speelde nooit om geld, en tot mijn twintigste heb ik ook nooit om geld gespeeld. Hij zat op zomeravonden voor het stenen boerderijtje van mijn vader en liep op het *festa* vooruit door een plank op zijn knieën te leggen, waarop we briscola speelden terwijl de vuurvliegjes rondvlogen in de zwoele schemering. De putjes in zijn pokdalige gezicht leken zich samen te trekken van ergernis wanneer hij een spelletje verloor, wat vreemd was, omdat hij altijd verloor. Zijn pech weerhield hem er echter nooit van te komen. Hij was een bemiddeld man. Ik denk dat hij in vergelijking met de rijkdom die ik later leerde kennen net als mijn vader een arme boer was, maar gezien vanuit de grotere armoede van onze keuken, die zwart zag van de rook en geen raam had, was hij een magnaat. Hij deed altijd een beetje gegeneerd over zijn welvarendheid. Hij was te gierig om bij te springen, maar anderzijds was hij te verknocht aan zijn verleden om het los te laten. Vermoedelijk dacht hij dat het overduidelijke bewijs van zijn pech bij het kaarten andere aangelegenheden zou verzachten, zoals zijn steeds omvangrijker buik en de gekochte katoen van zijn broek. Mijn moeder beschouwde hem als een gierigaard die langskwam om zich te verkneukelen en de inhoud van onze toch al niet zo rijk voorziene voorraadkast te verminderen door zijn onfatsoenlijk grote eetlust, maar ze was bang om hem te beledigen en hoopte dat hij tot inkeer zou komen en ons iets zou nalaten in zijn testament. Zio Luciano had zelf geen kinderen, en mijn vader, zijn broer, was ervan overtuigd dat Luciano uiteindelijk wel iets zou ophoesten om ons te helpen. Ons kaartspel bekeek hij met aan onverschilligheid grenzende toegeeflijkheid. Hij was een kaars die niet brandde. Tijdens de Ceri praatte mijn vader over de vermeende nabijheid van ooms pot vol goud. Mijn vader had niet vaak iets door, en zelfs mijn moeder besefte niet dat kaartspelen een serieuze zaak kon zijn. Ik besefte dat echter ook niet, tot Vitelli vertelde over mannen die hun fortuin maken aan de speeltafels van Venetië.

Ik had andere spelletjes geleerd, dobbelen en morra, maar had me er nooit vertrouwd mee gevoeld. Briscola was een meegesmokkeld deel van mijn jeugd, dat met opwinding vermengd was. Hoewel ik een harde jeugd had, bood briscola respijt van mijn taken, en briscola spelen was elke winter vermengd met de hoop op eten en brandstof. Mijn zio Luciano deed me zijn kaarten nooit cadeau; hij gaf nu eenmaal niet graag iets weg. Het was alsof iets geven een precedent zou scheppen. Hij vertelde me dat er belasting werd geheven op speelkaarten, dat een spel kaarten een grote som geld waard was. Een keer liet hij de zeven van bastoni in het hoge gras vallen dat bij ons boerderijtje groeide. Die vond ik daar nadat hij was weggegaan. We hadden door een plotseling noodweer het spel halverwege moeten afbreken en naar binnen moeten gaan. Toen het noodweer voorbij was, nam hij zijn muilezel mee en vertrok. Ik vond de gevallen kaart en hield hem bij me tot hij terugkwam. Twee weken lang was hij van mij. Ik wist dat een zeven geluk bracht.

Als ik 's nachts tussen mijn zusters lag ingeklemd in ons ijzeren ledikant, kuste ik de kaart en likte eraan. De kaart kreeg het behoorlijk te verduren in de twee weken dat ik hem in mijn bezit had. Ik nam hem mee als ik op het land werkte en stak hem in mijn broekzak als ik hout hakte voor het keukenvuur. Toen mijn oom terugkwam, gaf ik hem de verfomfaaide en beschadigde zeven terug.

'Wat heb ik daar nu aan?' vroeg hij me. Hij verfrommelde hem met zijn sterke vingers en stak de prop in zijn zak.

'We kunnen toch niet zonder zeven spelen?' vroeg ik, terwijl ik gespannen toekeek hoe hij de rest van het spel deelde. Toen ik mijn drie kaarten oppakte, zat de zeven van bastoni er op wonderbaarlijke wijze ook bij, vernieuwd en hersteld van al zijn barsten.

'Kijk, oom,' zei ik, niet in staat me aan de gebruikelijke regel van stilzwijgen te houden. 'Kijk nu eens. Hoe hebt u dat gedaan? Hoe is het mogelijk?'

Ik kon me niet voorstellen dat je twee spellen kon hebben. Pas vele jaren later ontdekte ik dat de kaarten die ik streelde en betastte niet uniek waren.

In Bastoni's speelzaal in Venetië was ik onder de indruk van de overvloed aan kaarten. Er lagen stapels nieuwe spellen. Er waren kaarten voor briscola en Napolitaanse kaarten; er waren gezichten van even zovele koningen als het paleis van de doge vroeger in de hoogtijdagen van de stadstaten moet hebben aangetrokken.

Een vrouw in een weelderige japon met scharlaken linten die afhingen van de taille kwam naar me toe en nam mijn hand in haar gehandschoende vingers. Ze had het kleine zwarte masker van *la moretta* voor. Haar gezicht was gepoederd, bestoven met marmervijlsel. Ze had stevige, leuke krullen van het geelachtige beige van balen hooi. Haar aanblik bracht de smaak van Maria di San Polo in herinnering op mijn tong. Ik likte mijn mondhoek af en proefde opnieuw haar sappen. Een opleving van gevoelens herinnerde mijn onderbuik aan de gunsten die me zo kort geleden waren verleend. Onder de steeds grotere hitte van mijn masker glimlachte ik bij de gedachte dat ik, als ik deze gemaskerde dame nog geen vier dagen geleden was tegengekomen, alle zelfbeheersing die mijn hunkerende lichaam kon opbrengen nodig zou hebben gehad om te voorkomen dat ik haar zou bespringen. Ondanks de warmte prees ik me gelukkig. Dat zou ik des te meer hebben gedaan als ik op dat moment had geweten wat ik later ontdekte. De meeste vrouwen in dat vertrek waren mannen. Misschien wel allemaal, dat weet ik niet. Ik was er om geld te verdienen en in leven te blijven, en de bijkomstige geneugten van de club negeerde ik. Onze maskers lieten onze ogen vrij en onze oren onbedekt, maar net als de meeste andere spelers koos ik ervoor om oogkleppen te dragen en de zintuigen te beteugelen bij het najagen van mijn fortuin.

Als een man die in trance is gebracht liet ik me door gotische zalen leiden. Ik bouwde mijn kerk niet op zand of steen. Ik bouwde mijn kerk op botten. Onder het paleis ligt een onzichtbaar knekelhuis; het gruis waarmee de fundering is gemetseld bestaat uit verpulverde botten. Het is de zee van zwart koraal, het rif der wanhoop, de zinkput van fortuinen.

In mijn slaap zie ik soms de gezichten van Bastoni's verliezers die verdrinken. In mijn slaap fantaseer ik dat ik onder water loop op voeten met zwemvliezen, waarvan de klauwen blijven vasthaken in de haarlokken die als een filigrain van zeewier komen bovendrijven uit in de modder weggezonken schedels.

Geleerden beschrijven de geschiedenis van landen en de geschiedenis van koningen, maar bedenk eens hoeveel geschiedenis aan elk goudstuk kleeft. Denk eens aan de leugens die zich als vingerafdrukken aan goudstukken hechten. Denk eens aan de sterfgevallen die op elke *denaro* zijn vastgelegd. Zoals u merkt, ben ik een zelfvoldaan denker geworden. Nu ik me eindelijk niet langer gedraag als een Venetiaanse piraat, of als een Napolitaanse huurling die antiquiteiten rooft om een nieuwe beschaving mee op te sieren, heb ik me, zoals Vitelli het zou noemen, een morele toon aangemeten. Ik ga nu op mijn denkbeeldige kansel staan en predik de menselijke goedheid met de overtuigingskracht van een boer die van zijn melk probeert af te komen voor ze zuur wordt. Giovanni wijst me terecht en zegt dat wroeging zinloos is. Ik wil echter niet zozeer uiting te geven aan wroeging, als wel aan verrassing. Er speelt wel iets van wroeging mee, maar dat is iets terloops, eerder een erkenning van de laagheid van de menselijke aard in het algemeen dan berouw over die van mij in het bijzonder. Ik sta er verbaasd over hoeveel een mens bereid is te doen om zijn doelen te bereiken. Ik sta verbaasd over het gewetenloze van geobsedeerdheid. Ik ben een grafrover. Ik sta afzijdig als een antropoloog en observeer deze verschijnselen; dat ik die man zelf ben, verandert niets aan mijn klinische interesse voor zijn gedrag. Ik beschouw hem als een vlinder die op een bord is geprikt. Voor de modegekken bij Bastoni was het niet anders; ze waren niet meer of minder dan een verzameling vlinders die door het hart of het kruis of het hoofd aan een bepaald gedragspatroon waren vastgepind.

Ik moet bekennen dat ik bij mijn eerste bezoek aan de club heel wat minder analytisch was. Er was niemand die eruit zag of hij naar een stichtende lezing wilde luisteren. Ik was erop gebrand te spelen, gegrepen door hebzucht. Het gezelschap dat bijeen was nam me zonder veel toestanden op, een nieuw stuk aas, een vette worm om te verslinden. Bastoni gaf een teken aan iemand die zich aan de andere kant van het vertrek bevond.

'Zullen we spelen?' vroeg hij me op uiterst hoffelijke toon, terwijl hij met een geveinsd gebaar van respect een diepe buiging maakte. Hij had zijn hoed afgezet en toen hij zijn hoofd boog, zag ik dat zijn zwarte krullen op zijn kruin weken voor een tonsuur, die een klein kruis vertoonde dat uit littekens bestond.

Ik nam plaats aan een prachtige kersehouten tafel, waar ik al snel gezelschap kreeg van een man in lichtblauwe zijde met het masker van een leeuw, van waaruit hebzuchtige bruine ogen niet mij aankeken, maar de afwachtende Bastoni.

Ik wist dat ik moest winnen en ik wist dat in de sterren stond dát ik zou winnen. Het kwam toen niet bij me op dat iedere man in het vertrek er dezelfde overtuiging op na hield. Welke gokker heeft ooit het gevoel dat hij zal verliezen? Ik verloor het eerste spelletje en het tweede. Ik had honderd frank verspeeld. Als Giovanni me had kunnen zien, zou hij gezegd hebben dat het maar goed was dat ik mijn extra geld had meegenomen, maar ik wist dat ik beter speelde als het spannend werd, als ik door het lot onder druk werd gezet. Ik had te veel goud in mijn buidel, en mijn buurman met de onwelriekende adem en de bebloede handschoenen stond zo dicht naast me dat ik me nauwelijks kon concentreren. Geïrriteerd stak ik mijn ellebogen uit. We speelden te langzaam naar mijn smaak. Mijn tegenstander kreeg een andere blik in zijn ogen. Misschien bereidde hij zich erop voor me in te maken, een nieuwe traktatie aan zijn gastheer te overhandigen.

Ik deed een derde spelletje en verloor opzettelijk. Ik had kunnen winnen, maar ik dacht meer geld te kunnen verdienen als ik me als potentieel slachtoffer voordeed. Mijn arrogantie was zo groot dat ik nooit enig gevaar voor mezelf zag. Ik kon me niet voorstellen dat het lot me twee keer uit de kaken van de dood had weggesleurd om me vervolgens in een waterrijk graf ergens in de grijze lagune te laten gooien.

'Drie spelletjes,' riep Bastoni, die de telling bijhield als een croupier. 'Verdubbel de inzet,' beval hij.

Mijn glimlach bleef verborgen achter mijn warme masker. Als een beitel die een ader heeft geraakt snelde ik door de avond, winnend en verdubbelend, winnend en verdubbelend tot het hele vertrek stil werd en mijn spel volgde. Ik denk dat mijn geluk die avond aanstekelijk moet zijn geweest, want de verliezer met de slechte adem, die met zijn elleboog vrijwel in mijn ribbenkast porde, werd meegetrokken naar de tafel voor de mijne, waar hij ook won en genoeg terugverdiende, zoals ik later ontdekte, om zijn leven te redden. Ik was als een meisje van lichte zeden met een prijs op haar maagdelijkheid en ik had nooit eerder zo goed gespeeld of zo uitzinnig veel gewonnen. Het was een stroom. Ik had een paleis in mijn bloedstroom, een reusachtig, onhandelbaar, adembenemend mooi paleis om als eerbetoon aan de voeten van mijn geliefde te leggen. Er was alleen ruimte voor de obsessie die me voortstuwde. Mijn hoofd was onderverdeeld in vertrekken en gangen, en zelfs terwijl ik door de zalen van Bastoni liep, registreerden mijn hersens details, merkten een bepaalde tint zijde op of een opvallend sierlijke deurknop. De vreemde gebeurtenissen in mijn leven waren slechts de stoffering van mijn dromen en boden slechts zicht op die ene innerlijke binnenplaats van mijn gedachten.

11

Voor de lente begon ging ik drie keer terug naar Bastoni en elke keer werd ik in een overladen gondel langzaam teruggeroeid door een trotse en opgeluchte Giovanni. Ik zou er voor eind maart vier keer hebben gespeeld als de club, net als een stoffenzaak of een stalletje met snuisterijen, op maandag niet gesloten was. Aan het einde van mijn derde bezoek had ik zulke hoge stapels muntstukken vergaard dat Giovanni het gevaarlijk vond ze in huis te bewaren. Hij probeerde me over te halen het geld op de bank te storten. Na veel uitleg begreep ik geleidelijk aan wat banken waren en waar ze toe dienden. Ik was helemaal weg van bewondering voor de ondernemer die het plan als eerste had opgevat. Ik had over bandieten en piraten gehoord, maar deze bankiers waren schaamtelozer en gevaarlijker naar het scheen, door te gokken met de inzet van anderen en immens rijk te worden of met grote spijt te moeten sluiten. Hoewel ik het geniale van dergelijk bedrog inzag, kon Giovanni noch iemand anders me ertoe overhalen mijn eigen groeiende kapitaal daar onder te brengen. Niet dat mijn geld zuur verdiend was; de enige zweetdruppels die het me had gekost waren te wijten aan de onnatuurlijke warmte achter mijn masker vanwege de overdaad aan kaarsen in de speelzaal. Het was makkelijk verdiend geld, maar ik zou het liever allemaal zelf tot op de laatste cent verspelen dan het ergens te brengen waar ik het niet eens kon zien en waar ik toestemming moest vragen om het te kunnen uitgeven.

Giovanni was echter gefascineerd door banken en financiën. Hij vond het heerlijk om mijn kapitaal te tellen en denkbeeldige rentetarieven over mijn geld te berekenen. Hij had de inborst van vele eeuwen bankiers en hij vond het een kwelling te bedenken dat geld ongebruikt bleef terwijl er meer mee verdiend kon worden. Papiergeld was hem een doorn in het oog. Toen het hem niet was gelukt mijn interesse te wekken voor een landelijk banksysteem of voor het financiële miasma van Venetië, begon Giovanni te hunkeren naar andere vormen van investering.

'En als Venetië nu weer de marionet van Europa wordt?' zei hij 's ochtends vroeg smekend als ik mijn eerste kop koffie dronk. 'Hoe moet het als al uw munten waardeloos worden?'

Dan haalde ik mijn schouders op. De vroege ochtend was niet mijn favoriete tijdstip. Hoewel ik bevrijd was van de maïsvelden en mijn harde leermeester deed de dageraad me nog altijd denken aan hard werken en vermoeidheid. Daarnaast had ik de herinnering aan mijn ontmoeting met de dood in de kleine uurtjes, wat dat tijdstip een somber gevoel verleende dat slecht samenging met Giovanni's zangerige gezeur.

'En als de oude munten door een nieuwe staat geconfisqueerd worden? Wie zal zeggen wanneer Venetië weer deel van een verenigd Italië gaat uitmaken... en dan? Wat dan? Signor, ik vraag u: hoe moet het dan?'

Giovanni was soms net een kind. Hij wilde antwoord krijgen, mijn schouders ophalen was niet genoeg om hem tevreden te stellen, hij wilde woorden horen en veel vertoon van aandacht.

'Giovanni, laat me in godsnaam rustig opstaan!'

'Maar wat moeten we beginnen als er een andere munt komt?'

'Welnu, het ziet ernaar uit dat ik in dat geval een armer man zal zijn.'

Giovanni beschikte over een hele serie verwensingen en heiligennamen, die hij als aangeregen gedroogde vis voor noodgevallen bewaarde. Die haalde hij nu te voorschijn en liet mompelend een bestiarium horen dat met tientallen plaatselijke kerken verbonden werd. Hij had dit al een of twee keer eerder gedaan, en ik wist dat het even zinloos was om te trachten hem in deze godslasterende uitbarsting te onderbreken als een monnik die in gebed was. De meeste woorden die hij tijdens zijn tirade gebruikte duidden dieren aan, waarvan varken, wilde hond en wild zwijn de meest geliefde waren en die werden na elke aanroep van de madonna herhaald als de enige interpunctie in zijn verbale uitbarsting.

Het duurde nu nog maar een paar dagen voor Vitelli zou komen. Ik wilde niet dat hij zou zien dat ik er moeite mee had om in mijn eentje een huishouding te voeren. Ik wilde hem als mijn gast uitnodigen in schone, ordelijke vertrekken. Ik wilde dat hij zou zien hoe goed ik erin was geslaagd de overgang te maken. Ik zou hem mijn eerdere problemen wel opbiechten, maar alleen schertsenderwijs, terwijl we ons door de trouwe Giovanni veilig van de ene plaats naar de andere lieten roeien. De hysterische uitbarsting van mijn knecht, die vermoedelijk door langdurig gemok gevolgd zou worden, kwam me slecht uit. Toen hij uitgeraasd was, riep ik hem terug voor hij de kamer kon uitglippen.

'Kom eens met een andere oplossing voor die munten. Ik zal geen gebruik maken van je banken, Giovanni, maar als er een andere manier bestaat om te voorkomen dat we in bed worden vermoord, stem ik er misschien wel mee in.'

'O signor, u bent zo goed en coulant.'

'Ik heb "misschien" gezegd, verder heb ik nog nergens in toegestemd. Kom eerst maar met je plan, daarna zal ik iets beslissen.'

Giovanni had een goed zakeninstinct, veel beter dan het mijne. Hij legde me uit dat een groot aantal families in Venetië op de rand van bankroet leefde. De paleizen die boordevol kunstschatten stonden zeiden niets over de inhoud van de beurs van de gemiddelde Venetiaanse edelman.

'De stad wordt weliswaar ondermijnd door het gokken, maar een heleboel edellieden gokken om hun rekening bij de kruidenier te kunnen betalen. Wat heb je aan oude geldkisten en beschilderde wanden als er geen eten op tafel komt? Er zijn heel wat antiekhandelaren in de stad, signor, en u zult zich afvragen waarom die vooraanstaande families af en toe niet een kostbaar voorwerp van de hand doen. Maar kunt u zich voorstellen wat een schande het is om je renaissancekandelaar in een etalage aan de Merceria te zien waar iedereen hem kan zien? Gasten die de ene week bij het schijnsel ervan in uw eetkamer hebben gezeten mogen hem niet de volgende week te koop zien staan.'

Hij huiverde, uit zoveel meegevoel met de aristocraat die aan de bedelstaf is geraakt, dat zijn wangspieren even verslapten, waardoor hij er gekweld en hongerig uitzag.

'Er zijn weliswaar honderden toeristen, van wie vele wel een diamanten diadeem of een broche met robijnen voor meer dan de eigenlijke waarde zouden willen kopen, vanuit de plezierige gedachte dat die sinds de vierde kruistocht bij prinsessen van moeder op dochter was overgegaan. Maar kun je er ook op rekenen dat diezelfde Amerikaanse toeristen niet met hun pas verworven trofeeën gaan pronken in het stadscentrum of op een bal in Padua of Treviso, waar gretig kijkende tantes zich zouden verlustigen aan zo'n bewijs van geldgebrek?'

Giovanni laste een dramatische stilte in voor hij tot de kern van zijn betoog kwam.

'Signor, ik heb neven in hoge kringen. In plaats van nutteloze stapels munten te hebben, zou u waardevolle kostbaarheden kunnen verzamelen en tegelijk edellieden in nood kunnen helpen.'

Altijd wanneer Giovanni iets wilde, zeurde hij er net zo lang over door tot hij uiteindelijk zijn zin kreeg, al was het maar omwille van de lieve vrede. Hij was gewapend met enorme hoeveelheden informatie over ongebruikelijke handelspraktijken. Als het om illegaal handelen ging, kon hij altijd een handvol gevallen aanhalen, door de Staat toegestaan of verordonneerd, waarmee vergeleken zijn eigen kleine overtredingen van de wet of de beta-melijkheid bijna heldhaftig leken. Dat de meeste van die praktij-ken sinds de vijftiende eeuw niet meer waren voorgekomen of in 1797 door Napoleon waren afgeschaft, was voor hem onbelang-rijk. Hij bewoog zich als door bekende vaargeulen over verrader-lijk water. Als iemand anders dat bepaalde deel van de lagune voor hem in kaart had gebracht, was dat voor hem voldoende om zich in een modderige omhelzing te storten. Als de *briccole* er nog stonden om de bevaarbare route aan te geven, des te beter, maar als er alleen nog een rimpeling te zien was waar vroeger een voor-postboot was gezonken, liet hij zich door het ontbreken ervan niet weerhouden.

Zo haalde hij op een keer de immuniteitswetten aan, die ook golden voor de bandieten van de stad, waarbij de simpele moord op een van hun collega's de moordenaar van verdere veroordeling vrijwaarde als er voldoende bewijs was om de daad te staven.

'Ach, signor,' zei Giovanni, als hij vond dat ik wat traag was in mijn lof voor zijn financiële intriges, 'hoe hadden we het lichaam van Sint-Markus, het allerheiligste relikwie van de hele stad, in bezit kunnen krijgen als twee dappere kapiteins het in 829 niet hadden geroofd?'

Ik was een boer die nauwelijks meer opleiding had genoten dan Giovanni, en zeker minder feiten en heel wat minder jaartallen kende en ik plaagde hem altijd.

'Hoe bestaat het dat je die jaartallen kent, Giovanni, terwijl je niet kunt lezen? Zou het enig verschil hebben gemaakt als het lichaam in 827 of 828 was gearriveerd?'

Giovanni hapte nooit, maar keek me vragend aan met een slu-we, uitgekookte blik in zijn ogen alsof hij me eraan wilde herin-neren dat getallen heilig waren en dat je er geen grapjes over hoor-de te maken en dat ze buiten controverses moesten blijven. Hij wist wat hij wist omdat alle Venetianen zulke dingen wisten. Slechts één keer verwaardigde hij zich me dat uit te leggen.

'Kijk, signor Gabriele,' zei hij met laatdunkend geduld alsof hij het tegen een achtjarige had die traag van begrip was. Hij wees naar de stad die achter hem lag en draaide zijn gondel met zijn gebruikelijke behendigheid. We waren op weg geweest naar het Lido om weer een andere neef van hem te ontmoeten die meende dat hij misschien wat informatie over mijn vriend Vitelli had.

'Kijk,' zei hij weer en hij gebaarde met zijn vinger, wellicht om aan te geven dat ik moedwillig uit het oog had verloren wat hij wilde aantonen. 'Het lichaam van Sint-Markus werd in 829 in een lading varkensvlees naar Venetië teruggebracht. In 997 werd Venetië verenigd met de zee. In 1202 vond de vierde kruistocht plaats, die winstgevend voor ons was. In 1355 werd doge Faliers onthoofd, en mijn vader vertelde dat toen ze zijn graftombe openden, het skelet van de doge er nog steeds zo bij lag, met zijn schedel tussen zijn benen geklemd, en in 1846 werd door de Oostenrijkers een verhoogd traject voor de trein aangelegd, tot onze grote schande en ten nadele van schippers zoals ik.

Ik heb deze jaartallen niet verzonnen, signor. Die jaartallen zijn bij iedereen bekend. Ik zal het aantonen.'

Op dat moment kwam een andere gondel geluidloos onze richting uit. De lagune was in nevelen gehuld en er hing een naargeestige stilte die onverhoeds door de stem van Giovanni werd verbroken.

'Eooo!' krijste hij, waardoor de passagiers van de naderende gondel zo schrokken dat iemand een handschoen op het staalgladde wateroppervlak liet vallen. Een geagiteerde man probeerde hem nog te pakken en bracht daardoor het wankele evenwicht van de boot nog verder in gevaar. De naburige gondelier, die niets van Giovanni's charme of jeugdige schoonheid had, dook over de schoot van zijn twee passagiers, viste de handschoen op en liet hem druipend op de schoot van de man vallen en trok zich verder niets aan van hun buitenlandse protesten, terwijl Giovanni met een geluid dat een misthoorn waardig zou zijn de anderhalve meter water die ons scheidde overbrugde.

'Eooo, wanneer was de vierde kruistocht?'

'In 1202,' riep zijn collega terug.

'Dat meen je niet!' zei Giovanni opgewekt lachend en liet erop volgen: 'Hoe gaat het ermee? Hoe staat het leven, Beppe?'

'Ach, je ziet het,' riep de welgedane Beppe met het rode gezicht terug, waarna hij over de grijze nevel naar het wazige Riva degli Schiavoni keek dat in de verte lag. Ineens leek hij zich te herinneren waar hij en zijn protesterende passagiers zich bevonden, en als een mechanisch stuk speelgoed schoot hij weg over de zee en verdween in de mist die hem opslokte.

Giovanni glimlachte naar me, hij had zijn gelijk aangetoond. Hij beschouwde die ene bevestiging als een zegel van goedkeuring en als officiële bekrachtiging van alles wat hij me in het verleden verder had verteld en in de toekomst nog zou vertellen. Zijn glimlach was een afspiegeling van de volmacht die dat met zich meebracht.

Ik denk dat ik Giovanni gewoon met de zorgeloze geest van een bevrijd tijdperk had moeten accepteren. Soms botsten onze karakters echter, vooral omdat hij vastbesloten was een modeldandy van me te maken. Hij voelde, heel terecht, aan dat ik een heer in wording was. Als een amateurbeeldhouwer ging hij de uitdaging aan. Dat kwam me in een heleboel opzichten goed uit, maar nu ik mijn doel bijna had bereikt, kon geen mens, hoe charmant en toegewijd ook, me er meer van afhouden. Ik voelde me nooit welbespraakt genoeg om te kunnen uitleggen hoezeer ik het waardeerde dat hij zijn op merkwaardige wijze vergaarde kennis met me deelde. Hij gaf me een gevoel van identiteit, een verleden met terugwerkende kracht. Een andere man had zich misschien geërgerd aan zijn eindeloze lezingen, maar ik vond ze even effectief als een pantser, als schubben van een vis, die meehelpen een naaktheid te bedekken die geen kleren zouden kunnen verhullen. Toen ik in Venetië woonde, kon ik nooit voor een Venetiaan doorgaan, maar toen ik er weg was, kon ik, dank zij Giovanni, een Venetiaanse afkomst impliceren om zo ongepast gespit in mijn troebele voorgeschiedenis te vermijden.

De eenentwintigste maart kwam en ging. Ik had om vier uur 's middags een afspraak met Vitelli in Florian. Ik was bij het krieken van de dag al op, druk pratend als een kind tijdens het lichtfeest, en liep van de ene kant van de pauwensalon naar de andere achter Giovanni aan en vertelde hem in zo'n hoog tempo anekdotes dat hij er voor één keer geen woord tussen kon krijgen. Om drie uur liep ik voorzichtig tussen de duiven op het plein door en beklom de marmeren trap met een hart dat zo tekeerging dat mijn oren ervan suisden en mijn handen gevoelloos waren. Het was mijn allereerste bezoek aan dat caffè. Later zou ik er elke dag een paar uur in ledigheid doorbrengen, terwijl ik keek naar de toeristen die voorbijslenterden, en roddelpraatjes uitwisselde met andere gokkers. Mijn afspraak met Vitelli was de aanleiding die me naar binnen lokte. Ik voelde me belachelijk trots, zo trots dat ik nauwelijks de tijd nam om me geïntimideerd te voelen door het popperige decor van die elitaire gelegenheid. Omdat ik had besloten niet op een van de stoelen te gaan zitten nam ik plaats op een bankje tegenover het middelste raam. De kleine ruimte leek van binnen op wonderbaarlijke wijze groter dan van buitenaf, en ik merkte dat ik, in plaats van de hele ruimte te vullen zoals ik vroeger had gevreesd, gewoon opging in een menigte Engelse, Duitse en Amerikaanse toeristen.

Toen ik verblind door emotie naar binnen liep, had ik gehoopt mijn ogen te kunnen opslaan en te zien dat mijn dierbare vriend en celgenoot al aan een tafeltje had plaatsgenomen. Hoewel ik dit al was nagegaan voor ik naar binnen ging, was mijn verlangen hem te zien zo groot dat er in mijn hoofd weinig ruimte voor rationele gedachten was. De hele middag vond ik excuses voor het feit dat Vitelli laat was, terwijl de klokken van de *campanile* elk kwartier sloegen. Ik dronk een dikke, paarsachtige vloeistof die aan mijn verhemelte bleef plakken, en ik dronk koffie en nog meer koffie, en een brouwsel van heet water dat met veel vertoon werd geserveerd, maar naar niets smaakte. De paarse stijfselpap, die de kelner chocolade noemde, en die door Giovanni later als een modieuze keus werd betiteld, was mijn lievelingsdrankje. De koffie werd met maar een drupje tegelijk geserveerd; het leek er zelfs op dat de kelner het bij mijn eerste kopje helemaal was vergeten, aangezien het slechts een bodempje zwarte drab bevatte.

Aanvankelijk was ik ervan overtuigd dat Vitelli oponthoud had opgelopen en dat hij elk moment kon verschijnen. Maar toen de uren zich traag voortsleepten, benadrukt en omlijst door de genadeloze klokken, begon ik me zorgen te maken over de reden van zijn oponthoud. Toen mijn bezorgdheid over hem eenmaal was gewekt, wachtte ik steeds ongeduriger op hem. Als hij geld nodig had, kon hij alles krijgen wat ik bezat en zou ik elk denkbaar kaartspel in de stad spelen om hem meer geld te bezorgen, als dat nodig mocht zijn. Als ik iets kon uitrichten tegen belemmeringen waar hij onder leed, zou ik het doen.

Terwijl ik naar het roze licht keek op het plein waar het restant van de mensenmenigte uiteenviel om naar hun middelmatige avondeten te gaan, beloofde ik mezelf plechtig dat ik hem zou helpen op alle manieren die in mijn vermogen lagen. Ik zou hem verplegen als hij ziek was, ik zou hem beschermen, helpen of begeleiden, ongeacht waar hij naar toe zou moeten gaan. Ik was zijn schepping; hij was mijn maker en ik aanbad hem. Toen het tien uur was, raakte ik ontstemd over het feit dat ik de kans niet kreeg om mijn trouw te bewijzen. Tegen middernacht begonnen de verbaasde en vermoeide kelners het caffè aan kant te maken voor sluitingstijd. De luiken werden gesloten en het licht ging uit, en ik stond alleen buiten op het uitgestrekte en spookachtige plein. Vitelli was in geen velden of wegen te bekennen. Ik had de hele dag niets gegeten. Het begon te regenen. Ik had zeker een stuk of tien kopjes geleiachtige chocola gedronken. Ik liep in de richting van de klokketoren en de poort waardoor ik weer op de Rio della Guerra zou komen. De klok sloeg één uur; een bronzen reus sloeg tegen zijn klok. De hemel op de klok was van lapis lazuli, de sterren van massief goud en de uren waren omringd door de tekens van de dierenriem. De hemel ging schuil achter mist, een kille, klamme, wurgende vinger werd om mijn keel geslagen en ik moest vreselijk overgeven. Ik keerde alleen naar huis terug en was te moe om aan de bezorgd wachtende Giovanni uit te leggen waarom mijn vriend, de kolonel, niet bij me was, en al evenmin waarom mijn laarzen met een laag porfierachtige prut waren overdekt.

12

De deuren van caffè Florian werden om acht uur geopend en gingen ergens in de kleine uren van de nacht weer dicht. Na mijn afspraak met Vitelli wachtte ik daar een hele maand lang, nog steeds hopend dat hij zou komen opdagen. Er was geen andere manier om contact met hem op te nemen. Ik wist niet eens in welk regiment hij zat, en ik was ervan overtuigd dat hij het in deze penibele tijden niet zou waarderen dat iemand navraag naar hem zou doen, en zeker niet als diegene zelf nadere inspectie nauwelijks kon doorstaan. Als mijn gedachten niet bij Vitelli waren, draaiden ze in die tijd om mijn liefde voor Donna Donatella. Ik had gedacht dat alleen zij mijn hart zo kon verwonden dat mijn leven als slaaf aan haar grillen werd overgeleverd. Toen ik haar voor het eerst zag, wandelend door haar boomgaard, was het alsof mijn leven door een visioen werd beroerd. Het licht dat ze op me wierp – een arme leerling die een marmeren engel schoonmaakte in de tuin van haar vader – was etherisch. Het was het licht van de Heilige Schrift dat in haar gedaante tot werkelijkheid werd. Geen enkel ander moment heeft ooit de betoverende helderheid gehad van die eerste keer dat ik haar tussen de granaatappelbomen zag lopen. En net als poëzie komt dat beeld weer bij me op in tijden van hevige emotie. Net als poëzie streelt het mijn ziel en worden mijn gewaarwordingen er beurtelings door afgezwakt en versterkt. Ze bezat een schoonheid die even zuiver en krachtig was als de maan en haar schijngestalten.

Ik hoorde het ruisen van haar japon en haar muiltjes in het gras; ik hoorde het ruisen van haar onderrokken in Giovanni's peddel als die over het water scheerde en in het geluid van dorre bladeren die over een verlaten *campo* ritselden. Overal in Venetië hoorde ik haar aanwezigheid. Die eerste keer had ik me echter omgedraaid om haar na te kijken, waardoor mijn hele leven veranderde, maar zij was doorgelopen, zich niet bewust van mijn aanwezigheid. Zonder me te zien of bewust te negeren was ze gewoon verder gelopen alsof ik er niet was. Toen ik die nacht, zoveel jaar geleden, op oude zakken naast mijn leermeester lag, rilde ik van de koorts. Dat duurde een aantal dagen en vertraagde het werk aan de beschadigde engelen. Mijn meester verpleegde me, onderwijl bitter klagend. Er heerste een cholera-epidemie in Castello, en vroeg in de zomer waren er al vijftig mensen aan overleden. Mijn meester had geen vertrouwen in heelmeesters en hospitalen, en hij hield me verborgen, omdat hij niet vijf kostbare leerjaren wilde kwijtraken aan een koortszaal. Er was maandenlang weinig werk geweest; de curie had de gewoonte opgevat opdrachten voor beelden en doopvonten te verstrekken, en vervolgens manieren te verzinnen om die niet te betalen. Mijn meester was naar een vriend in Assisi geweest en naar de nieuwe bisschop van Castello. Hij deed er zijn beklag over dat zijn vriend in Assisi was overleden voor hij de rekeningen had kunnen voldoen, en monsignor Letterio Turchi, de nieuwe bisschop, had hem veel beloofd maar niets gegeven. Het duurde vele maanden voor hij de moed bij elkaar had geraapt om zich te beklagen en hij was diep teleurgesteld toen zijn verzoek niets uithaalde. Onze aanwezigheid in Castello had deel uitgemaakt van zijn seculiere opstandigheid. Hij stelde zijn vakmanschap ten dienste van werk dat niet voor de Kerk was bestemd. Hij had zijn hele leven opgeofferd aan de verheerlijking van God. Ik denk dat ik mijn achterdocht van hem heb overgenomen. Hij was ervan overtuigd dat de paus en al zijn kardinaals erachter zouden komen en de inquisitie in ere zouden herstellen met als enige doel hem voor zijn desertie te straffen. Toen ik ziek werd, zag hij mijn koorts als een straf. Als hij geweten had dat mijn koorts was veroorzaakt door de aanblik van een prachtige edelvrouw, die niet had gezien dat ik in adoratie naast het pad was neergeknield, zou hij me vermoedelijk kreupel geslagen hebben. Maar toevallig heerste er cholera in Castello, en hij verpleegde me met een tederheid die ik nooit bij hem had vermoed. Ik was de verzekering van zijn oude dag. Ik was de voorraad in zijn kast, die hij had gehamsterd voor tijden van nood. Ik zou hem moeten verplegen. Dat wetende verzorgde hij me als een moeder tot ik weer gezond was.

Ik herstelde, maar het zoete gif van die eerste pijl bleef in mijn vlees, een liefdespijl die voorgoed in mijn hersens zat. Het was de speld die in het zaadje van de granaatappel prikt. Elke nieuwe dag die verstreek zonder nieuws over Vitelli deed Giovanni zijn best mijn verdriet te begrijpen en mijn achteruitgang te bestrijden. Ik kreeg koorts. Ik droomde dat ik languit lag te slapen in een trage, zwarte gondel, en dat mijn gondelier de veerman van de onderwereld was die me over de Lethe naar mijn dood droeg. Overal om me heen roeiden andere doodsschippers met hun levenloze passagiers, en lieten niets in hun kielzog achter, zelfs niet het krijsen van meeuwen. Ik hield in beide handen een gouden denaro; toen de mist dichter werd, legde ik de koude munten op mijn ogen, gereed om de schipper te betalen. Toen mijn handen leeg waren, tastte ik om me heen. De gondel lag vol met kippeklauwen. Ze liepen over mijn scheenbenen en krabbelden en klauwden toen over mijn bovenbenen, op weg naar mijn kruis. Alle klauwen waren afgehakt bij het verendons om hun poten. De geschubde poten werden talrijker en veranderden in de plateauschoenen van Venetiaanse dames. Ze waren zwaar, ze drukten me tegen de spanten van de boot. Ze veranderden in een snaterend gezelschap van courtisanes. Ieder van hen bracht een offerande naar een graftombe. De graftombe was mijn mond. Ze maakten een revérence en duwden een kippeklauw en een plukje schaamhaar in mijn keel voor ze op me kwamen zitten. Ze roken naar honing en schelpen. De gondel gleed voort, de rivier werd breder. De hoeren bereden me en melkten een voor een het zaad uit me. Toen mijn mond zo vol met haar zat dat ik niet meer kon ademen, maar ook niet kon braken, zongen ze voor me met castraatstemmen. 'Houd je van me?' De schipper hield zijn roeispaan bij mijn oor en ik sprak erdoor als door een lange bazuin. 'Welke van deze kippepoten is van kolonel Vitelli?' De castraatstem zong opnieuw: 'Ik, ik, ik', zo hoog dat de vaarboom uiteenspatte in glasscherven die op het water overeind bleven staan. Over de puntige randen kwam Donna Donatella naar me toe lopen. Op een guirlande van granaatappels om haar hals na was ze naakt. Ze kwam op haar tenen aanlopen over het gebroken glas. Ik liet de gondel naar een kant overhellen, waardoor alle kippeklauwen en courtisanes in het water vielen. Toen kwam Donna Donatella schrijlings op me zitten en liet mijn lid binnenglijden. Ze vroeg: 'Houd je van me?' Ik riep naar haar en stikte bijna in haar haar. Toen kwam ze aan mijn zij en schudde me door elkaar: 'Signor, signor.' Giovanni verpleegde me met een mengeling van geduld en ongeduld. Toen mijn koorts plaats maakte voor apathie, gunde hij me geen rust voor ik een reden voor mijn wanhoop had verzonnen.

'Als ik kolonel Vitelli niet terugzie, zal ik de vrouw die ik liefheb misschien nooit meer zien. Hij is de schakel die me met haar verbindt,' loog ik, en toen was Giovanni tevreden.

In mijn geboortestreek Umbrië had ik nooit mijn toevlucht tot een dergelijke leugen hoeven nemen. Ik was geboren in een verspreid gelegen dorpje, zo dicht tegen de oude stad Gubbio aan dat ik een Eugubino genoemd kon worden. In Umbrië weet iedereen dat de Eugubini gek zijn. De onnozelste houthakker, de domste boerenjongen, zelfs de houtskoolbranders, die als dieren in het bos wonen en alleen daglicht zien dat door bladeren wordt gefilterd, weten dat de bevolking van Gubbio gek is.

In de stad zelf zijn we trots op onze reputatie; we schrijven haar toe aan de geheimzinnige rituelen van de Ceri. Op de dag van het lichtfeest kijken buitenstaanders met bewondering toe, maar hun bewondering is vermengd met angst en afgunst. De bedienden in Castello vertelden me dat de Eugubini gek zijn omdat de Romeinen er een krankzinnigengesticht hadden gebouwd en alle geesteszieken uit het Romeinse rijk naar Gubbio werden gestuurd, waar ze vrij over straat mochten lopen en zo de hele bevolking met hun ziekte konden aansteken.

Mijn meester vertelde me dat dit niet waar was. Hij zei: 'Als alle krankzinnige Romeinen naar Gubbio waren gestuurd, zou de stad groter zijn geweest dan Rome of Byzantium. De krankzinnigheid waarop gedoeld wordt, is gewoon de wijsheid van duizenden jaren, die onze stad voor vernietiging heeft behoed. In Gubbio worden de hele wereld en haar dwaasheden, hoop en triomfen weerspiegeld. De stad zal blijven bestaan zolang er leven is.'

Mijn meester was een wijs man. Als jongen had hij geholpen bij de wedren met de monumentale waskaars van de boom van Sint-Joris. Hij had het vaak over die tijd en beschreef dan de vijf moten kabeljauw en de vijftien glazen wijn aan de vooravond van het feest en de euforie van de wedren zelf; ogenschijnlijk doldwaas, maar berekend tot op het kleinste detail. Hij leidde zijn leven op een soortgelijke manier, hoewel langzamer en betamelijker uit respect voor zijn werkgever. Elke kleinigheid werd voorzien en met elke moeilijkheid werd rekening gehouden.

Mijn meester leerde me in mijn materiaal te kruipen en de ziel ervan naar buiten te brengen. Hij koppelde me aan de steen, paarde me eraan, stuurde me erop af, om purpersteen, graniet uit Piëmontese, grijze beola en basalt, Carrara-marmer en kwarts te hakken en raspen tot ik leven in de dode materie vond. Hij onderwees me met fanatieke toewijding en met de strengheid van een bezetene, zonder me mijn fouten te vergeven of lijntrekkerij toe te staan.

Als jongen trok ik zijn methodes nooit in twijfel. Mijn bestaan thuis was zwaar geweest, en mijn moeder hardvochtig. Als ik de logica van zijn behandeling niet inzag, glimlachte ik alleen omdat ik wist dat mijn leermeester een Eugubino was. Hij stamde uit een ras van mensen die de logica trotseren, die zelfs met de wet van de zwaartekracht spotten. Ik was krankzinnigheid gewend, ik was opgegroeid in de schaduw van de hoge, stenen muren van Gubbio. Tijdens mijn jeugd had ik de klokken horen luiden in de onmogelijk hoge toren. Ik was niet in de stad zelf geboren, dus haar grijze leisteen zou voor mij altijd mysterieus en superieur blijven, maar haar reputatie bleef aan me kleven. Ik kon nooit deelgenoot van haar geheimen worden, haar kaarsen dragen of zelfs maar over het smeulende vuur heen springen, maar wel kon ik aanspraak maken op haar vrijheden. Als ik excentrieke of buitenissige dingen deed, volstond het altijd te zeggen: 'Ik ben een Eugubino', en dan lachten mijn buren en begrepen ze dat ik last had van de duizend jaar oude krankzinnigheid.

De faam van Gubbio was helaas nog niet tot de lagune doorgedrongen. Giovanni wist niets van mijn geboorteplaats, en ook al zou dat wel het geval zijn geweest, mijn afkomst was nu als de zoveelste huid die ik had afgelegd. Daarom vertelde ik Giovanni dat al mijn leed en humeurige buien te wijten waren aan het feit dat mijn liefdesplannen plotseling gedwarsboomd werden. Ik dacht dat ik tegen hem loog, en toch dreef het lot de spot met me en jouwde me uit als een wrede toeschouwer in een krankzinnigengesticht. Bijgeloof had me ervan afgehouden Vitelli ooit de achternaam van Donna Donatella te vertellen. Als ik haar achternaam uitsprak ten overstaan van de man die me naar zijn eigen beeld herschiep, dacht ik, zou hij door zijn menselijke alchimie de zuivere vlam van mijn liefde op een of andere manier kunnen doven. Mijn intuïtie waarschuwde me dat ik haar achternaam geheim moest houden. Mijn intuïtie hield me echter voor de gek en bleef me om de tuin leiden tot ik, als in een klucht vol misverstanden, alles behoorlijk in de war had laten lopen. Toen koos het lot een van haar favoriete mantels, een cape van hermelijn en boosaardigheid, liet me zien wat ik had gedaan en stelde me officieel voor aan kolonel Imolo Vitelli, markies van Bourbon, voormalig bezoeker van precies dezelfde villa in Castello waar ik een laan vol beschadigde engelen had gerestaureerd, en neef van de dochter des huizes, Donna Donatella.

In veel opzichten is het passend dat mijn geluk in het kansspel lag. Mijn hele leven is geleid en vervormd door een voortdurende samenloop van omstandigheden: toevallige ontmoetingen, afgeluisterde woorden en woorden die werden ingeslikt. Zou monsignor Moreschi, toen hij in de pracht van zijn purperen gewaden opstond om te preken in de kathedraal van Castello, geweten hebben van de God van het kwaad, en geloofde hij in Hem? Had zijn zelfde Schepper van hemel en aarde werkelijk de tijd om aandacht te besteden aan het kwellen van mensen zoals ik, Vitelli en Giovanni? Was de God van monsignor Moreschi een geleerde en vervlocht Hij het lot van ongelijksoortige mensen, gebruik makend van hun voorliefde voor stom toeval? Ik heb de bisschop eens aan de tand gevoeld over dit onderwerp, en hij antwoordde: 'Jullie Venetianen hebben meer kerken dan waar dan ook in Italië, maar jullie zijn een arrogant en heidens stelletje; jullie hebben zoveel pausen omgekocht dat jullie denken dat alles te koop is, en als jullie het lot met steekpenningen niet naar je hand kunnen zetten, voelen jullie je afgewezen en beginnen jullie God de schuld te geven.

Doe een donatie aan het weeshuis, Gabriele, en drink je port op, dan zul je ergens daartussenin merken dat je meer gemoedsrust krijgt.'

Wat had het voor zin een taal over te nemen als het enige wat de woorden vermochten bestond uit het ontrafelen van het tapijt van onze vereniging? dacht ik toen, terwijl ik van de marsepeinen figuurtjes peuzelde die op een schaal voor me stonden. Als een man zijn levensverhaal zou opschrijven, zouden de lezers verbaasd zijn te zien wat een groot deel ervan door de onbenullige kant van het lot tegen losgeld gevangen wordt gehouden. De Etrusken, de Grieken en de Romeinen hadden in vele goden geloofd en die tevreden gestemd. Het leven zelf is als een tempel die is gebouwd met ontelbare bakstenen, en in de klei en het stro van elke baksteen ligt een vleugje ironie besloten. De goden waren hongerig, ze maakten, even luid blaffend als Vitelli's jachthonden wanneer die een hert op het spoor waren, duidelijk dat ze bloed wilden zien, en ze keften om aandacht en een kans op de ingewanden als een meute bastaardhonden die boeren erop na hielden, vastgebonden aan een paal bij hun dikke muren. De goden waren hongerig, en ik was niet bij machte dat in te zien noch het te zien voor wat het was. Eén keer heb ik de blinddoek geweigerd (uit lafheid, dat geef ik toe) en heb ik mijn ultieme lot onder ogen gezien. Waarom ben ik dan tot nu toe zo blind, zo kortzichtig geweest?

13

Ik was dertien toen de voedselschaarste van 1849 zich voordeed. Mijn oudste zuster had me in de stad bericht gestuurd dat twee van mijn broers gestorven waren en dat mijn moeder door koorts was geveld. Mijn leermeester wilde me geen toestemming geven naar haar toe te gaan. Misschien heb ik hem noch iemand anders ooit zozeer gehaat als ik hem die paar dagen haatte. De eerste nacht sloot hij me in de werkplaats op en daarna nam hij me mee om te werken aan een graftombe in Umbertide. Hij zei: 'Later zul je me dankbaar zijn, jongen. Deze leertijd is van meer nut voor je moeder dan je aanwezigheid daar nu zou zijn. Bovendien zou ze je kunnen aansteken met die koorts.'

Hij was doodsbang voor koorts. In vele zaken had hij het gelijk aan zijn kant, maar toen het erom ging mijn moeder te helpen, dacht hij op lange termijn, zonder rekening te houden met de grillige tussenkomst van het lot. Ik had het uitgemergelde lichaam van mijn moeder in mijn armen moeten houden en daarna had ik spreeuwen en lijsters en mussen moeten gaan vangen om er bouillon voor haar van te trekken. Het was misschien mijn enige kans om het haar naar de zin te maken. Die ben ik misgelopen. Toen zich in 1854 een ernstige droogte voordeed, die in de wijde omtrek de oogst verwoestte, de maïs opvrat en de aardappelen in de grond deed verschrompelen, ging ik naar huis. Mijn leermeester protesteerde, maar hij werd met de dag zwakker, en ik was een grote vent van achttien met negen jaar werk en ervaring achter me. Hij had mij meer nodig dan ik hem. Ik had ambachtsknecht kunnen worden en tijdens mijn reis graftombes kunnen herstellen. Hij had me nodig om zijn opdrachten van de curie te kunnen voltooien. Ik had een paar vrije dagen; een halve dag voor het vuur van Sint-Jozef, op 15 mei natuurlijk een hele dag voor de Ceri, een halve dag bij de zonnewende en nog een dag met Driekoningen. Ik had wettelijk recht op nog twee dagen per jaar, maar soms gaf mijn leermeester me die niet, en er was een jaar geweest dat ik ze niet had opgenomen. In 1854 nam ik een week vrij om bij mijn moeder door te brengen. Ik deserteerde: in het leger had ik geëxecuteerd kunnen worden en als gezel had ik naar de gevangenis gestuurd kunnen worden of zweepslagen kunnen krijgen, of allebei, en mijn zio Luciano had het geld moeten teruggeven dat mijn leermeester had betaald om me aan te nemen.

Ik wist dat er hoe dan ook represailles zouden volgen als ik naar Cagli terugkeerde, maar ik was ervan overtuigd dat mijn leermeester de autoriteiten niet zou hebben ingeschakeld. Hij was opvliegend van aard, en het bloed steeg hem naar het gezicht als hij vond dat de wereld tegen hem samenspande, maar hij zou niet willen dat ik in de gevangenis terechtkwam; hij wilde me in zijn werkplaats. En hoewel hij al ziek was en erg verzwakt door een verlamming in zijn armen, wist ik dat hij me liever zelf een pak slaag gaf dan het risico te lopen me kwijt te raken. De tegenspoed was algemeen. Aan beide kanten van de Via Flaminia zagen de akkers eruit alsof ze verwoest waren door een invasieleger. Ik deed er negen uur over om naar huis te lopen vanuit Cagli, waar mijn meester opdracht had gekregen gotisch metselwerk te restaureren in de kerk van Sint-Angelo in Maiano. We hadden er een kamer gehuurd in een steeg achter het *palazzo communale*. Ik had bewaard wat ik kon voor mijn familie. Ik was al maanden voedsel aan het verzamelen. Tegenover mijn meester stak ik dat niet onder stoelen of banken. Ik vertelde hem dat een van mijn zusters zou komen om de voorraad etenswaren die ik had aangelegd op te halen. Hij zei: 'Als je voedsel opzij kunt zetten voor je familie, dan geef ik je te veel.'

Ik was geen kind meer, ik was niet meer bang voor hem. Zelfs de slaag die hij uitdeelde was als het zwakke stompen van een meisje. De verlamming vrat evenzeer aan zijn lichaam als dat de hongersnood de boeren uitteerde die uit de omliggende dorpen hiernaar toe kwamen. We kwamen hen in de stad tegen. Er waren vrouwen die kwamen bedelen met hun zuigeling aan hun verschrompelde borst gedrukt. In de met kasseien geplaveide straten van Cagli werd veel gesnikt en gebedeld. Er was grote schaarste in de stad. De Kerk scheen er eigenlijk niet onder te lijden, die kwam in haar element en deed aan liefdadigheid met haar overvolle schatkist. De benedictijnen en de franciscanen staken elkaar de loef af bij het uitdelen van hun waterige soep. Ik had gedacht dat Don Giorgio, de plaatselijke priester, eindelijk de knoopjes van zijn soutane die bij zijn uitpuilende buik openstond zou kunnen sluiten, maar zijn buik bleef even dik. Het werk van mijn leermeester leed er evenmin onder, zodat de muziek van hamer en beitel bleef klinken in de kelder van de steenhouwer die zijn werkbank met ons deelde. Mijn meester keek woedend toe toen ik een zak volpakte met de proviand die ik had opgespaard. Zijn ledematen trilden meer dan gewoonlijk, zijn ogen waren bloeddoorlopen en de woorden bleven in zijn keel steken. Ik zag wel dat hij het me opnieuw wilde verbieden, maar zijn ziekte teisterde hem met haar eigen narigheid: soms kon hij helemaal niet praten en soms bracht hij hakkelend verwarde onzin uit terwijl zijn oogleden zich lang sloten om zijn gefrustreerde en smekende ogen rust te gunnen. Ik had negen jaar bij mijn meester gewoond; hij was me vertrouwder dan mijn eigen familie, en toch miste ik mijn overleden broers en levende zusters. Mijn vader kon ik me niet goed herinneren, maar ik miste de illusie en stroopte mijn geheugen af op zoek naar een ander voorval dan zijn berustend gekreun en zijn jaarlijks opleving tijdens de Ceri. Ik miste mijn zio Luciano en onze kaartspelletjes. Als teken van rebellie had Gubbio de paus getrotseerd, en om de belastingheffing op tabak en speelkaarten te ontlopen, was het gebruik daarvan verboden. Zio Luciano en ik waren zodoende medeplichtigen geworden. Veel meer dan al het andere op de hele vlakte van Santa Maria degli Angeli miste ik mijn moeder. Ik wilde bij haar zijn, haar verwennen en erachter komen hoe ik de geest uit haar verstarde hart kon lokken. Voor mij was ze als gele kwarts, dof, maar vol verborgen aderen die een vaardige hand kon blootleggen en doen schitteren. Ik droomde ervan de scherpe kanten bij haar weg te nemen door haar woede af te vijlen.

Mijn wandeltocht over akkers en paden maakte me die dag onpasselijk. De honger had zijn hand uitgestrekt en alle contadini uit de omliggende valleien gegrepen en hun wangen ingeknepen en hun neuzen scherp gemaakt. Dit waren landerijen van kaarsaanbidders als ikzelf. Dit waren de zogenaamd vruchtbare vlaktes waar de tarwe voor het Vaticaan werd verbouwd. Het grijzige blad van de olijfbomen was op de keiharde aarde gevallen, als stugge veren die van reusachtig pluimvee waren geplukt. Achter de muren van de grote landgoederen waren de akkers verzengd en het fruit hing verschrompeld aan de boom. Ik zag verkommerde boerderijen die ik nog in tijden van overvloed had gekend. Ze werkten volgens het *mezzadria*-systeem: de helft van alles was voor de boer en de andere helft voor de *padrone*. Mijn familie keek vol ontzag tegen zulke boeren op; zij hadden een makkelijke manier om ervoor te zorgen dat er elke dag polenta op tafel stond. Nu leerden zelfs de mezzadria de wrange smaak van de honger kennen. Ze zouden recht hebben op de helft van niets. De dagloners zoals mijn vader, die zich als werkezel verhuurden, zouden er als eerste onder hebben geleden in een streek waar in het ene seizoen nooit voorraden werden aangelegd voor het volgende. De oogst van 1853 was mislukt en het was nu het jaar van Onze-Lieve-Vrouwe 1854; de maïs stond verschrompeld op het land en de opbrengst van de akkers was zo gering dat de rondtrekkende arbeiders noodgedwongen moesten gaan bedelen. Kinderen met gezichten zo bleek als wei staarden me aan vanuit het dorre gras langs de weg; hun gezichtjes waren smal en hun schouders scharnierden stijf aan hun ruggegraat. Ze staken hun handen naar me uit voor een korst brood.

De zak op mijn rug was loodzwaar. Ik voelde de jute uitrekken en op mijn schouders drukken als een zak stenen. Ik had vijf pond meel, een kleine zak aardappelen, en een pond gerst die mijn moeder kon roosteren om koffie van te zetten. Ik had een halve pecorino-kaas bij me, drie zoutevissen en een vijfpondszak bonen. Ik had zelfs een eindje salami bij me, dat even waardevol was als een stapel munten. Ik droeg een feestmaal op mijn rug, een banket, genoeg voedsel om mijn familie minstens een maand door te helpen, misschien wel langer. Ik keek neer op de haveloze groepjes kinderen en voelde me als een dief die het eten uit hun mond stal. Ze waren net zakken beenderen, terwijl mijn zak goed gevuld was. Telkens weer kwam ik in de verleiding om onderweg mijn proviand uit te delen. Ik zag oude vrouwen die zo mager waren dat ze zich aan elkaar vastklampten als wasgoed dat traag wappert in de wind. De honger liet de huid als vele meters fijne stof lubberen over de armen en gezichten van de boeren, waarna de zon hem goudgeel brandde als rijpe maïs. De hongerige kraaien zeilden door de lucht, wachtend tot er iets zou doodgaan, zodat zij ook iets te eten zouden hebben. Het palet van de droogte bestond uit ongebrande siënna en gele oker, ruwe en gebrande omber en beige. Overal waren snufjes rode en gele oxyde terechtgekomen, waarmee zelfs de brakke poelen van vroeger zo rijke bronnen besmet waren. Overal waar ik liep, lagen wolken acaciapluisjes onder het zand. Het rook er naar as en droge mest en de ranzigheid van opgedroogd zweet. De meeste akkers lagen er verlaten bij; de arbeiders waren te verzwakt om het land te bewerken, en het land was zo droog en gebarsten dat het geen verdere inspanning waard was voor de zon minder fel brandde.

Toen ik in de buurt van Monte Ignano kwam, de hoge berg van Gubbio, voelde ik me opgetogen in weerwil van de groepjes boeren die in dof stilzwijgen bij hun hutten zaten; sommigen waren er bij gaan liggen, hun botten op de grond geworpen als een orakel dat niets goeds voorspelt. Ik voelde het voedsel in de zak branden op mijn rug. Ik dacht aan mijn familie, aan mijn broers die tijdens de vorige mislukte oogst waren gestorven, verdord als druiven aan een wijnstok, en aan mijn moeder met haar ranken die na hun verlies verwrongen waren geraakt. Ik dacht aan mijn magere zusters en mijn uitgemergelde moeder, die niemand hadden om hen te helpen, en ik liep door, vastbesloten mijn buit mee te dragen voor hen, en hen alleen. Ze zouden wel op sterven kunnen liggen.

De hele weg was me vertrouwd, hoewel het leek of massa's steenhouwers hun vak langs de weg hadden uitgeoefend, omdat alles met wit stof was bedekt. De blaadjes langs de kale zandweg zaten dik onder het stof. De wilgen en braamstruiken, lisdodden en het gras zagen even wit als de wenkbrauwen van mijn meester na een dag werken. Zelfs de oude eik bij de kruising met zijn krans van klimop die vol spreeuwen zat – doelwit voor de katapult van de jongens – zat onder het stof. Zijn blad was al roodbruin en viel af; hij had de lange droogte ten onrechte voor een ander seizoen aangezien. De kleuren en geuren van de vergane gewassen en het verdorde, door insekten aangevreten graan bedierven het verder zo vertrouwde landschap. Ik was gewend door deze wereld te lopen als ze oker- en omberkleurig was, bekroond met de altijd groene wouden met eiken en pijnbomen. Ik was gewend aan de omringende eikenbossen, die hun blad pas verloren als een nieuwe lente ze van ander blad voorzag en de stugge oranje schaafkrullen van de takken dwong, als onwillige douairières die uit hun huis werden gezet. Ik kende de sporadische groepjes olijfbomen in de buurt en de vele bossen met tamme en wilde kastanjes. Als de tamme kastanjes rijpten, waren er genoeg om te stelen en te roosteren voor de winter. Houthakkers maalden de kastanjes tot meel. Intussen probeerden complete boerenfamilies de seizoenen terug te draaien, probeerden een winterslaap te houden om zo min mogelijk energie te verbruiken en in leven te blijven tot de herfst, wanneer een nieuwe cyclus van ontberingen en geploeter hen zou noodzaken door te gaan, als muilezels met oogkleppen voor.

Het steile pad naar ons boerderijtje was keihard, vertoonde diepe sporen en was her en der bezaaid met verdroogde kevers en sprinkhanen. Het was een landschap in de rouw dat met as was bestoven. De honden die me vroeger blaffend tegemoetkwamen over het pad waren weg. De boerderij van onze buren, de Poesini's, was verlaten en leeggehaald. Zelfs het dak was verdwenen. Het enige wat aan Taddeo, mijn jeugdvriend, herinnerde was een piramide van broze botjes van vogels en de veren die we samen van ze hadden geplukt in een hoekje van de moestuin. Boven op het hoopje staken drie veren van houtduiven in de lucht. Dat betekende dat hij me na het werk in het bos zou ontmoeten. Had hij dat teken voor me achtergelaten? Hij was weg, en ik voelde dat ik hem nooit meer zou zien en het nooit zou weten.

Ik leverde de etenswaren af en bleef er een week zoals ik van plan was geweest en ging als stroper de bossen in op zoek naar zangvogels die de droogte en de verwoede jacht op hen hadden overleefd. Er waren dat jaar niet veel vogels over, en de vogels die ik vond, leken te weten wat ik van plan was. Ik had weinig succes met mijn netten. Ik ving een magere fazant, en die aten we op nadat we er op het haardrooster in de keuken alle veren hadden afgeschroeid. Allebei mijn ouders waren bang voor mijn vermetelheid; voor het stropen van zo'n vogel konden ze hun boerderijtje verliezen en naar de gevangenis gestuurd worden. Ze werden door mijn stadse manieren in verlegenheid gebracht, en ik geloof niet dat ze genoten van de geroosterde vogel die gegeten werd toen de grendels op de deur zaten en het kleine luik voor het zolderraam was gebarricadeerd om te voorkomen dat iemand het zou ontdekken. Hun horigheid kende een fijn evenwicht; door zorgvuldig beleid van het jaar ervoor hadden ze voldoende bij elkaar gespaard om op watergruwel te overleven. Ze hadden een stuk land en een grote ren met kippen, en een walnoteboom. In november zouden ze de noten rapen en met hun deel van de oogst hadden ze er alle vertrouwen in dat voor genoeg meel te kunnen ruilen om het uit te zingen. De padrone was een edelmoedig mens en ondanks de desastreuze oogst waren er nog geen families van zijn landgoed gezet. Ik had hen al in de steek gelaten. Ik had verstandig moeten zijn, nooit moeten leren rekenen, moeten blijven om te helpen het land te bewerken, misschien zelfs een extra stuk land erbij moeten nemen, maar ik was naar de stad gegaan en nam het leven niet serieus. Mijn broers waren gestorven, en ik had weinig gedaan om dat te voorkomen, en ik had zelfs niet het fatsoen gehad hun doodskisten naar het kerkhof te dragen. Mijn vaders grote, slome gezicht keek me aan van over de rokerige tafel. Ik stelde me voor dat dit maar een paar van de gedachten waren die door zijn hoofd gingen. Dat verraste me: ik had nooit eerder bedacht dat er in mijn vaders hoofd iets omging. Ook mijn moeder wierp me, als een vogeltje, snelle blikken toe. Ze herkende me niet, een deel van haar wees me af en een koppige stem in haar leek te zeggen: waarom zouden wij voor een vreemde de hongerdood riskeren? De zak met proviand was aangenomen en weggeborgen als gestolen goederen. Ik verontrustte mijn ouders. Ze leken samen besloten te hebben het koekoeksjong uit hun toch al bedreigde nest te stoten.

Als mijn vader in de buurt was, respecteerde ik zijn zwijgzaamheid, als hij naar buiten ging om rond te scharrelen op zijn land met de verdroogde maïs, probeerde ik contact te maken met mijn moeder. Alles wat ik zei leek meteen vertaald te worden in één dreigend 'koekoek'. Mijn twee zusters echter, Luisella en Clara, overlaadden me met aandacht. Ik had voor hen allebei een kleurige houten kam voor hun haar meegebracht. Ik zag wel dat ze liever één kam hadden gekregen om te delen en als tweede cadeau een ander exotisch stadsprulletje, zoals een haarlint, maar ze waren toch blij met hun kleinood en leken ook oprecht verheugd me te zien. Hoewel ze afgelegen woonden, schenen ze tijdens hun jaarlijkse pelgrimstocht naar het lichtfeest meer kennis over het stadsleven bij elkaar gesprokkeld te hebben dan ik had. Hun nieuwsgierigheid was zo onverzadigbaar dat ik me erop betrapte dat ik details verzon om hun dorst te lessen. Heel die week aan het einde van augustus brandde de zon alsof ze een strenge straf toediende aan een onvergeeflijk verdorven zondaar. Ze toonde geen mededogen. Het moeras aan de voet van onze heuvel verdroogde tot een stekelig tapijt, waarvan de moerasbloemen bij de lichtste aanraking verpulverden. Het beekje waarmee de akkers werden bevloeid viel droog, en de waterbron, die in mijn vaders jeugd door een bisschop was gezegend, werd teruggebracht tot een onregelmatig geel stroompje. De droogte kwam onze kant uit als wind die zich verplaatst. Het land werd bestoven met zijn deprimerende, trooosteloze stof, dat erop neerdaalde als een laagje wanhoop. In de week dat ik bij mijn ouders logeerde, vielen de walnoten voortijdig van hun verdroogde stengels, als onvoldragen foetussen waarvan de navelstreng was doorgesneden. Mijn moeder zag dat haar laatste hoop de bodem werd ingeslagen en zat de hele avond op de drempel van de buitendeur en schudde haar hoofd in ongelovige verbijstering. Luisella legde haar uit dat mijn zak etenswaren ons erdoorheen zou helpen, maar mijn moeder wilde zich niet laten troosten. Haar ogen seinden af en toe een boodschap door. Dat zag ik en het is me altijd bijgebleven; het was het gezicht van de honger dat me is bijgebleven en mijn afschuw wekte. Toen ik vertrok, beloofde ik mijn vader dat ik voor het eind van de winter zou terugkomen; ik beloofde meer voedsel te brengen. Toen ik zei dat ik zou terugkomen, wendde mijn vader zijn gezicht af en maakte het teken van het boze oog. Ik vroeg me af of mijn moeder ook dacht dat de walnoten door mijn toedoen waren gevallen. Ik had geen idee. Ze toonde verder geen belangstelling voor me. Ik had haar over Donna Donatella willen vertellen, maar uiteindelijk had ik het beter gevonden mijn mond te houden. Luisella omarmde en kuste me, wat mijn hart verwarmde. Zij beloofde me dat ze me in Cagli zou komen bezoeken. Ze was vijftien en op haar manier aantrekkelijk. Ze had dik, zwart haar, als een zigeunerin, en het ovale gezicht en de dromerige ogen van een madonna. En als ze niet glimlachte, deed haar voortijdig verwoeste gebit geen afbreuk aan haar schoonheid. Het ging door me heen dat het gevaarlijk voor haar kon zijn om alleen te reizen, maar ze keek me aan alsof ze wilde zeggen dat ze gevaar liever zou verwelkomen dan een winter met niets dan gebrek.

In dat rampzalige jaar 1854 zag ik de vele gezichten van de hongersnood. Die staarden je uit alle hoofden tegemoet als een walnoot die door een parasiet is gekraakt en leeggegeten. Ik zag dat gezicht vanuit alle kanten, behalve van binnenuit, dus ik zou het herkend moeten hebben.

14

Van maart was het april geworden en van april mei en nog steeds was mijn vriend Vitelli niet gekomen en had ook niets van zich laten horen. Ik heb eens gehoord dat beren na mensenmoeders de beste opvoeders zijn. Het schijnt dat ze hun jongen jaren zogen en ze met zoveel liefdevolle, intense zorg omringen dat de jongen helemaal afhankelijk van hen worden. Telkens wanneer er gevaar dreigt, leert de moeder haar jongen een boom in te klimmen en te wachten tot zij terugkomt om hen te redden. Soms laat ze hen daar een hele nacht zitten; een of twee berejongen die vol vertrouwen wachten op hun redster. Drie jaar lang stelt hun moeder ze nooit teleur. Na die drie jaar worden de jongen gespeend en wordt ze van alles geleerd, behalve om de emotionele band met de moeder te verbreken. Op een dag stuurt de moeder haar jongen een boom in. Ze laat niets doorschemeren van haar voornemen en laat ze dan alleen. De dagen verstrijken en de jongen lijden honger en dorst en zijn ontzettend bang. Op een zeker moment, meestal een week nadat ze verlaten zijn, krijgt hun overlevingsinstinct de overhand en klimmen ze met hun afgematte, uitgehongerde lijf naar beneden. Nu ze bedrogen zijn, overtreden ze eindelijk het laatste bevel van hun moeder. Dat is hun initiatie tot volwassenheid. Tijdens de avonden dat ik in Florian zat te wachten begon ik me af te vragen of Vitelli's uitblijven niet een geciviliseerder versie van dit alles was.

De vriend naar wie ik uitgekeken had kwam me niet bezoeken, en zo maakte ik ongewild andere vrienden. Ik werd zo'n vaste gast in Florian dat ik ongemerkt deel ging uitmaken van het Venetiaanse caffè-leven. Ik bleef in Venetië omdat ik dacht dat Vitelli wel van gedachten zou veranderen en me daar zou komen opzoeken. En ik bleef er omdat het makkelijk was me door Giovanni over de waterwegen van zijn geboorteplaats te laten varen. En ik bleef omdat ik geboeid was door haar architectuur en ik van haar paleizen leerde hoe ik het ontwerp van het mijne kon verbeteren. In de zes *sestieri* van Venetië ontdekte ik sporen van Donna Donatella in iedere vrouw die ik zag. Ik kwam tot de ontdekking dat vrouwelijkheid universeel was, hoewel ongelijk over alle vrouwen verdeeld. Mijn liefde voor Donna Donatella werd er niet minder door. Terwijl het groene water van de Rio della Guerra tegen mijn waterpoort klotste, beantwoordde Donna Donatella 's nachts mijn gebeden. Ze beroerde mijn ruggegraat als het toetsenbord van een spinet. Ze speelde melodieën op mijn huid. Haar warme, welriekende adem vulde mijn longen. Ze likte me met haar tong en haar borsten wreven tegen mijn borst als ik bij haar binnenging, haar vasthield en eindeloos voortstuwde naar de lagune.

In Venetië kwam ook Maria di San Polo naar me toe en zij vertoonde trekken die als bij een tapijt verweven waren met die van Donatella. Ze was zo gemakkelijk te krijgen en zo ontvankelijk dat ze mijn schreeuwende behoeften stilde met haar voluptueuze charme.

Telkens wanneer ze bij mij thuiskwam, nam ze er de touwtjes in handen alsof ze mijn officiële maîtresse was, zo niet mijn vrouw. Als ze de pauwensalon binnenkwam, kon ik er zeker van zijn dat ze haar deugdzaamheid aflegde en, alsof ze een onzichtbaar masker opzette, verving door een werkelijk wellustige glimlach. Ik gaf me over aan haar grillen en mijn verlangens en was in alle opzichten zeer tevreden over haar, behalve over de striktheid waarmee ze de regels naleefde. Deze hielden in dat ze bij elk bezoek in klinkende munt betaald wilde worden en een ritueel geschenk verwachtte in de vorm van een paar oorbellen. Aanvankelijk stroopte ik juwelierszaken en antiekstalletjes af. Ik besteedde vele uren aan het uitzoeken van opalen, robijnen, berillen en parels, die ze allemaal bijna onverschillig aannam, waarna ze de sieraden in haar buideltje wegstopte en nauwelijks een blik waardig keurde. Toen Giovanni me vertelde dat haar echtgenoot er een juwelierszaak op na hield onder de arcade tegenover de fruitmarkt van San Polo, en dat de sieraden bij hem op de plank terecht zouden komen, liet ik het romantische schatzoeken achterwege en gaf hem opdracht zilveren oorbellen per dozijn voor me te kopen. Aangezien Maria niet hebzuchtig was, maakte ze niet de indruk dat het haar iets kon schelen. Hoe nabij we elkaar ook kwamen tijdens onze seksuele ontdekkingsreizen, de laatste transactie vergat ze nooit. Er kwam systeem in mijn leven en in mijn frivole vermaak. Ik gokte en won meestal, en wat ik gewonnen had werd omgezet in kostbare bezittingen, die door Giovanni op de boedelmarkt werden gekocht. Ik bracht elke dag wat tijd in Florian zoet, luisterend naar de muziek van het *Carnaval van Venetië*, dat door een Oostenrijks orkest op de markt ten gehore werd gebracht, daarna bedreef ik de liefde met Maria di San Polo, die de winkel van haar echtgenoot voorzag van de vruchten van haar verrukkelijke liefdesspel.

Van de ene dag op de andere sloeg de zomer om in de herfst met een wirwar van karmozijn, roodbruin en goud, en vervolgens vielen de bladeren als op een teken van een balletmeester in de kanalen en dreven dansend op het oppervlak voor ze tot slijk werden. De strenge, gure winter keerde terug met zijn dampige mist en zijn geheimzinnigheid, en ik zocht me nog steeds een weg door het ragfijne patroon van het spinneweb. Mijn bestaan werd even futloos als de seizoenen, volgde hun komen en gaan en zonk onmerkbaar dieper weg in de modderige lagune. Ik werd bijna een echte Venetiaan, een glansloze parel, gevat in de gebarsten, maar ooit onberispelijke binnenkant van de oesterschelp, omringd door schatten en druppels rottend slijk.

15

Op een avond was ik op stap met Giovanni. Het was een zomeravond die werd verlicht door het roze schijnsel van zijn lantaarn, dat in rimpelende poelen viel, slechts verstoord door zijn roeispanen en het zoemen van de muggen. Mijn aandacht was geheel gericht op kerken en beeldhouwwerk, zoals ik altijd deed sinds ik had ontdekt dat Venetië niet de sinistere val was waar ik het eerst voor had gehouden, maar een steenhouwersparadijs, een zich voortdurend ontvouwend wonder van beeldhouwkunst. Ik dacht na over het werk van Girolamo Campagna, wiens stijl veel aan die van mijn leermeester deed denken. Ik herkende dezelfde werkwijze, hoewel hun werk door vele eeuwen werd gescheiden. Ik dacht aan mijn meester, die met al zijn talenten begraven lag in een eenvoudige, met lood beklede doodskist op de Campo Santo van Gubbio, op een weinig prominente plek en zonder een beeld om de man te gedenken die er zelf zoveel had gemaakt. Ik vroeg me af of hij ook onbekend en vrijwel onbetreurd zou zijn gestorven als zijn werk was verzameld in plaats van over honderden verschillende begraafplaatsen te zijn verspreid. In menige kapel waren zijn engelen te zien en ook in een paar prachtige kerken, maar hoe kon men weten dat ze van de hand van mijn meester waren? Ik dacht alleen over Campagna omdat ik belangstelling voor zijn werk had opgevat en het volgde door alle haarvaten en aderen van de stad. Mijn studie werd vergemakkelijkt door zijn signatuur, maar geen naam of initiaal kenmerkte het werk zo als zijn stijl van beeldhouwen. Ik kwam tot de slotsom dat beroemdheid alleen belangrijk is tijdens het leven, maar dat je genie na je dood voor zichzelf moet spreken.

Het was warm in de gondel; de nachten waren heet en benauwd. Sinds het feest van de Redentore was het druk op het water van de Giudecca. Het leek net of tientallen kleine scheepjes zich in de datum hadden vergist en hoopvol uitzagen naar nog een feest of nog een vuurwerk. Giovanni en ik hadden twee leren zakken met Gioso-wijn en een fles grappa, die volgens een van zijn neven de lekkerste was. We hadden ook een mandje met fruit en wat brood en tabak bij ons, en we voeren weg van de drukte naar de rust van een verlaten strand om ons te vermaken door, zoals de onttroonde doge Foscari een keer aan een vriend schreef, 'in een bootje naar de kloosters te roeien'. Het was de hele week ondraaglijk warm geweest, en Giovanni en ik hadden ons aangewend de luiken tot het donker werd gesloten te houden en dan naar buiten te gaan om de tijd te verdrijven met praten en vissen. In grote lijnen was Giovanni nog steeds mijn bediende, maar in de loop van die drie jaar was hij ook mijn vriend geworden. Ik kon niet met hem in Florian zitten of met hem dineren in de taveernes. Hij werd nooit uitgenodigd voor de grote dansfeesten en diners van mijn andere vrienden, maar ik schepte groot behagen in zijn makkelijke gezelschap en daarom zwierf ik die zomer steeds vaker over de lagune, hetzij alleen met hem of met zijn onuitstaanbaar zakelijke nicht Maria di San Polo. Tot Giovanni's grote schaamte rekende ze er geld voor om ons op deze uitstapjes te vergezellen op grond van het feit dat we haar, zelfs als wij geen gebruik van haar lichaam maakten tijdens die zwoele avonden, beroofden van het geld van anderen die dat wel zouden willen.

'In 's hemelsnaam, Maria,' zei hij dan. 'Weet je dan niet wat vriendschap is? Zie je geen verschil tussen een opdracht en een avond broederlijk praten?'

'O Giovanni,' antwoordde ze heel serieus, 'ik weet wel degelijk wat vriendschap is, op dat gebied ben ik gezegend, maar als een gesprek eenmaal van onder de gordel is ontstaan, is er bij latere gesprekken geen sprake meer van broederlijkheid. En als het om echte broers en zussen gaat, weet je heel goed dat ik er zoveel heb dat ik liever niet in hun gezelschap verkeer. En zelfs al was signor Gabriele mijn zuster, wat zou het dan nog voor zin hebben om samen in een gondel geroeid te worden zonder dat iemand kan zien hoe we wedijveren en kan uitmaken wie de winnaar is?'

We waren in de pauwensalon aan het Campo della Guerra, waar ik het grootste deel van de dag doorbracht in een klein gedeelte waar Giovanni een kring van sofa's en tafels had neergezet, en die ons als enige zitkamer diende. In de loop der maanden hadden de ongebruikte kamers van mijn appartement zich gevuld met stenen ornamenten, meubels en dozen vol siervoorwerpen, die zo mooi en talrijk waren dat ze vast en zeker in beslag zouden zijn genomen als de oude weeldewetten nog van kracht waren geweest. Eerst raakte de mozaïekvloer vol met pakketten en kratten, toen werd het meubilair volgestapeld en op het laatst stonden er stapels spullen tegen de vlekkerige zijde van de wanden tot de verzameling hier en daar de brokkelige kroonlijst bereikte, die verpulverde en alles met een laag stof bedekte, als poedersuiker op een prachtige taart. De ene na de nadere kamer raakte gevuld en werd afgesloten. In het begin lieten we gangetjes open tussen de opgestapelde goederen, als smalle vaargeulen door de verraderlijke lagune. Haast onmerkbaar slibden die dicht met spullen, en zo werd elke kamer op zijn beurt een onbegaanbaar moeras, een eiland vol torsen en stenen en beelden. Mijn huisbaas, die toevallig een grote schuit zag die de Rio della Guerra vrijwel blokkeerde, raakte van streek toen hij zag dat er een Istrische zuil, compleet met een enorme sokkel, de voorname trap naar mijn gehuurde *piano nobile* omhoog werd gezeuld.

'Wat wil de illustere signor met die zuil?' vroeg hij aan de wereld in het algemeen. Hij stond ontzettend in de weg op de trap en werd voortdurend opzij geduwd door de zwetende sjouwers. Toen stak hij zijn arm uit alsof hij een zwaard vasthield en een denkbeeldig leger aanvoerde bij een aanval van de cavalerie, en vanuit zijn benarde hoekje aan de zijkant van de trap riep hij: 'Halt!'

Dit bevel werd zo hard gebulderd dat iedereen ervan schrok en verschillende mannen hun vracht lieten vallen. De Istrische zuil liep daarbij een haarscheur op, de trede waarop hij terechtkwam raakte een stuk *pietra serena* ter grootte van mijn vuist kwijt, en mijn huisbaas, die nooit had laten blijken over enig karakter te beschikken, merkte dat hij zichzelf meer had laten schrikken dan wie dan ook en kreeg plotseling ontzettende behoefte een dutje te doen. Hij slofte de trap op en maakte zich op de enorme overloop haastig uit de voeten zonder verder een woord te zeggen. Kort daarna verscheen zijn bediende en riep naar beneden: 'Signor Poccagnelli is bereid u zonder verdere kosten de binnenplaats ter beschikking te stellen!'

Zo kwam de binnenplaats aan de beurt en raakte gevuld tot hij, in mijn ogen, de aanblik bood van een wanordelijk museum, of van een uitdragerij, zoals Maria opmerkte. Na de binnenplaats begon ik mijn slaapkamer en die van Giovanni te vullen, en vervolgens begon ik aan een invasie van de pauwensalon. Ik denk dat ik het huis helemaal wilde volstouwen, zodat ik mezelf zou dwingen te verhuizen. Venetië was zo betoverend dat ik geheel in zijn ban verkeerde. Het was zover gekomen dat er nauwelijks ruimte was om me langs mijn bijeengebrachte schatten te wringen, toen ik er met Giovanni op uit trok om wat rust te vinden en ik in plaats daarvan een zeepaard vond.

Maria en Giovanni hadden ruzie gehad, en daarom waren we alleen en deinden door de nacht met een brandende lantaarn op de boeg. Door Giovanni's behendige manier van roeien trok de gondel een gelijkmatig kielzog, en er ontstond een tweede spoor in het in beroering gebrachte water door mijn hand die over het wateroppervlak sleepte.

Het was nu minstens een jaar geleden dat ik had gezworen dat ik zou weggaan uit Venetië en mijn paleis op vaste grond zou bouwen, zodra ik ergens een geschikte plek wist. Hierbij was Vitelli's les me weer van nut; ik was onoprecht, maar dit keer tegenover mezelf. Ik wist dat de kans dat me een geschikte plek ter ore zou komen klein was, zo klein, dat ik ongestoord hetzelfde leven zou kunnen blijven leiden. Ik had een prikkel nodig, dat is nooit anders geweest. Toen ik zeker wist waar Donna Donatella woonde, was ik van plan op een dag terug te gaan naar Castello om haar te zoeken. Intussen lag ik 's nachts wakker en piekerde over het feit dat ze al in het huwelijk kon zijn getreden. Ze was ouder dan ik, minstens twee jaar. Toen ik vijftien was, had ze eruitgezien als een volwassen vrouw.

Uiteindelijk stuurde ik een aangetrouwde neef van Giovanni naar Umbrië om te achterhalen hoe het met haar ging. Zoals Giovanni me wreed duidelijk maakte, kon ze wel dood zijn. Toen mijn afgezant zes weken later terugkeerde, bracht hij louter slecht nieuws mee. Hij kon me niet vertellen of ze dood of in leven was. Haar familie was weggegaan, het buitenhuis was verkocht. Men zei dat haar broers zich te veel met de Vaticaanse kant hadden ingelaten en dat de Piëmontezen hen hadden verjaagd. Er werd verteld dat ze naar het buitenland vertrokken waren. Niemand wist het zeker. Er waren mensen die zeiden dat de familie zich in Rome had gevestigd, anderen spraken met stelligheid over Parijs.

Op de laatste dag van San Silvano was ik vijfentwintig, en er waren me nog een voorjaar en een zomer door de vingers geglipt toen ik mijn hand door het zilte water liet glijden. Ik vond het heerlijk om zo te liggen en dromerig mijn vingers door het lagunewater te halen, maar in de stad was het water zo vervuild met drek uit het riool dat de stank me ervan weerhield mijn vingers in het water te steken. Hier, dichter bij de eilanden, was het water echter helder, koel en schoon. Op de boeg neuriede Giovanni zachtjes een lied. De Poolster was te zien en alle sterrenbeelden hadden hun aangewezen plaats ingenomen. Mijn vingers jeukten. Ik dacht dat ze snakten naar steen. Het water bleef over mijn hand klotsen, en ik was in gedachten bezig met Campagna's beeld voor Sint-Antonius, toen mijn vingers iets aanraakten. Omdat ik iets solides had willen voelen, sloot ik mijn hand eromheen, maar toen werd me duidelijk dat wat ik vasthield geen steen was. Ik groef mijn nagels er diep in, omdat ik weer iets wilde vormgeven, maar voelde onder water iets zompigs, iets slijmerigs, wat rottend vlees bleek te zijn en van een walgelijke stank vergezeld ging. Giovanni maakte een plotselinge slingerbeweging toen onze gondel vast kwam te zitten.

Ik voelde hoe mijn maag zich omdraaide en trok mijn hand uit de derrie. Het was even stil toen Giovanni zijn lijst van beesten en heiligen afratelde: 'Wildezwijnesmoel van een verlosser, Sint-Ursula met de hangtieten van een zogende kat, zwijnemaria, zwijnechristus!'

Hij haakte zijn roze lantaarn los en kwam er wankelend mee naar mij en naar wat eruitzag als een grijze zandbank. Giovanni sloeg zo vaak een kruis dat hij zich brandde aan de lantaarn. Hij raakte de delen van de gondel aan die geluk brachten, de forcola, de ijzeren dolfijn en de *cavai*, het enige paard dat op de lagune was toegestaan, en hij spuugde en maakte met de vingers van zijn linkerhand een gebaar om het kwaad te weren.

Ik besefte eerder dan Giovanni dat we met rottend vlees in aanvaring waren gekomen. Ik had het aangeraakt, er met mijn hand in gezeten, en toen hij riep: 'O god, het is een paard!' keerde de angst uit mijn jeugd terug. Het denderen van hoeven die klepperend vonken sloegen uit de met keien geplaveide steegjes, en kinderen en mannen die zich tegen de muren drukten. Krankzinnige ogen, schuimende bekken, monsterlijke kaken. Franciscus had zelfs de wilde wolf van Gubbio kunnen temmen, maar een paard, dat nog het meest weg had van een draak, riep bij mij een beeld van een moordlustig wild beest op. Zelfs Franciscus had zich niet aan een paard gewaagd. De gespleten hoefafdruk van de duivel op het kaalgeschoren hoofd van een jongen vermenigvuldigde zich en galoppeerde door mijn aderen. De nachtmerrie van een aanval van de cavalerie kwam boven, waarvoor mijn kameraden gevlucht waren, terwijl ik als verdoofd en versteend was achtergebleven en ongewapend gevangengenomen werd, want ik had mijn geweer laten vallen. Toen ik me in Venetië vestigde, was ik bang geweest voor de muren waaruit voortdurend zilt vocht sijpelde. De hoogwaterlijn deed me denken aan het zweet dat op de flanken van een paard glinstert als hij gevangen wordt nadat hij in razernij op hol is geslagen. Brede tanden in een schuimende grot, wanhopige ogen en een ribbenkast die tekeergaat van angst. Giovanni reageerde niet met angst, maar met woede op het paard. Het was een inbreuk op zijn territorium, een belediging. 'Eerst de trein en de spoorweg, en nu dit, eh, paarden in mijn lagune. Nooit, nee signor, nooit, niet in mijn lagune.'

Hij duwde en wrikte met zijn roeispaan, vloekend en protesterend tot we loskwamen. Het paard bewoog in het water, schokte en stak twee stijve poten in de lucht, waarbij een stijgbeugel zichtbaar werd waarin een gelaarsde voet stak.

'Het is niet alleen een paard, Giovanni, er is ook een ruiter,' fluisterde ik.

'U hoeft niet te fluisteren. Hij kan u niet horen en zijn zeepaard evenmin.'

'Wie denk je dat het is?' vroeg ik hem.

'Hoor eens, hoe kan ik daar nu meer over weten dan u? Als hij leefde, zou ik het uitzoeken, al was het maar om hem uit te kafferen omdat hij mijn water ingereden is. Maar we worden allebei misselijk van de stank. O, god...'

Giovanni hing kokhalzend overboord, terwijl ik over de andere kant leunde en mijn uiterste best deed het evenwicht te bewaren en niet in de zee vol verrotting terecht te komen.

Giovanni roeide ons zwijgend naar huis. Ik waste mijn handen zo vaak ik kon. Toen we in het zicht van de Redentore kwamen en de gondels met minnekozende paartjes en toeristen zagen, vroeg ik: 'Het is een slecht voorteken, hè?'

'Vreselijk,' zei Giovanni, die zijn tranen niet meer kon bedwingen. 'Vreselijk. We zullen Venetië moeten verlaten. Ik moet huis en haard verlaten.'

In de uren na het diner, wanneer de wolken sigarerook op hun dichtst zijn en mannen alle verlangens, behalve de vleselijke, hebben bevredigd, en er een interval van een paar uur is voor ze hun vrouw of verloofde welterusten wensen en weggaan om bevrediging te zoeken in de armen van een lichtekooi of geliefde, is de man als soort het meest altruïstisch en welwillend. De dilemma's van verafgelegen continenten worden plotseling interessant. Bekend is dat zelfs de meest onhandelbare tirannen uiting hebben gegeven aan een hypothetische belangstelling voor liefdadigheid. De politieke wereld strekt zich uit van de omstreden grens van de akkers thuis tot een veel ruimer gebied. Burgerlijke verantwoordelijkheden die anders tweeëntwintig uur per dag kunnen sluimeren, worden gewekt en strekken hun ledematen voor ze weer wegzinken in apathie, op de drempel van boudoirs en bordelen verbannen naar het domein van de slaap. En tijdens die uurtjes na het diner buigen mijn eigen gasten, of gewetensvolle gastheren zich over de restanten van een diner en vragen: 'Zeg eens, Del Campo, jij hebt in Venetië gewoond in die roemruchte jaren na de val van Manin en voor de stad tot het koninkrijk toetrad; vertel eens, hoe was het toen met de Serenissima? Jij hebt zoveel intriges en opwinding meegemaakt, wil je ons daar niet iets van vertellen? Er zijn immers niet zoveel daadkrachtige mannen in ons midden.'

De waarheid is even vluchtig als stoom. Het gezicht van mijn geliefde was vrediger dan welke stad ook. Ze liep met lichte tred. De wind blies een haarlok in haar mond.

De havanna's en de port gingen rond, samen met cognac en

bokalen donkere amaro. Ik wist dat niet een van de mannen die om de tafel zaten als ze wat nuchterder waren enige oprechte belangstelling zouden tonen voor wat zich afspeelde in de laatste hoek van het koninkrijk dat bekendstond om zijn geesteloze aristocratie en zijn arrogantie. Het lag anders als de wijn vrijelijk was rondgegaan en lagen lekker eten zich hadden opgestapeld als bij een bijzondere lasagna. De salami's, in azijn ingelegde paddestoelen en aubergines werden bedolven onder dun uitgerolde pasta in een saus van gestoofde haas en jeneverbessen, gevolgd door ravioli gevuld met spinazie en ricotta. Daarna dunne plakken geroosterd kalfsvlees, met een garnituur van ham en erwtjes, gevolgd door everzwijn dat twee dagen lang in wijn en kruiden had gesudderd. Verder was er kip aan het spit, omdat monsignor Moreschi (wiens grootmoeder van moeders kant volgens de geruchten een boerendienstertje was geweest) aanwezig was en geen ander vlees lustte. Er werden pecorino en mandjes met druiven op een bedje van vijgebladeren opgediend en verslonden, waarna er nog twee soorten pudding volgden. Dat er twee puddingen waren, was ter ere van mij, want ik was een zoetekauw en had een aanzienlijk fortuin, en menig goede huisvrouw probeerde me te verleiden om tot haar familie toe te treden door me te laten zien welke aangename attenties me te beurt zouden vallen als ik zou besluiten een van haar dochters ten huwelijk te vragen.

Geknield in het gras van Donna Donatella's tuin werd ik volwassen. Ik was een vormeloze homp klei die in grove stof was gewikkeld. Ik was een en al onhandigheid. De vaardigheid vloeide weg uit mijn vingers; ik hield op te zijn wat ik was geweest. Ik heb me gemodelleerd tot een beeltenis die haar liefde waardig was. Mijn enige aanzoek zal aan haar zijn; ik ben de trouwring die haar zal omvatten.

'Ja, ja, Del Campo,' viel monsignor hem bij zoals zijn gewoonte was, want hij had door zijn doofheid weliswaar niets van het gesprek verstaan, maar hij wist wat een gewicht zijn verzoeken in de schaal legden. Monsignor Moreschi leidde een bestaan dat even scherp omlijnd was als de vloer van het bisschoppelijk paleis, waar vierkanten van wit Carrara-marmer met geometrische precisie werden afgewisseld door aanzienlijk kleinere vierkanten leisteen uit Lavagna. Zo was zijn bestaan: een zuivere, ongecompliceerde portie vol goedheid en zielerust, afgewisseld met kleine, gereguleerde doses contact met de buitenwereld en het daaraan inherente kwaad. Kwaad dat de goede God verkozen had af te zwakken van demonisch zwart tot een subtieler houtskoolgrijs, om zo het gevoelige zenuwstelsel en spijsverteringssysteem te beschermen. Tijdens zijn zestienjarig bewind als bisschop van Castello had een buitensporig aantal rampzalige gebeurtenissen kans gezien zijn heerschappij te teisteren. De dood van Giuseppe Mazzini, toen hij in zijn nieuwe residentie nog maar nauwelijks zijn vertrekken en de bibliotheek naar zijn smaak had ingericht, gevolgd door de dood van Pius IX, en alle kerkelijke ceremoniën die van een gewetensvolle bisschop bij zo'n verscheiden werden verwacht, hadden hem jarenlang uitgeput. Pius lag amper in zijn graf toen kardinaal Monaco la Valetta door de nieuwe paus naar hem toe werd gestuurd om hem te overrompelen met voorbereidingen voor de inwijdingsplechtigheid van het heiligdom in Canoscio. De grijze delen in het leven van de bisschop bestonden allemaal uit sterfgevallen en bezoeken. Die laatste schoor hij over een kam, ongeacht of het, zoals in het geval van kardinaal La Valetta, om individuele gevallen ging, of dat ze, zoals bij de overstromingen van 1876, de storm van 1880 en de opening van de spoorweg naar Arezzo, aan invloeden van buitenaf waren toe te schrijven. In het persoonlijk vocabulaire van de bisschop werden branden, bliksem, aardbevingen en de invasie van de technologie allemaal door de duivel gestuurd om het geloof van kudden stedelingen en hun vermoeide zieleherders op de proef te stellen.

Daardoor restte hem alleen de witte, onverstoorde oppervlakte van zijn leven en liet hij zich in slaap wiegen door rituelen, maaltijden en siësta's. Hoewel monsignor ongetwijfeld hardhorend was, was hij, ook zonder twijfel, minder doof dan hij voorwendde. Volgens een patroon dat alleen hemzelf bekend was, gaf hij altijd maar een of twee antwoorden. Hij schreeuwde ofwel 'ja, ja' of hij fluisterde afkeurend 'nee, nee, dit lijkt me niet het juiste moment'. Heel soms, als een oude zeeman die vluchtig de zeemanskist uit zijn jongensjaren doorkijkt, zei hij iets waaruit bleek dat er achter zijn narcoleptische masker een levendige geest sluimerde. Meestal echter wakkerde hij het gesprek aan of maakte hij een eind aan een gesprek om geen andere reden dan ritueel eerbetoon aan zijn positie. Want de bisschop hield nog meer van ritueel dan van kip aan het spit.

Ik was zeer op monsignor Moreschi gesteld en werd geïntrigeerd door zijn sporadische flitsen van ironie. Ik dacht graag dat hij, net als ik, iemand in zich verborgen hield die hij, om redenen die hij alleen kende, niet naar buiten wilde laten komen. Mijn bedoeling is mezelf te laten zien zoals ik ben. Door het vertellen en ordenen van mijn relaas hoop ik mijn daden naar eigen tevredenheid te verhelderen en mijn gekwelde geest iets meer gemoedsrust te geven. Ik zeg wat mijn winst is, omdat ik niet geloof dat er handelingen bestaan die werkelijk altruïstisch zijn. Ik probeer door dit relaas te doen vooral de levens terug te geven aan de mensen die ik ongewild te gronde heb gericht. Toen Vitelli me creëerde, had hij niet het monster voor ogen dat ontstond. Hij dacht dat hij een edelman modelleerde, maar maakte me daarentegen tot een instrument van vernietiging.

Als me zou worden gevraagd mijn hele leven te beschrijven, zou ik kunnen zeggen dat ik dacht dat ik het lot had beetgenomen, maar in werkelijkheid had het lot mij beetgenomen. Ik zou kunnen zeggen dat ik op allerlei schaal engelen en nissen had uitgehouwen. Zelfs door mijn paleis loopt een motief van stenen vleugels. Als me gevraagd zou worden mijn geliefde te beschrijven, zou ik Donna Donatella noemen, de enige vrouw die ik ooit heb liefgehad. En ik kan u vertellen wie mijn vrienden zijn of geweest zijn: Vitelli, mijn oudste broer Giacomo, die aan de

koorts is bezweken, Giovanni, Giuseppe Nicasi; dat zijn de hecht-
ste en trouwste vrienden die ik heb gekend. Als het me gevraagd
zou worden, zou ik ook rekenschap over mijn leven kunnen afleggen vanaf de tijd dat ik terugkeerde naar Umbrië om mijn landgoed te betrekken tot op de huidige dag. Ik zeg niet dat ik trots
ben op veel van mijn daden, maar ik kan ze me herinneren en ik
kan van elk gewenst moment na mijn vertrek uit Castello uitleggen waarom ik zo gehandeld heb. Terugblikkend besef ik dat veel
van wat ik gedaan heb dwaas en verkeerd was, en ik zou graag
mijn leven geven om dat te veranderen, maar het lot houdt er
geen dergelijke ruilhandel op na.

In weerwil van al de eerder genoemde helderheid is er een mis-
tig gebied in mijn leven, een periode die in nevelen is gehuld, en
dan doel ik op mijn verblijf in Venetië. In de drie jaar die ik daar
heb doorgebracht, heb ik gulzig zijn anekdotes en de plaatselijke
geschiedenis verslonden, heb ik de stad systematisch van zoveel
van zijn schatten ontdaan als ik in de negen vertrekken en de
salon van mijn woning kon stouwen, en heb ik heel wat van zijn
apathie overgenomen. Tussen het gokken en mijn halfslachtige
losbandigheid door was ik me ervan bewust dat ik in een bezette
stad woonde. Ik was me bewust van de aanwezigheid van een
Oostenrijks garnizoen. Ik heb enkele van de meest flagrante tekenen van onrust opgemerkt, maar verder moet ik bekennen dat ik
me zalig onbewust was van het feit dat ik getuige was van iets van
historisch belang. Ik wist van marmeren lateibalken, consoles en
schoorsteenstukken, van roze geaderde Portugese kroonlijsten en
sokkels van rode steen uit Verona en beelden die door de geïn-
spireerde handen van Giovanni Bon, Jacobello en Pier Paulo dal-
le Masegne waren gehouwen. Ik kon het gotische altaar met beelden van Bartolomeo Bon beschrijven. Ik kon vertellen over de
vier albasten zuilen die uit de Oriënt kwamen en waarop taferelen uit het Nieuwe Testament waren uitgehouwen in het priester-
koor van de San Marco. Ik had een nauwgezette studie gemaakt
van de gevleugelde leeuw op zijn monolitische zuil aan het water

bij de Riva degli Schiavoni en het beeld van Theodorus naast zijn draak. Maar over politiek beleid wist ik niets te vertellen, behalve als het ging over het beleid van doge Vitale Michele II, die de twee reusachtige zuilen uit de Oriënt had overgebracht en ze aan het einde van de twaalfde eeuw had opgericht. Wilden mijn gastheren in Castello over de kruistochten horen? Wilden ze over steen praten? Zouden ze geïnteresseerd zijn als ik mijn enorme linnen servet openvouwde en mijn oude gereedschap uitpakte?

In Venetië was ik egocentrisch geweest en was geheel in mezelf opgegaan. Mijn leermeester had me aan steen gekoppeld, en Vitelli had me met weelde verbonden; over mijn tijd in Venetië kan ik niets anders zeggen dan dat ik van deze bigamie ten volle genoot. Ik verbruikte steen met de gulzigheid van een ter dood veroordeelde gevangene die zijn misdaden berouwt, en ik baadde in weelde op een manier die ik niet eerder had gekend en niet meer zou willen kennen.

Ik kon net zomin vragen beantwoorden over de huidige Venetiaanse politiek dan dat ik een precieze beschrijving van het oppervlak van de maan kon geven. Het zag ernaar uit dat mijn enige weg naar de mogelijke aandacht en gunsten van Donna Donatella via de eettafels en balzalen van haar geboorteplaats Castello zou lopen. Ik liet dus toe dat mijn onwetendheid werd beroerd en onderzocht, en voor mijn geweten gold hetzelfde: ik sloeg me bluffend door zo'n gesprek na het eten heen. Ik liet me zelden uit over de onderwerpen waar ik wel over had kunnen praten, zoals de precieze levensomstandigheden als deelpachter of dagloner op welk landgoed van mijn buurman dan ook, uit angst dat ik zou worden teruggestuurd naar de duisternis waar zelfs het uitspreken van de naam van mijn geliefde taboe was. Ik zag heel wat mannen en vrouwen bij die diners, die met hun stevig uitgevallen benen en hun linnen kleding om de notehouten tafels zaten.

Eén keer, één keer slechts was ik bijna in de gelegenheid de speciale schoonheid van mijn geliefde te zien. De beste vriendin en reisgezellin van Donna Donatella zat naast me en vertrok daarna naar mijn geliefde. Ik leerde alle gezichten bij naam kennen; er waren beroemde en vooraanstaande namen bij en namen die er alleen uit vriendelijkheid bij waren gevraagd. Ik heb vrouwe Fortuna nooit aan zo'n diner gezien, die ongetwijfeld zou hebben gegniffeld achter haar waaier, de fragiele waaier in een door honger verzwakte kinderhand, maar toch zal ze er geweest zijn, om mijn onbehagen gade te slaan. Ik wou dolgraag dat ik kon teruggaan in de tijd om mezelf, vrouwe Fortuna en het gezonde verstand terug te zien, en ik vind dat een van die drie me op zijn minst had kunnen waarschuwen dat Donna Donatella zich zo zelden vertoonde bij zulke gelegenheden omdat ze een afkeer had van het aanmatigende gedrag dat ik juist zo ijverig had aangeleerd. Als adorerende steenhouwersleerling had ze me weliswaar nooit opgemerkt, maar later raakte ik jaren achterop door mijn onechtheid en mijn fatterigheid.

Als ik in die roerige periode van 1860 tot 1863 was opgestaan en de waarheid had verteld als me iets over Venetië was gevraagd, had haar wellicht ter ore kunnen komen dat Del Campo weliswaar een dwaas was, maar een eerlijke dwaas. Misschien zou ze eerder naar me toe zijn gekomen als ik over mijn handvol echte herinneringen had verteld in plaats van in van likeur doortrokken retoriek te hebben gesproken. Ik vraag me af of ze met enige belangstelling zou hebben geluisterd als ik over het zeepaard had verteld tijdens die ene avond waarop ik met haar beste vriendin dineerde en ik haar aandacht korte tijd op me gevestigd wist. Ik voelde dat haar ogen brandend op me gericht waren en ik probeerde mezelf te overtreffen en iets te zeggen wat interessant genoeg was om haar aandacht vast te houden. Het was of ik de nabijheid van mijn geliefde bespeurde. Zou ze het verhaal hebben doorverteld als ik mijn woorden anders had gekozen en zou dat belangstelling in het hart van Donna Donatella hebben gewekt? Ik leende woorden en frasen van iedereen die om de tafel zat, nietszeggende, dwaze uitspraken die uit mijn mond des te holler klonken. Het leek of mijn mond vol kiezelstenen zat, maar dat weerhield me er niet van onzin te stamelen. Ze wendde zich af van mij en mijn uitgekauwde wijsheden. Er zal nooit een einde komen aan mijn twijfels. Ze zijn als het paleis dat ik, naar ik nu weet, nooit zal voltooien. Aan de oostkant en de westkant kun je niet zien dat er nog aan gewerkt wordt, of dat het niet af is. De noordgevel is bijna klaar; als je genoegen zou nemen met een zekere eenvoud, zou je kunnen zeggen dat het voltooid is, maar door de zuidvleugel jaagt de wind nog. Het is als een schedel die is gelicht. Het is als mijn eigen hoofd, dat soms overloopt van wroeging en zorgen.

Giovanni heeft weinig geduld met mijn stemming van het moment. Hij heeft in het verleden geduld met me gehad, maar nu beweert hij dat ik net een verveelde minnaar ben die een oude affaire afstoft. Hij zegt dat ik mijn leven zit uit te pluizen als een visvrouw die de bedorven schelpdieren uit haar net haalt, behalve dan, zegt hij, dat ik een perverse aard heb en over een voorraadje bedorven weekdieren beschik die ik steeds terugstop in episodes die prima waren totdat ik me ermee ging bemoeien en ze met terugwerkende kracht bedierf.

'U bent als een oude losbol die seks veroordeelt zodra zijn lid slap hangt, of als een dronkaard die drank veroordeelt als hij door jicht is geveld. Het zou uw verdiende loon zijn als ik ervoor ging zitten om mijn memoires van uw leven te schrijven in plaats van dat sombere gekrabbel van u. Dat relaas zou niet bol staan van wroeging en twijfels, dat verzeker ik u. Ik zou uw leven beschrijven zoals u het geleefd hebt, met evenveel plezier als wie dan ook.'

Als het waar is dat ik mijn geluk probeer uit te wissen, doe ik dat ongewild. Mijn geest staat er verbaasd over. Giovanni kan geen concurrerende memoires over mij schrijven, want hoe hij ook vooruit is gegaan, hij kan nog steeds niet veel meer dan zijn eigen naam schrijven. Misschien zou hij een vergelijking van mijn leven kunnen maken, mijn genot en beproevingen kunnen optellen en aftrekken, mijn bezittingen kunnen vermenigvuldigen en mijn fouten kunnen delen en antwoord kunnen geven op mijn twijfels in de vorm van een getal, net als de nummers die de Staat aan de huizen toewijst. Als het klaar is, zal zelfs mijn paleis een huisnummer krijgen, alsof het in een straat stond. Het zal echter nooit af komen, het maakt deel uit van het plan, een deel waarvan ik voorheen niet begreep dat het de laatste aanraking door een mensenhand zou weerstaan.

Als ik over mijn paleis zou hebben verteld, zou Donna Donatella wellicht eerder over me gehoord hebben; en wellicht zelfs als ik haar vriendin had verteld over het dode paard dat ik in de lagune had aangetroffen.

16

Na het voorval met het rottende paard en zijn onbekende ruiter begon alles in Venetië te stagneren. Mijn verstand zei me dat juli en augustus maanden van verrotting waren, en dat het bezinksel van de Republiek van de Serenissima elk jaar met kwalijk riekende regelmaat ging fermenteren. De stad was in de zomer berucht om haar stank en ongezonde atmosfeer. De rijken ontliepen die door uit te wijken naar de koelere, gezondere landschap van de Veneto, terwijl de armen ermee leerden leven. Zodra de zwaluwen de stad verlieten, werd iedereen die te arm of te lui was om weg te gaan aangevallen door zwermen muggen. Er was me op de linkeroever van de Brenta een vrij aangenaam buitenhuis te huur aangeboden met een lange, lage voorgevel en de naargeestige aanblik van een legerbarak die in okerkleurige verf is gedoopt om hem voor het seizoen wat op te vrolijken. Het was vroeger een klooster geweest en er hing nog steeds een wat strenge sfeer – een afkeurende frons telkens wanneer er een rijtuig langs kwam en wolken stof opwierp. De nabijheid van de weg had ik nog kunnen verdragen, maar niet die van de paarden. Ik had liever een muggenplaag en al het mogelijke aangespoelde rioolslijk dan een buitenverblijf dat aan een weg met hoefgetrappel lag. Ik voelde me echter zo lui, en mijn stemming was zo lethargisch, dat ik niet weet of ik die zomer uit Venetië zou zijn weggegaan, ook niet naar een aantrekkelijker *villegiatura.*

Mijn uitstapjes bleven beperkt tot kerken binnen de stadsgrenzen, naar beelden in die kerken en beeltenissen op graftomben, naar monumenten en heiligdommen. Vaak was ik te apathisch om me buiten de waterpoort te begeven, voorbij de bovenste traptreden met de groene laag verdorde waterplanten, gevolgd door verraderlijk glibberige hoopjes waar slijmerig blad de lagere treden aan het oog onttrok. Het waterpeil was zo laag dat het een hele klus was om bij de verbinding met de Rio della Fava te komen. Bij laag water was het niet zozeer een kwestie van roeien als wel over dode vis en afval glijden. Op de binnenplaats stonden de oleanders in bloei, en er stonden citroen- en sinaasappelbomen die vol in het blad zaten en overladen waren met vruchten en een enkele late bloesem. Giovanni had een jasmijn geplant in een grote purperstenen kuip die hij ergens had opgeduikeld, en die stond in bloei en maakte dat de hele binnenplaats zoet geurde. Telkens als er een bloesem aan een van beide sinaasappelbomen kwam, snoof ik de geur ervan op alsof het een bedwelmend middel was. Hoe geurig ze ook waren, ik vond de geur in zijn natuurlijke vorm bijna te overdadig, iets wat ik nooit had gevonden of zou vinden van de essence van oranjebloesem die Donna Donatella op haar huid droeg.

Tijdens die warme, drukkende zomerdagen beperkte ik me uit eigen beweging tot mijn kunstschatten. Ik had een verzameling engelen, uitgehakt in allerlei soorten steen. Telkens wanneer er nieuwe curiosa werden bezorgd, werden de engelen naar voren geschoven, als een oprukkend leger. Het schuin binnenvallende zonlicht bewoog zich langzaam om de hoge muren van de omringende palazzi heen, over de kademuur, viel toen op de grote leeuwekop die boven de waterdeur grijnsde en sloop toen de binnenplaats op.

Om vier uur verwarmden de zonnestralen de geheven vleugeltopjes en de kronen die ze op het hoofd hadden, om vijf uur plaagden ze de sinaasappel- en citroenbomen en terwijl ze om zes uur nog zachtjes de weelderige jasmijn streelde, hadden ze de steen van de engelen verwarmd, hadden hun lichamen verwarmd alsof er bloed door hun aderen stroomde. Het was een lazaristische zon, niet in de betekenis die we er in Umbrië aan hechten, waar we de koorts namen geven die bedoeld zijn om epidemieën aan te duiden, maar naar de man die uit de dood werd opgewekt. Er was niets wat op onpasselijkheid of ziekte duidde, zelfs niet op koorts, want juist wanneer de zon de teerste bloesems en struiken op de binnenplaats begon te kwellen, keerde de schemering terug en stuurde haar gedwee weg om in haar dagelijkse ouderdomszwakte boven de sensueel opnieuw tot leven gewekte lichamen van Gabriël, Ariël, Sariël, Raphael en al hun mindere gunstelingen te blijven hangen.

Giovanni en Maria bleven zich ergeren aan de manier waarop ik de plooien en rondingen van de gebeeldhouwde steen streelde en betastte. Maria zei altijd dat de inquisitie me zou martelen als een ketter en een heiden als die kon zien hoe opgewonden ik werd van mijn engelen. Maria was jaloers van aard, ze maakte er bezwaar tegen dat ik met kwistige hand zoveel tederheid schonk aan iets anders dan haar eigen gevoelige huid. Ik was een beetje van haar vervreemd. Ik kon nog steeds een zweem van Donna Donatella in haar zijdezachte huid proeven en strelen, maar ze was niet meer het bedwelmend middel waarnaar ik snakte. Net als de stad waar ze was opgegroeid was ze verdund, aangelengd; een reukwater dat ik in zijn zuivere vorm begeerde.

Ik was een uit hout gehouwen gondel, een uit een boomstam gehouwen man die over een groen en smerig kanaal drijft, dat met een rimpelig tapijt van rozeblaadjes was bedekt. Maria stond op het water met haar ingetogen glimlach, waardoor ze even eenvoudig en toegewijd leek als de Maagd van Santa Maria Zobeigno, die over het Canal Grande liep, omdat haar de toegang tot de veerboot werd ontzegd toen ze bij haar meest geliefde heiligdom wilde gaan bidden. Maria stond met tamelijk groot gemak op het water, ofschoon ze een hoge stellage op haar hoofd torste die bestond uit manden met zilveren en turkooizen vis, en een andere met vijgen en nog een met zwartzijden aubergines en een met pompoenbloemen met een hart waaruit papegaaiesnavels ontsproten, met boven op dat alles platen gekleurd marmer; grijs en wit Carrara, geel marmer uit Siëna, roze uit Portugal, Briesciaans rood, roze travertijn, tinten rood, groen en blauw uit Verona, en alles balanceerde even makkelijk op haar hoofd als bij een gewoon meisje dat haar koopwaar maar de markt draagt.

'Gabriele,' riep ze me toe, 'niet weggaan, ik heb tijd voor je vrijgemaakt van hier tot aan de eeuwigheid.'

De zon liet beelden door mijn hoofd flitsen. Ze verwarmde mijn hersens samen met de steen en liet me vermoeid achter. Ik hield me voor een atleet als ik de energie had over het San Marcoplein te lopen om bij Florian een kop chocolade te drinken en naar de toeristen te kijken die het spectaculaire plein op- en afgestuwd werden.

Die zomer ging ik me een echte Venetiaan voelen. Telkens wanneer de zon op mijn hoofd brandde, kreeg ik het gevoel dat de naam die ik had aangenomen misschien wel in het beroemde Gulden Boek zou worden opgenomen. Bijna alle echte Venetiaanse edellieden hadden de stad verlaten. Wat resteerde was nog maar een handjevol, de havelozen, afgetobden en aan lager wal geraakten. Zij kwamen echter zelden in Florian, want het was een schande om 's zomers in de stad te worden gesignaleerd als er alleen nog Oostenrijkers en toeristen waren. Zelfs als een heer of dame, een markies of markiezin in de stad waren achtergebleven, gestrand en verlaten, was in het openbaar gezien worden beschamender dan al het andere dat hen tot dan toe was overkomen en hen in zo'n beklagenswaardige staat had gebracht. De publieke opinie regeerde immers veel effectiever dan het Oostenrijkse garnizoen. De beau monde en zijn spionnen waren de echte heersers, en die waren van mening dat het niet gepast was om in de zomermaanden in de schoot van de douairière van de doge achter te blijven.

Zo speelde ik als het enige echte specimen van de Venetiaanse hogere kringen een eenzame zomer lang de baas over eenvoudige bezoekers. Ik stuurde geen uitnodigingen, maar werd bij gretige toeristen aangeduid als degene die hen, als hij verkoos, kon uitnodigen voor een diner in zijn pauwensalon.

Het plein was vol met kraampjes, snuisterijen van Muranoglas, waaiers en aquarellen, en antiek- en bric-à-bracverkopers, die over het karkas van Venetië kropen als honderden nieuwsgierige maden en die groepen kopers meetroonden naar onbeschrijflijk stinkende steegjes om hun koopwaar aan te prijzen. Er was zo'n overdaad aan gidsen, die vanachter elke pilaar en uit elke deuropening opdoken, dat de kleinste tekortkoming van het onderwijssysteem ongedaan werd gemaakt. Duitse, Oostenrijkse, Amerikaanse, Engelse, Franse en Italiaanse toeristen trokken langs de schitterende buitenkant van Venetië, kochten souvenirs, ademden onwelriekende dampen in, bewonderden de schoonheid van de stad, leerden zijn geschiedenis kennen, gaven hun geld kwistiger uit dan ze ooit van plan waren geweest of voor mogelijk hadden gehouden en keerden dan door hetzelfde draaihek terug naar de buitenwereld. Over het algemeen zag noch hoorde ik deze zomergasten. Het was of de winterse nevel van de lagune zich aan mijn ogen had gehecht en ze daardoor voorgoed bijziend waren geworden, terwijl de gierende wind van de Adriatische Zee op mijn oren was geslagen en ze niets anders meer konden horen dan het luiden van klokken in de omgeving en de zangerige klank van Venetiaanse stemmen.

Ik was zo gedrogeerd alsof ik een opiumkit van mijn huis had gemaakt. Ik zou de toeristen misschien nooit hebben opgemerkt als mijn eigen aanslag op het fortuin van de stad niet zo ver was gegaan dat het Bastoni en zijn klanten tijdelijk in verlegenheid bracht. Zijn club sloot elk jaar in juli en augustus. Niemand wist waar hij naar toe ging, en ik vermoed dat het niemand iets kon schelen zolang hij met zijn goed gemaskeerde gehink uit de buurt bleef van hun Palladiaanse buitenverblijven en de rustige, landelijke zomer.

Ik zat te zweten met mijn zorgvuldig omgeknoopte halsdoek en mijmerde over beeldhouwen en steen, terwijl ik typisch Venetiaanse afwegingen maakte: zal ik nog een tweede kop chocola bestellen of zal ik overstappen op koffie? Zal ik mijn sigaar nu roken of zal ik nog een halfuur wachten? Het was zo'n gewoonte geworden om bezoekers te negeren dat ik niet weet hoe lang de schaduw al over mijn tafeltje hing voor ik opkeek en uit mijn mijmering ontwaakte en zag dat zich een vriend naar me overboog. Het was Damiano Rizzo, die nerveus op een punt van een verguld pluchen speelgoedstoeltje zat dat, zo leek het wel, voor een klein zijdeaapje was ontworpen.

'Damiano, wat doe jij hier?'

Hij haalde zijn schouders op en wierp zijn hoofd van de ene naar de andere kant op de voor hem kenmerkende manier, die grappig zou zijn geweest als daarbij niet een extra dosis van zijn bijna dodelijke adem loskwam. Ik was goed met Damiano bevriend, wat misschien wel te danken was aan de omstandigheden waaronder we elkaar de eerste keer hadden ontmoet. Hij beweerde altijd dat ik bij Bastoni zijn leven had gered. Hij had me vele malen verteld dat hij er nog nooit zo slecht had voorgestaan, nooit zo dicht bij de dood was geweest. Mijn eerste avond daar was bijna zijn laatste geweest. Omdat hij meende dat ik hem geluk had gebracht, vond hij dat hij me loyaliteit verschuldigd was, wat soms zowel vleiend als vermoeiend was. Toen duidelijk werd dat we vrienden zouden worden, sprak ik hem aan over de dode vis die hij in zich mee leek te dragen.

'Je bent niet de eerste die me dat zegt, en ik ben wanhopig omdat ik niet weet wat ik eraan moet doen. Mijn arts zegt dat de geur uit mijn maag komt en dat ik er weinig meer aan kan doen dan op watergruwel en kruidenthee leven. Ik heb bijna dodelijke hoeveelheden Teriaca ingenomen en ik zal wel de beste klant zijn van apotheek het Gouden Hoofd, maar Gabriele, wat heeft het voor zin mezelf met die enorme hoeveelheden Arabische gom, venkel en barnsteen te vergiftigen als er een rioollucht opstijgt telkens wanneer ik mijn mond opendoe?'

Ik voelde me heel begaan met Damiano, maar eigenbelang zette me ertoe aan een remedie voor zijn kwaal te vinden. Ik zeg remedie, maar dat was het eigenlijk niet; ik vond een kwakzalver die Damiano's adem van de pest in een behoorlijke griep veranderde. En zo was zijn adem nog toen hij me bedeesd benaderde in caffè Florian. Zonder het kwakzalversmiddel zou ik zijn aanwezigheid meteen kokhalzend hebben opgemerkt, met het middel kon ik de zure, ziekelijke lucht negeren die me op zoveel Venetiaanse straathoeken tegemoetkwam. Toen ik niet alleen zijn kansen deed keren bij het kaarten, maar ook zijn slechte adem verminderde, verkondigde hij dat hij eeuwig bij me in het krijt stond en sloofde zich daarna uit om mijn leven op allerlei manieren makkelijker en prettiger te maken.

Vandaar dat Damiano me kwam vertellen dat Bastoni de ongehoorde stap had gezet zijn club hartje zomer open te houden. Het gerucht wilde dat hij wat schulden moest afbetalen en dat zijn geldkist bijna leeg was en dat er een aantal rijke bezoekers uit het koninkrijk in de stad was dat graag wilde gokken. Het was niet bekend welk deel van de club zou opengaan en evenmin wat er met de verliezers zou gebeuren, maar zonder de dekmantel van nevel en mist en duisternis werd aangenomen dat de kanalen van Sant' Ariolo ongemoeid werden gelaten. Het zou een buitengewone aangelegenheid worden. Er waren slechts twintig mannen uitgenodigd om te komen kaarten, en Damiano was een van hen. De meeste anderen waren buitenstaanders. Aangezien er gemaskerd werd gespeeld, bood Damiano aan zijn plaats aan mij af te staan.

'Ik zal je mijn masker lenen en je kunt wat rioollucht meenemen en af en toe verliezen, dan zal niemand merken dat ik het niet ben.'

We speelden die avond als partners bij een grote quadrille, roteerden langzaam om de speeltafels en verwisselden in vaste volgorde van partner. Ik had Damiano's advies ter harte genomen en mijn halsdoek met kanaalwater besprenkeld en vervolgens mijn haar ingesmeerd met een pommade van limoen en bergamot. Damiano droeg altijd een gouden masker met een ramskop met krullende hoorns. Diegenen onder ons die de vermommingen van de anderen kenden plaagden hem met zijn keuze. Op alle beschuldigingen dat hij hoorns droeg reageerde hij slechts met: 'Ik pretendeer niet getrouwd te zijn en wil helemaal geen burgerlijk leven leiden. Jullie mogen me uitlachen omdat mijn maîtresse me niet trouw is, maar daarmee vertellen jullie me niets nieuws, en bovendien, hoe weten jullie nu wat jullie vrouw achter je rug om uitspookt?'

Die avond kreeg ik de gebruikelijke grappen over de ramshoorns te verduren. Ik hoefde geen moeite te doen Damiano's advies op te volgen en een of twee spelletjes te verliezen; ik verloor drie keer achter elkaar, als ik nog een keer zou verliezen, zou ik de kans verspelen om te winnen en zou noodgedwongen in de neerwaartse spiraal van steeds groter verlies terechtkomen. Het was hoog spel, en de inzet was nog hoger omdat ik drie keer had verloren. Toen kreeg ik een nieuwe partner en begon ik te winnen. Ik verhuisde van de ene partner naar de andere in het vertrek en ik won en verdubbelde de winst en verdubbelde die nog eens tot het ritme en het tempo van die denkbeeldige dans zich versnelden tot een duizelingwekkende werveling. Mijn laatste partner moest het met een verlammend hoge inzet tegen me opnemen. Aanvankelijk zag ik hem nauwelijks, omdat de wijn en de opwinding me naar het hoofd waren gestegen. Na het eerste spelletje sloeg hij hard op tafel, waardoor alle spelers hun spel onderbraken en naar hem keken. Bastoni kwam naar ons toe en zwaaide met zijn handen alsof hij een verklaring uit de lucht wilde grijpen. Vreemd genoeg leek hij niet kwaad te zijn, en zijn wrede uitstraling leek iets minder dan anders, alsof eindelijk iets ongewoon prettigs zijn leven was binnengeslopen en zich met een beitel een weg naar zijn hart van puimsteen had gehakt.

Mijn tegenstander sprak met een zwaar Venetiaans accent. Toen hij praatte, keek ik hem ook aan en nam hem op. Ik had hem niet eerder gezien en aangenomen dat hij een buitenlander was. Ten minste een van mijn tegenstanders was een Duitser geweest, en een ander was, durfde ik te zweren, een Amerikaan, die ik door Venetië had zien paraderen met een sliert van kruiers achter zich aan die plateaus zo groot als een draagbaar meevoerden met curiosa: onthoofde beelden, madonna's waaraan armen ontbraken, torsen van Christus, die de kruiers over pleinen en door straten als een draagbaar meetorsten.

'Ik heb geen geld meer,' zei de Venetiaan.

De vaste klanten van de club keken met belangstelling naar Bastoni. Dit was het teken voor bloed en tranen. Stel je voor hoe verbaasd we waren toen onze anders zo gewelddadige gastheer alleen zijn schouders ophaalde en vroeg: 'Wat kunt u dan inzetten, goede man?'

'Land. Ik bezit land ter waarde van vijftigduizend frank.'

'En wat gaan we daar nu mee doen? Gaan we er akker na akker en greppel na greppel om spelen?'

'Ik zet mijn hele landgoed in.'

'Hoe weten we wat de werkelijke waarde ervan is in deze moeilijke tijden?'

Er viel een lange stilte toen Bastoni daarover nadacht. Uiteindelijk zei hij: 'Ik wil geen tien procent van iemands landgoed. Ik hou niet van greppels, behalve voor begrafenisdoeleinden. Uw tegenstander moet ermee instemmen me vanavond tweeduizend vijfhonderd frank in klinkende munt te betalen. Akkoord?' vroeg hij me terwijl hij zich met een ruk naar me omdraaide.

'Akkoord,' zei ik terwijl ik een ongewone hoeveelheid emotie bespeurde in mijn stem die normaal had geklonken voor ik me als een larve in de cocon van een zijdevlinder had ingekapseld. Mijn tegenstander keek ineens op en ik dacht dat ik hem een zucht hoorde slaken, misschien van opluchting.

Mijn tegenstander schudde de kaarten en ik coupeerde. Toen gaf hij ons ieder drie kaarten en de troef, die onder de stapel vandaan kwam. Bastoni was troef. Toen ik de zeven zag, die half onder het stapeltje schuilging, leek het of ik al gewonnen had. Toen verbleekte mijn hand met kaarten slag na slag, want ik had geen troeven, maar wel veel hoge kaarten die ik noodgedwongen aan mijn tegenstander moest offeren. Naarmate het spel vorderde, verloor ik iets van de roes van de vorige spelletjes, en ik ergerde me aan het vleugje ranzig kanaalwater dat in de lucht hing met zijn bijgeur van urine. Toen het spel bijna afgelopen was, lag de zeven van bastoni op tafel. Die moest ik oppakken en zo goed mogelijk in het eindspel gebruiken, hoewel ik al wist dat het vruchteloos zou zijn. Na afloop telde ik mijn kaarten niet eens, want mijn magere stapeltje slagen zou heus niet meer dan dertig punten tellen.

We speelden om de beste van drie. Als ik ook nog maar een half spelletje zo'n pech zou hebben, zou ik geruïneerd zijn. Bastoni stond vlak bij me. Mijn tegenstander zuchtte opnieuw. Mijn maag draaide zich om. Ik schudde, hij coupeerde; ik deelde en draaide de heer van denari. Zijn gezicht was trots maar vlak, zoals het Schiacciato-paneel dat ik tijdens de laatste winter van mijn periode als gezel had gerestaureerd. Het was een strenge, door vorst geteisterde winter geweest. Mijn leermeester en ik werkten in een kleine ruimte naast de sacristie van de kerk. Vaak moesten we het werk onderbreken om met onze armen te zwaaien om het bloed naar onze vingers te doen stromen. Een deel van het paneel was zo beschadigd dat we het opnieuw moesten uithakken. De steen was koud en nat, voelde klam aan en deed pijn aan mijn koude vingers. Elke ochtend voelde het gereedschap als ijs in mijn handen, maar door gebruik werd het warmer. De vloer was koud en de ruimte was koud en de steen was moeilijk te bewerken. Toen begon de steen te zweten en het losgemaakte gruis veranderde in modder. Ik bad tot Donna Donatella of ze de lucht wilde verwarmen, mijn lot wilde verlichten. En mijn meester zei: 'We kunnen niet werken als de steen zo zweet. Je moet een vuur aanleggen en het ijzeren rooster verhitten om hem te drogen!' Het hete ijzer droogde de steen en het vuurtje verwarmde de lucht, en mijn handen, die geen troost meer hadden verwacht, werden ook warm, en al gauw schaamde ik me ervoor dat ik de hoop had laten varen.

Nu Bastoni achter me stond en zich verkneukelde, bad ik opnieuw tot Donna Donatella om wat zonlicht op mijn hand met kaarten te werpen. Net zoals het gezicht van de zon van denari op het platte gezicht van de troefheer straalde, zo straalden nu de zonnen van denari in mijn hand. Ik pakte de aas op, de drie en wat lage troeven om de punten binnen te halen die ik nodig had. Ik won het spelletje. We stonden quitte. Het ging om de beste van drie. Mijn geluk was teruggekeerd en het derde spelletje won ik ook.

En zo won ik mijn huidige landerijen in Castello, en mijn tegenstander verliet het speelhol als een berooid man. Toen het spel vorderde, had ik geen idee tegen wie ik speelde, en ook niet toen zijn secondanten de overdracht van het land met me regelden. Ik zag heel wat namen en titels in de akten, waar uiteindelijk mijn eigen valse naam aan werd toegevoegd. Ik werd de eigenaar van tweeduizend hectare land en tientallen daglonershuisjes. Ik werd de eigenaar van weiden, akkers en bos, met alle beekjes en bronnen, meren en weiden, moerassen en groeven met pietra serena die bij het landgoed hoorden.

Die avond zweefde ik terug van de speelzaal naar de pauwensalon, en Venetië zelf was als de staart van een pauw die prachtig was uitgewaaierd zodat de hele wereld hem kon bewonderen. Terwijl Giovanni en ik in een zegetocht over het Canalazzo voeren, in een gondel die niet alleen was beladen met goud, maar ook met de belofte van land, voelde ik me verrukt bij de gedachte dat ik in die stad met grandioze huizen woonde. In andere ogen dan die van een Venetiaan was het een stad vol paleizen, maar in de Serenissima was er maar één paleis, het Palazzo Ducale; een ander palazzo, hoe prachtig dan ook, was slechts een *casa*, een huis. We voeren flakkerend over het water dat een gloed vertoonde door het late avondlicht, en waar aan weerskanten paleizen de wacht hielden. Ze herbergden kroonlijsten, bogen, versierselen, uitgesneden rozetten, pinakels, friezen, boogvullingen, balustrades... Als je de gevels van Venetiaanse gebouwen goed bekeek, werd je draaierig en dronken van steen. Dit was een stad van uitzinnigheid; een *folie de grandeur*, een dwaasheid van metselwerk, het samenkomen van dromen.

Het rook naar blauweregen en jasmijnbloesem en door de wind meegevoerde geuren en kruiden. De lucht was zacht geurend. Net als de andere gondeliers stak Giovanni zijn lamp aan. Het Canalazzo was een en al zang en getokkelde melodieën. De lampen zweefden en trilden als reusachtige vuurvliegen. Lichtjes glinsterden op het wateroppervlak en werden als door honderden spiegels weerkaatst.

Bij de Rialto-brug overzag de engel Gabriël het tafereel, en de witte duif die in de richting van de madonna vloog, belichaamde de pure verrukking van de onkuise madonna die in de bedwelmende sfeer van overdadige rijkdom had verkeerd en ervan had gehouden. Het leek of de schatten van de kruistochten de stad heidens van uitbundigheid hadden gemaakt.

Het avondlicht was als vloeibaar glas dat uit de ovens van Murano stroomde, en de plonzende roeiriemen van de gondeliers waren de glasblazerspijpen. De paleizen waren opgesteld als een vloot van galjoenen van kruisvaarders die ligt aangemeerd in het Canalazzo.

Overal in de stad luidden klokken, als beitelslagen op steen, wat de lucht in beroering bracht en liet zinderen in een ritmisch liefdesspel. Balustrades van drieledige ramen waren ontbloot als wufte enkels met witte kousen die aan een jarretellegordel van metselwerk waren vastgemaakt. En het traliewerk was het zigzaggen van de vlucht van een zeemeeuw of het rijgwerk van korsetten die moeten worden dichtgeknoopt. Ik zag de geblindeerde ogen van paleisvensters die overdag levenloos waren ontwaken bij het schemerlicht, van binnenuit verlicht door duizenden kaarsen die eeuwen van rijkdom nieuw leven inbliezen en tentoonspreidden: salons met zilver, verguldsel en geblazen glas, interieurs met tropisch hout, schatten uit de Oriënt, de roofbuit van piraten en kruisvaarders die door een harem van gewillige handen werden onderhouden. Het licht viel met even grote kracht uit de ramen als de gouden borden die in lang vervlogen tijden als een gebaar van buitensporige luxe in het kanaal werden gegooid.

Uit de taveernes en keukens steeg een geur van verhitte olijfolie, knoflook en rozemarijn op. Voor Giovanni's roeispaan in het wateroppervlak van het kanaal neerdaalde en het in beroering bracht, fonkelde het water door het kaarslicht van tafels die *al fresco* op terrassen en balkons waren opgedekt.

Door de weerspiegeling leek elke brug op een trouwring. Het was druk op de bruggen en aan de waterkant. Giovanni roeide ons door het midden van het kanaal met een sliert van andere vaartuigen in ons kielzog. Het leek een triomftocht, en ik, de doge, was op weg om Venetië met een gouden ring in de echt te verbinden met de zee. Ik kwam even in de verleiding om mijn eigen ring in het water te gooien. Maar ik was verloofd met iemand anders, met Donna Donatella. Men zegt wel dat het bloed stroomt waar het niet gaan kan, maar toen de ondergaande zon het Canalazzo rood kleurde, het oppervlak verdiepte tot een gloed van intens karmozijnrood, zag ik dat als een teken van verwantschap dat ons door de slagaderen en aderen van de stad voerde.

Ik wist dat ik Venetië weldra zou verlaten, maar hij zou als een aria uit een opera, als een melodie in mijn hoofd blijven, lang nadat de voorstelling voorbij was, net als bloed dat altijd naar het hart terugstroomt.

17

Hoewel ik bedrogen uitkwam, hoopte ik in Città di Castello Donna Donatella te ontmoeten. Mijn verstand zei me dat ze weg was, hoop gaf me in dat ze er zou zijn. Mijn verstand zei me dat ik moest wanhopen, hoop gaf me in dat ik de ommuurde stad in stijl moest binnengaan om grotere indruk op de geliefde uit mijn dromen te maken. Giovanni's wanhoop over het verlaten van de lagune werd getemperd door de extravagantie van ons vertrek. Wat ik ook zei, niets kon hem ervan overtuigen dat er enig echt leven zou bestaan na het verlaten van de Serenissima, maar hij dacht dat hij het wellicht zou overleven als er op zijn minst luxe zou zijn. Zijn somberheid was buitensporig, zijn verdriet theatraal en zijn voorbereidingen waren schier eindeloos.

Elk stuk steen, elk kapiteel en elk fragment van een beeldhouwwerk werd genummerd en van een etiket voorzien, en werd door Giovanni, mijzelf en een secretaris geïnventariseerd en gecatalogiseerd. Hoewel Giovanni dol was op het cijfermatige van dit karwei, raakte hij voortdurend de tel kwijt. Misschien deed hij ook maar alsof, voor het plezier van het opnieuw tellen, hernummeren en andermaal catalogiseren en inventariseren van onze piramide van diversen. Ik kreeg het gevoel dat hij dit oponthoud niet alleen orkestreerde om zijn mathematische fantasieën uit te leven, maar ook om ons vertrek uit zijn geliefde stad definitief te vertragen. Toen ik hem dat verweet, pruilde hij gemaakt schuchter en zei: 'Het is waar. Ik kan er niets aan doen. Ik ben bang. Ik heb gehoord dat die stad Città di Castello niet op water is gebouwd en niet aan zee ligt. Er zit geen zout in de lucht en geen zout in het brood. Mijn neef vertelde me dat er struikrovers zijn die 's nachts mensen beroven en hun keel even makkelijk doorsnijden als een sinaasappel. Mijn neef heeft me vreselijke dingen verteld over dat Umbrië van u. U weet hoe vreselijk ik het zou vinden om bij u weg te gaan, signor, maar toen mijn neef terugkeerde met al zijn verhalen over wouden en wolven en beren, besloot ik u hier bij de lagune te houden.'

'Giovanni, wat is dat voor dwaasheid?' wierp ik zo vriendelijk mogelijk tegen.

'Dwaasheid? Is het dwaasheid om bang te zijn voor bandieten en struikrovers als de wegen er vol mee zijn? En bovendien heb je er geen rozijnen, geen ansjovis, geen *fragolino*-wijn. Alle dingen die we hier voor vanzelfsprekend nemen zijn, volgens mijn neef, in dat Città di Castello van u volslagen onbekend. Hij vertelde dat hij alle weken die hij er heeft doorgebracht, geen vis heeft gezien, geroken of gegeten, en dat hij er rondliep met een zakje zout, alsof het vlugzout was, om zijn eten wat leven in te blazen.'

'Giovanni, zo is het echt niet.'

'Is er dan vis? Hebt u als kind schaaldieren gegeten? En zout? Zal het enige zout dat ik zal proeven het zout van mijn tranen zijn?'

Ik dacht even na en loog toen tegen hem.

'Je neef is geen edelman; hij is niet goed op de hoogte. Natuurlijk zullen er schaaldieren en zout zijn. Ik kan het je verzekeren en ik ben er immers opgegroeid.'

Ik probeerde me voor te stellen hoe mijn moeder zou hebben gekeken als ze ooit een schaaldier had gezien. Ze zou niet hebben geweten wat ze ermee moest doen. Uit zuinigheid zou ze hem waarschijnlijk in een hoekje van onze rokerige keuken hebben bewaard, waar hij weggerot zou zijn. Ik herinnerde me hoe ik geleden had die eerste tijd in Venetië en me ertoe moest zetten om zo'n glibberig zeewezen door te slikken. En ik bedacht hoe Giovanni zou lijden onder de kost waarmee ik opgegroeid was. *Panzanella*: een delicatesse van oud, ongezouten brood dat in water werd gedoopt en overdekt met uienringen, in plaats van de lichte Oostenrijkse lekkernijen in de Venetiaanse bakkerswinkels. Ik dacht aan het plaatselijke, ongezouten stevige brood, dat een traktatie op zich was, omdat het weer eens iets anders was dan het loodzware, korrelige kastanjebrood dat mijn moeder op stenen bakte. Ik dacht aan de doffe pijn in het merg van mijn benen, die elke winter optrad tot ik wegging om als steenhouwersleerling te werken. Het was de knagende pijn van de honger die van mijn maag oversloeg op mijn schenen. Een pijn die niet werd veroorzaakt door gebrek aan vis, maar door gebrek aan eiwitten die mijn groeiende ledematen nodig hadden.

Toen dacht ik aan het zeldzame genoegen van kwarteleitjes in juni en de stevige porcini die we in oktober op de bosgrond vonden, gebakken in de hete as en gepeperd met de pittiger smaak van de *biette* met zijn rode hoed. Ik dacht aan het feestmaal dat we op een zomeravond een keer maakten van een jonge haas, aan het sappige vlees van de borst van een zangvogel, aan de wilde vruchten uit het bos en de sla die je in het voorjaar langs de kant van de weg kon plukken.

Giovanni en ik hoefden niet met onze vingers het eten bij elkaar schrapen uit de gemeenschappelijke pan in het stenen hutje waar ik was opgegroeid. Als een stel edellieden zouden we voedsel kopen op de markt in de stad. We zouden eten als een vorst. We zouden elke dag genieten van verse pecorino. Als de wijn niet goed was, zouden we hem kruiden met citroen en kruidnagelen tot de voorraad goede wijn zou arriveren om de wijnkelders te vullen die ik zou gaan bouwen.

'Giovanni,' beloofde ik, 'naast al het andere dat Umbrië je te bieden heeft, beloof ik je dat je lekker zult eten. Ik zal je een tijd van overvloed bezorgen, elke dag zal een feest zijn, dat zul je zien.'

Mijn bediende was te Venetiaans om me te geloven; hij geloofde wat hij zag, niet wat hem verteld werd over de wereld buiten de waterrijke grenzen van zijn eigen stad. Hij was echter enigszins gerustgesteld.

'Ik ben gedoemd u te volgen, signor, het voorteken van het zeepaard laat me geen keus, maar ik kan die stap niet vrijwillig nemen. U moet zelf beslissen op welke dag u wilt vertrekken en mij meevoeren als een veroordeelde naar de galg. Als ik een feestmaal in de strop aantref, des te beter. Wij Venetianen hebben vroeger de wereld veroverd, we weten wat we met vreemde dingen aan moeten. Het gebrek aan water en aan zout beangstigt me het meest. We hebben de wereld veroverd met onze schepen. Wij lopen over het water.'

Toen mijn stenen imperium eindelijk was geïnventariseerd, ingepakt en klaar om verstuurd te worden, gingen we mijn wereld veroveren. Ik liep op wolken en Giovanni op golven, maar voor de duur van de reis reden we in een zwartgelakte koets met goudkleurige en blauwe panelen die een neef van Giovanni in Bolzano had opgedoken, waar hij door deurwaarders in beslag was genomen bij een aan lager wal geraakte Engelse hertog. Het te schande geraakte hertogelijke wapen werd verwijderd en op de daarvoor bestemde plaatsen vakkundig vervangen door mijn eigen valse lelie en kroon. Er werden een koetsier en een palfrenier in dienst genomen, die gekleed gingen in de livrei die ik voor hen had ontworpen.

Met het oog op de struikrovers en hun moordzuchtige plannen stond Giovanni erop dat mijn goudvoorraad in de bekleding van het rijtuig werd genaaid. Die taak werd in het geheim opgedragen aan weer een andere neef van hem, die daarna het matras van mijn rijkdom met paardehaar en wol bekleedde en toen van een laatste laag koningsblauw satijn voorzag.

In juni vertrokken we eindelijk, een week voor Redentore. Na zoveel uitstel was ik ervoor dat we dat allerheerlijkste en meest spectaculaire feest zouden afwachten, maar Giovanni overtuigde me ervan dat dat zijn hart zou breken.

'Als we toch uit Venetië weg moeten, signor, smeek ik u om nu te gaan. Ik heb vaarwel gezegd tegen de Ca' Contarini en ik heb al mijn neven vaarwel gezegd, signor, maar als u niet wilt dat arme Giovanni zijn verstand vaarwel zegt, neem hem dan mee, en wel nu hij de moed nog heeft om te gaan.'

We vertrokken in een hele stoet van gondels; een voor mij, een voor Giovanni, die zijn zwarte wollen cape had omgeslagen, een voor de kisten met mijn kostbaarste bezittingen, en een voor wat naar Giovanni's oordeel mijn meest onmisbare persoonlijke bezittingen waren. Deze kisten, kratten en dozen hadden allerlei afmetingen en waren veel talrijker dan ik had gedacht, maar Giovanni verzekerde me dat we wel gek zouden zijn om zonder die spullen te reizen. Aangezien gekte voor iedere Eugubino een gevoelig onderwerp is, en we ons, gezien ons gemeenschappelijke stigma, nooit geroepen voelen daarover te oordelen, was ik tegen beter weten in gezwicht en had erin toegestemd dat dit konvooi van kratten met ons meereisde naar Mestre, waar het voormalig hertogelijk rijtuig op ons wachtte.

Zoals ik al had gedacht, was het onmogelijk om zoveel kratten in evenwicht te houden, laat staan voort te zeulen over hobbelige wegen. Giovanni, die doodstil in zijn gondel was blijven zitten en wiens enig teken van leven onder zijn zwarte lijkwade bestond uit af en toe een sidderende zucht, nam geen deel aan het laden van het rijtuig. De punt van zijn cape, die over zijn gezicht viel, was zo nat van het huilen dat hij als een dodenmasker aan zijn gezicht bleef plakken. Mijn eigen opgewondenheid over dit nieuwe begin, gecombineerd met de angst die werd veroorzaakt door de vier zwarte paarden die ons zouden trekken, maakte dat ik stond te popelen om de beslotenheid van het rijtuig op te zoeken en ik mijn bagage zo snel mogelijk van de kade wilde hebben. Om te helpen versjouwde ik zelf een paar kratten en stond er versteld van hoe zwaar ze waren. Hoe de koetsier en de palfrenier en de drie schreeuwende sjouwers die waren ingehuurd om ze in te laden ook kreunden en steunden, stapelden en schoven, ik had te veel bagage. De koetsier was vastbesloten het te blijven proberen, en de ochtend dreigde half voorbij te zijn voor we konden vertrekken. De paarden waren nerveus, er had zich een kleine menigte verzameld, en de capriolen van de koetsier werden steeds lachwekkender.

'Stuur ze terug,' zei ik tegen hem. 'Laat vier van de kleinere op het dak staan en stuur de rest terug naar mijn woning om later na te zenden.'

Ik was amper uitgesproken of Giovanni kwam overeind met de snelheid van een zweepslag.

'Niets daarvan,' riep hij terwijl hij een zeemanskist vastpakte. 'Nee, nee, de zaak is heel eenvoudig. Florido,' zei hij, de koetsier een zetje gevend, 'ga meteen naar het logement aan de kade en huur een tweede rijtuig. En Piero,' beval hij, de palfrenier letterlijk naar de treetjes van het rijtuig duwend, 'klim naar boven en bind de eerste vier kratten vast zoals mijn meester opdroeg, haal de andere eraf en zet ze klaar voor het volgende rijtuig. En jij,' zei hij terwijl hij een sjouwer met de rode oogjes vastpakte die zijn inspanningen even had onderbroken om zijn stenen pijp te stoppen, 'jij reist met het tweede rijtuig mee om de spullen van mijn meester te bewaken.'

'Ik?' vroeg de sjouwer, met de steel van zijn pijp op zijn met wijn bevlekte borst wijzend.

'Ja, jij.'

'Ik, over land reizen?' zei de sjouwer nogmaals.

'Ja, jij. Geen tijd van mijn meester meer verspillen, maar aanpakken,' zei Giovanni tegen de verbouwereerde man en toen wendde hij zich vrijwel in één adem tot mij en zei op allerhoffelijkste wijze: 'Als signor nu in het rijtuig wil plaatsnemen, is alles binnen een paar minuten geregeld.'

Als om zijn bewering kracht bij te zetten ratelden de wielen van het nieuwe rijtuig over de keien, vergezeld van hoefgetrappel. Tussen twee spannen paarden ingeklemd zitten was meer dan ik kon verdragen, dus stapte ik zo fatsoenlijk mogelijk in mijn hertogelijk rijtuig. Toen Giovanni zijn gondel had weggestuurd om te worden nagezonden, voegde hij zich na een minuut of twintig bij me, toen alles met succes was ingeladen.

Zodra de wielen draaiden, verloor Giovanni alle belangstelling voor onze reis en zakte weer in elkaar als het toonbeeld van verdriet. Ondanks de aanzienlijke hitte die in de loop van de dag om ons rijtuig speelde, hield hij zijn zwarte cape voor zijn gezicht. En in weerwil van de grandeur en symmetrie van Verona en Padua weigerde hij er meer dan een knorrige, oppervlakkige blik op te werpen. In Verona drong ik erop aan dat hij naar het Romeinse amfitheater zou kijken, iets wat hij nooit eerder kon hebben gezien, maar daar wilde hij niets van weten. Tijdens de vele dagen die onze reis naar Umbrië duurde, kon ik hem hooguit zover krijgen dat hij zijn zwarte lijkwade iets liet zakken om over de wollen rand te gluren. Dat deed hij, niet voor zichzelf of uit nieuwsgierigheid en het verlangen iets te zien, maar om mij een genoegen te doen en me te sussen. Hij deed het op een manier die impliceerde dat de sombere Giovanni Contarini, die met gebroken hart in ballingschap ging, toegeeflijk was tegenover zijn kinderlijke en naïeve meester. En de man, die met het ijdele geklets van hem en zijn vele neven mijn leven in Venetië zowel had opgevrolijkt als geteisterd, hulde zich in stilzwijgen. In ons rijtuig bevond zich een derde passagier, die veel meer ruimte in beslag nam dan Giovanni of ik. Die weerhield me van pogingen tot conversatie, in mijzelf praten of gewoon te peinzen. Die deed melodieën in mijn keel verstommen, drukte elke neiging tot fluiten de kop in en beperkte zelfs geneurie of getrommel met mijn vingers op het splinternieuwe vernis van het raamkozijn tot een minimum.

Ik had een somber beeld kunnen krijgen van mijn toekomstig leven met dit gemelijke schepsel aan mijn zijde, ware het niet dat ik op een avond, aanvankelijk bij toeval en later door te spioneren, ontdekte dat Giovanni zich net zo luidruchtig vermaakte als hij in Venetië altijd deed.

Giovanni en de koetsier waren zo plotseling en hartelijk bevriend geraakt dat het me intrigeerde. Ze sliepen met zijn tweeën in mijn rijtuig om de goudstukken te bewaken die in de bekleding waren genaaid. Ik nam aan dat deze kameraderie, opgelegd door de beperkte ruimte waar twee volwassen mannen samen moesten slapen, deze intimiteit tot stand had gebracht. Samen met de palfrenier zag je die drie laveloos dronken, grappen makend, schunnige verhalen schreeuwend, en wel met zoveel geestdrift dat tot twee keer toe tijdens onze reis de wacht erbij werd gehaald om de orde te herstellen. In Padua viel hun vriendschap me voor het eerst op. Ik was, vermoedelijk, een beetje gepikeerd te ontdekken dat Giovanni, die zich niet verwaardigde tegen me te spreken en die me kwelde met zijn zwijgen, tegen de koetsier die hij nauwelijks kende net zo babbelziek was als tegen Maria di San Polo.

Ik vergoedde het gedwongen zwijgen overdag door 's nachts mijn bedienden heimelijk gade te slaan. Als ik over de binnenplaats van een of andere herberg langs de weg sloop, dankte ik soms God dat ik het binnen afzienbare tijd druk zou hebben met de bouw van mijn paleis. Het was vernederend om rond te sluipen bij de bijgebouwen en schuren van de plaatsen waar we de nacht doorbrachten. Het was vernederend om mijn bedienden af te luisteren. Het was vernederend te weten dat ik daar de behoefte toe voelde.

Het duurde niet lang voor ik erachter kwam dat het merendeel van mijn persoonlijke bagage in Venetië was achtergebleven. Die was nooit aan boord van de gondels gebracht en over de Mestre geroeid, maar van meet af aan achtergelaten bij mijn steen en de beelden in de pauwensalon. Ik kwam tot de ontdekking dat ik alleen over het hoogst noodzakelijke beschikte dat een heer nodig heeft om te reizen en dineren.

Ik had dusver al heel wat bewijzen gezien van de gebrekkigheid van mijn persoonsverandering. Ik had me er vaak zorgen over gemaakt dat mijn aanmatigende houding maar een vernisje was. Zelfs toen ik niet meer vreesde dat anderen erdoorheen zouden kijken, was ik me nog steeds bewust van een onbehaaglijk, verdwaasd jongetje dat schuilging achter het voorname vertoon van mijn vermomming. Al reizend ontdekte ik dat het masker met mijn gezicht was vergroeid, mijn gezicht was geworden, en dat de denkbeelden die ik had opgedaan en verzameld hadden wortel geschoten en vrucht droegen. Ik was geen koekoeksjong meer; er was een nieuw ik ontstaan.

Mijn bagage was achtergebleven. Giovanni had daarentegen genoeg Venetiaanse voorraden meegebracht om een oorlogsschip en zijn voltallige bemanning van proviand te voorzien. Hij had vaten vol ansjovis mee die flink in zout waren ingelegd. Hij had vaten vol rozijnen. Hij had kleine vaatjes met kruiden, fusten vol *malvasia*, kratten met grappa, diverse kisten met gedroogd vlees, gevulde varkenspootjes en halve kruikjes olijfolie en fragolino. Giovanni had mijn rijtuig volgeladen en een ander gehuurd, echter niet om mijn spullen te vervoeren, maar zijn etenswaren. Naast het gedroogde vlees en de gedroogde vijgen en de afzichtelijke *stoccafisso* met zijn platte lijf en opengesperde bek, had hij tientallen zakken zout meegenomen. Het tweede rijtuig reed slingerend en moeizaam over de gaten in de weg, maar vervoerde niet mijn attributen, maar Giovanni's dichtgestikte balen met zoutkristallen.

Door die kwestie met de zoutkristallen wist ik zeker dat ik voorgoed een metamorfose tot heer had ondergaan, zowel innerlijk als uiterlijk. Ik had twee grote valiezen met kleding. Ik had broeken en laarzen, jasjes voor minstens zes verschillende gelegenheden. Ik had twaalf fijne linnen hemden en twaalf stel ondergoed. Ik had vierentwintig paar geiteleren handschoenen, een stapel halsdoeken, een kamerjas, een huisjasje, zelfs mijn kalotje. Ik had, kortom, alles, ook de pommades en lotions die ik uit ijdelheid gebruikte. Toen ik echter tot de ontdekking kwam dat ik alleen die twee grote valiezen had, met maar twaalf hemden en slechts vierentwintig paar handschoenen, toen trok ik (die was opgegroeid met maar één armoedige boerenkiel aan mijn lijf en schoenen als schuiten, die nooit een kuitbroek of ondergoed had gedragen en zelfs niet wist wat dat waren tot Vitelli me de fijne kneepjes van herenkleding bijbracht) wit weg, liep toen rood aan en voelde een kwaadheid in me oprijzen die ik niet eerder had gekend. Vanuit mijn buik voelde ik een woede opwellen die mijn borst beklemde en mijn keel dichtkneep. Dit keer was mijn reactie volkomen oprecht. Ik was werkelijk geschokt bij de gedachte dat ik met zo'n povere garderobe moest zien te overleven. Toen ik het ontdekte, leek het of ik met dergelijke beperkingen nauwelijks verder kon leven.

Pas later zag ik in dat ik nog altijd meer kleren, wandelstokken en hoeden bij me had dan ik vroeger ooit had durven dromen. Als ik bij mijn leermeester in Urbino was geweest, zouden de weelde en de verscheidenheid van mijn kleding me hebben overdonderd. Maar onderweg naar Città di Castello kon ik onze reis een hele dag onderbreken om mijn gramschap uit te storten over Giovanni omdat hij me had bedrogen en vanwege omstandigheden die me ertoe dwongen 'naakt door vreemde contreien te reizen'.

Hoewel we, sinds ik deze reis had voorbereid, onenigheid hadden gehad en over heel wat dingen van mening hadden verschild, waren Giovanni en ik het over één ding eens: ondanks de zogenaamde eenwording van Italië deed het landschap buiten de Veneto – met onbekende oorden als Reggio Emilia, het groothertogdom Toscane, Le Marche en alle andere staten waar we doorheen kwamen – vreemd aan en je had er vreemde gebruiken. Umbrië zelf was me vertrouwd, maar Giovanni beschouwde het als niet beter of slechter dan andere vreemde oorden, deels barbaars, deels afschuwwekkend en vol met gevaren.

Hij had heel wat keren gejammerd dat 'arme Giovanni afscheid had genomen van al zijn neven'. Ik ontdekte echter dat je Giovanni's familie niet zo makkelijk achterliet. De koetsier, de plotselinge hartsvriend van mijn bediende, was een van zijn neven. De palfrenier, die zo onbegrijpelijk volgzaam was, bleek een neef te zijn, net als de tweede koetsier, die in Mestre zo makkelijk was gevonden om de bagage te vervoeren. Zelfs de sjouwer met de waterige ogen die onwillig van de kade was meegetroond en bang was om over land te reizen maar er een hartstocht voor had ontwikkeld, was een neef. De tentakels van Giovanni's familie hadden me in een verstikkende greep. Het zag ernaar uit dat ik minder te vrezen had van bandieten dan van de bende van Contarini die in mijn nabijheid verkeerde. Ze hadden me met z'n allen van het comfort van mijn kleding beroofd. Ze hadden mijn luxe spullen door zout vervangen om de herinnering aan Venetië goed te kunnen bewaren. Ze smokkelden zout langs de barbaren zoals Markus in een vat gezouten varkensvlees langs de Saracenen was gesmokkeld. Ik was een ijdele man. Ik had het verlies van mijn goudstukken makkelijker kunnen verdragen dan het verlies van mijn kostuums.

Giovanni deed zijn best me milder te stemmen. Er was geen man overboord, de kostuums zouden nakomen.

'Ze zijn veilig, signor. Ik zweer op het hoofd van mijn moeder dat ze niet beter opgeslagen hadden kunnen worden. Ik heb zelf de lagen vloeipapier ertussen gelegd, stuk voor stuk besprenkeld met lavendelwater. Ik heb ze opgestapeld in uw beste en veiligste hutkoffers. Ze komen na met uw steengoed en mijn gondel. Ik zweer u dat ze niet in betere conditie of veiliger zouden kunnen zijn.'

Als Giovanni iets zwoer, was dat zelfs in het gunstigste geval niet geruststellend. Zijn moeder, die ik niet kende, was al tijden afgeschilderd als een meerhoofdige vrouw, die met haar goed geborstelde grijze haar door haar eigenzinnige, liegende zoon werd gebruikt om meineden op te zweren. Hij zwoer zo vaak en zoveel op het hoofd van zijn arme moeder dat ik meende dat ze er een heleboel, of minstens twee moest hebben, die ontsproten aan haar frêle, vermoeide nek, anders zou Giovanni haar schedel hebben versleten. De treden van bruggen en van bepaalde kerken en de trappen die de steegjes en straten van Gubbio met elkaar verbonden, waren afgesleten doordat er voortdurend over gelopen werd. De druk van miljoenen voeten hadden de steen versleten. De druk van Giovanni's eden zouden met elk normaal hoofd hetzelfde hebben gedaan.

We speelden een spel, Giovanni en ik. Meester en bediende, dat speelden we tijdens de drie jaar die we bij elkaar waren. Ik speelde dat ik de meester was, en Giovanni bediende me, terwijl hij vrijwel al mijn beslissingen nam en de meeste macht uitoefende. Om de goden van dergelijke relaties gunstig te stemmen probeerde ik af en toe plichtmatig een kleinigheid te vinden waarop ik iets kon aanmerken. Giovanni was verdrietig als ik ontevreden was over het een of ander dat ik had verzonnen en zwoer voortdurend op het hoofd van zijn moeder dat hij niet persoonlijk verantwoordelijk was. Het ongemak werd dan naar tevredenheid verholpen door mijn uiterst capabele factotum, en ons leven werd in wezen onveranderd voortgezet. Onderweg naar Umbrië stelde ik Giovanni en zijn bedilzucht op de proef.

Hij dacht eerst dat mijn woede alleen geveinsd was en speelde opgewekt zijn rol in de charade. Hij was aan me gewend zoals ik geweest was: Del Campo, het hulpeloze weekdier, Del Campo: als stopverf in zijn handen. Ik was de eindeloos kneedbare, makkelijk om de tuin te leiden leverancier van alle dingen. Ik verwierf een fortuin en Giovanni gaf het uit, althans zoveel hij kon. Het merendeel van zijn uitgaven werd zonder mijn toestemming gedaan, maar ze waren voor mij bedoeld. Veel van het steengoed en de snuisterijen waren door hem opgespoord en gekocht. Anderzijds was een deel van mijn geld bestemd voor het onderhoud van zijn eigen familie, en zovele tientallen neven van hem hielden met mijn geld het hoofd boven water dat ze wel een school plankton leken. Als de Contarini-clan uit bakstenen had bestaan, waren er zoveel afhankelijk van mijn overvloed dat je er een nieuwe vleugel van de Ca' Contarini mee had kunnen bouwen.

Ik had hen zien komen en gaan, steels met lege handen mijn ommuurde binnenplaats betredend, als een spoor mieren over mijn schatten klauterend. Beladen met bundels en zakken vertrokken ze weer, terwijl ze hun nieuwe schatten tegen zich aan klemden, verstopten onder hun lompen, verborgen onder hun grove bruine mantels, hun krenteoogjes samenknijpend van plezier. Dit was het Venetiaanse genoegen iemand anders zand in de ogen te strooien en het leeuwedeel binnen te halen. Het voedsel dat, naar zij dachten, uit mijn keuken was ontvreemd zou niet zo lekker gesmaakt hebben als ze wisten dat Giovanni het met mijn stilzwijgende toestemming weggaf.

Dat was in Venetië geweest. Dat maakte deel uit van onze overeenkomst. Het was een regeling die ons allebei ten goede kwam. Ik hoefde niet gierig te zijn, ik verdiende mijn geld makkelijk en het deed me genoegen te zien dat het op dezelfde manier wegsijpelde naar de lagere regionen van de stad. Ik deelde de Venetiaanse voorliefde voor bedrog niet, maar ik wist dat mijn maag zich vrijwel heel mijn leven te kort gedaan had gevoeld en ik nam ze hun gesjacher niet kwalijk.

Op het vasteland kreeg ik in ruil voor Giovanni's oplichterij alleen zijn onuitstaanbare stuursheid. Ik verliet de lagune als gegijzelde van de familie Contarini. Ik was de domme, kakelende kip die hun gouden eieren legde. In Arezzo aangekomen was ik ondanks mijn gebrek aan pluimage niet alleen een haantje geworden, maar was ik ook niet meer bang om mijn sporen te gebruiken. Mijn pruilende, gemelijke bediende betrad Umbrië met een overvloed aan zout en vis, maar zijn ondernemingslust was dermate beteugeld en zijn zelfingenomenheid zo geschokt dat het ergste hanegedrag voorgoed verdwenen was.

18

'Nu zeiden ze: "Laten wij een stad bouwen met een toren, waarvan de spits tot in de hemel reikt; dan krijgen wij naam en worden niet over de aardbodem verspreid."'

Het grondgebied van Quarata strekte zich uit van de grens met het groothertogdom in Volterrano tot bijna aan de vlakten rond de muren van Castello zelf. Het verhief zich en liep door tot Muccignano over de met eikenbossen begroeide hellingen en nog verder in de richting van Bólbina. Aan de andere kant van de vallei steeg het land tot voorbij de wachttoren van Ghironzo, langs de bergkam van Zeno Poggio en omlaag naar de vallei van Petrelle en de landerijen van de markies van Bourbon. De waas van bladgroen was bespikkeld met wilde kersen; beekjes en watervallen spetterden over de rotsen door stroombeddingen waarlangs varens en brem en wilde tijm groeiden. Aan weerszijden van de kronkelende rivier, die zich door de begrenzing van de heuvels noodgedwongen moest verbreden en versmallen, was een enorme reeks gerimpelde akkers lukraak neergesmeten. Gehuchten en dorpjes van natuursteen stonden op elkaar gedrongen onder rotsranden en overhangende rotsen, gegroepeerd rond kleine Romaanse kerkjes met plompe, vrijstaande klokketorens, die de uren en kwartieren sloegen en hun niet gelijklopende tijd weerkaatsten door de vallei en de dichte bossen op de bergen. Dit was het land van Quarata, mijn land. Ik had de eigendomspapieren in mijn hand, maar ik wist net als iedere boer dat je land nooit echt kunt bezitten. We zijn de hoeders van de grond, de curatoren van de bomen. We leven en sterven om slechts een paar handen vol aarde te worden.

In de hitte van de junimaand zagen de hagen en de bloemen langs de weg wit van het stof, net als de randen van de akkers waar het zand van de paden opstoof. Mijn eerste taak was een locatie voor mijn toekomstige paleis te zoeken. De tweede was logies te vinden dat dichter bij was dan hotel Tiferno in Città di Castello, waar we bij aankomst met veel vertoon waren ontvangen. Het kwam me goed uit een poos niet op te vallen. Ik wilde dat mensen vragen zouden gaan stellen, en dat Giovanni en zijn babbelzieke neven ze zouden beantwoorden. Alleen Giovanni, die immers gewend was aan mijn manier van praten en die van zijn vroegere werkgevers, kon daadwerkelijk iets begrijpen en zich verstaanbaar maken. Aangezien hij van de vier het beste kon overdrijven, had mijn reputatie zich binnen enkele uren na aankomst in de stad gevestigd en had zich tot in San Sepolcro, San Secondo en Umbertide verspreid.

Er waren drie torens die uitzagen over de Morra-vallei: Ghironzo, Quarata en Roccagnano. Elk telde vijf verdiepingen, elk was te zien vanaf de andere torens, en elk ervan bewaakte een weg. Ze beschermden de vallei al zes eeuwen lang tegen plunderaars. Ze waren door de handen van de tempelridders gegaan, waren voor en tegen de paus geweest, hadden de eisen van de *condottieri* ondersteund en hadden de afgelegen wonende dorpelingen moederlijk opgenomen in hun geplooide rokken van ontoegankelijke steen.

Die zomer trokken Giovanni en ik door de landerijen, op zoek naar een teken dat zou aangeven wat een goede locatie voor mijn paleis was.

Ik vond die tekenen in de driehoek tussen de torens, halverwege de berg op een breed plateau naast een bron. De avond waarop ik de plek had gevonden, ging ik niet terug naar Castello. Ik wilde buiten onder de sterren slapen. Ik vroeg of Giovanni me gezelschap wilde houden, maar hij had zijn draai op het land nog niet gevonden en was nog gehecht aan zijn vaatjes ansjovis, en ik zag dat hij niets liever wilde dan terugkeren naar het wachtende rijtuig en het met zijn neven op een brassen te zetten in de kamer die ze deelden aan de achterzijde van hotel Tiferno, die ze in een vissershut hadden geprobeerd te veranderen.

Ik stuurde hem weg en vroeg hem de volgende ochtend terug te komen. Mijn paleis moest een plek worden waar niemand ooit tegen zijn zin zou verblijven. Het moest een toevluchtsoord worden. Terwijl ik in het dichte gras lag en mijn hoofd op een kussen van jonge groene munt, kruizemunt en pimpernel liet rusten, zag ik de zon ondergaan boven de vallei. Daar, met uitzicht over de rivier, zou ik een loggia met bogen bouwen om de wegstervende kleuren op te vangen als die vervaagden op de velden. Er zou een toegang komen met vier bogen, aan weerskanten geflankeerd door een overwelfde zuilengang. De kleinere bogen zouden toegang geven tot balkons. De poort naar de zonsondergang zou tot contemplatie leiden. Dit zou een loggia worden en een kamer die een eerbetoon aan Venetië zou zijn. De stijl ervan moest als het Adriatische tij over de vlakte van deze kamer vloeien. Een weerklank van de Oriënt, van Byzantium, die versmolt met de relatieve soberheid van onze eigen Italiaanse renaissancestijl, en ook een vleugje van het oude Venetië, dit alles moest er komen, maar het moest subtiel zijn. Ik wilde niet dat de visvrouwen van de *pescheria* er onder gekrijs en godslasterlijkheden met hun zilverachtige en regenboogkleurige waar zouden pronken. Evenmin wilde ik het sluwe, voortdurende bedrog van de Merceria, en ook niet de praalzuchtige rijkdom van de courtisanes. Er zouden natuurlijk herinneringen zijn aan de pauwensalon waar ik de afgelopen drie jaar had gewoond. Maar mijn kamer moest meer worden dan het uitspreiden van een betoverend mooie staart, meer dan de verrukking van schitterende veren die worden ontvouwd om mee te pronken voor het saaie pauwewijfje. Mijn kamer (die met de minuut groter werd en nu beschikte over een L-vormige loggia die langs stukken gesloten muur naar nog meer bogen voerde die waren uitgespaard en toegang gaven tot een reeks balkons) moest zowel grandeur als eenvoud hebben. Hij moest versmelten met het landschap, bijna het landschap zelf worden, opgaan in het prachtige uitzicht dat er aan alle kanten was, het licht combineren en de windrichtingen noord, zuid en west in zich verenigen. Voor de balzaal had ik al een plek gevonden. Hij zou op de eerste verdieping aan de voorkant komen en op de tweede verdieping aan de achterzijde; hij zou als een brug door het paleis lopen en de verschillende krachten en elementen van het landschap en het terrein tot een harmonieuze ruimte maken. Licht zou van het grootste belang zijn. Dit zou een tegengif voor mijn gevangeniscel zijn. Er zouden aan drie kanten ramen komen: hoge, brede ramen, die het daglicht zouden doorlaten en de drie verschillende panorama's met de drie oude torens op het grondgebied tot zijn recht laten komen en tot een geheel maken.

Naar het zuiden toe, waar het land golvend afliep, zou ik een wijngaard aanplanten rond de toren van Quarata. Daarachter liepen de bossen steil omhoog en strekten zich als een enorme gordel uit tot aan de verste bergkam, die de grens met Toscane vormde. Naar het westen, in de lichtboog van de ondergaande zon, liep het land steil en rotsachtig af en daar hadden brem en zonneroosjes op vernuftige wijze wortel geschoten in de kloven van de rots waar ze maar moeizaam groeiden. Onder aan deze steile rotswand lag de weg naar Cortona en Petrelle, waarlangs ik voorraden kon aanvoeren. Het was een steil aflopende vallei; de rivier stroomde er krachtig doorheen, omzoomd met zwarte elzen en acacia's, wat de blik naar de overkant van de vallei verlegde, waar een paar armoedige keuterboerderijtjes zich aan de rots vastklampten alsof ze in het water waren gevallen, zich eruit gehesen hadden en nu bedremmeld op de andere oever zaten om zich in de zon te laten drogen. Deze boerderijtjes lagen verspreid over de steile helling, maar ook in de eikenbossen die zich uitstrekten tot waar Roccagnano beschutting zocht rondom de tweede toren. Boven dat gehucht, op ongeveer een uur loopafstand, lag Muccignano, dat een grotere, gewichtiger versie ervan was, met echte straten en een in steen vastgelegd roemrijk verleden. Trots verhief het dorp zich op de bergtop tegenover het paleis.

Terwijl de vuurvliegjes dansten in de schemering, zag ik delen van het paleis al op hun plaats staan en het was alsof ik door de statige ramen van de vertrekken de vergezichten al voor me zag. Waar de berg ophield en de lucht begon, tekende zich om de hele bergkam, die afboog naar Castello, op een merkwaardige manier een rij eiken af; de takken verhieven zich als de zwaaiende armen van zeelieden die van de rand van de vertrouwde wereld afvielen. Ze vingen de zomerbries op en de wegstervende dag leek hun isolement te benadrukken. In gedachten haalde ik ze naar voren, nam die bovenste rij en beplantte een grote oprijlaan met cipressen als wachters, die de vallei een permanent garnizoen gaven.

Het was bijna twintig kilometer naar Castello, dat nu al niet meer dan een richting was geworden. Ik besloot in de directe omgeving van mijn bouwplaats te gaan wonen. Ik zou zodanig toezicht op de werkzaamheden houden dat wat anders vele tientallen jaren zou kosten in een paar jaar kon worden uitgevoerd.

Ik liet mijn blik nog eens door de vallei gaan. De twee kerken van Morra luidden hun klokken, en het gelui viel samen met dat van Roccagnano en Sant' Agnese en de zware slagen van Muccignano. Mijn blik ging verder langs het karrespoor en terug naar de rivier, doorwaadde die omdat er geen brug was, klauterde de andere oever op, rende door akkers die verdeeld waren in stroken maïs, paprika's, tomaten en zonnebloemen, gescheiden door wijnranken met een wurggreep op verwrongen wilgestammen. Verderop klommen de eiken een helling vol kastanjebomen op, bomen die zich breed vertakten en al eeuwen dezelfde plek in beslag namen en de bodem van het bos zo overschaduwden dat er alleen een tapijt van laag gras en tijm onder kon groeien. Het bos kwam hoger en hoger en week twee keer voor een afgelegen, uitspringende rotsrand en kleine groepjes olijfbomen. Dit was het domein van de toren en het kasteel van Ghironzo, die met hun sobere grijze steen uitkeken over het grillige landschap dat ze zo lang hadden getiranniseerd. De tijd was vriendelijker geweest voor de velden en bossen dan voor de gebouwen. Het kasteel was gaan verzakken en zijn ooit zo voorname zalen waren hier en daar gereduceerd tot brokken pietra serena, die elk met de hand waren uitgehouwen. Ik was meer dan een uur bezig geweest die prachtige stenen te bekijken en mogelijke hoekstenen voor mijn paleis te zoeken en had de mooiste en meest regelmatig gehouwen stenen uitgekozen om voor mijn eigen bouwwerk te gebruiken. Het stemde me tevreden dat het paleis zou verrijzen op het plateau binnen de driehoek die de torens vormden, waardoor delen van de geschiedenis van die veel oudere gebouwen een integraal deel zouden gaan uitmaken van zijn nieuwe grandeur en sierlijkheid. Er waren drie torens, drie kaarten bij elk spelletje briscola, en de klok van San Francesco had drie keer geslagen toen Donna Donatella haar middagwandeling ging maken.

Waar de bron ontsprong, vormde ze een poel die een getto vol verliefde kikkers was. Hun gekwaak deed me terugdenken aan het gekwaak dat aan de andere kant van de muur had geklonken op de dag dat de oorlog werd beëindigd. Gekwaak van de vrijheid. De vuurvliegjes werden talrijker en zweefden en vonkten in de nacht. Ze waren de zachtst denkbare lichtjes, magische lichtjes met de stralende opwinding van vuurwerk in de verte dat dichterbij wordt gebracht om bekeken en bewonderd te worden. Ze hadden geen kwaad in de zin. Jaar in, jaar uit, zomer na zomer zouden ze naar deze plek komen met zijn kerkuilen en de verre nachtegaal, zijn kikkers en het geurige gras. Ik was opgelucht dat ik tussen de sterren en het glinsterende licht van de vuurvliegjes een plek had gevonden waar ik me thuis zou kunnen voelen. Dit was het thuis waar Vitelli over gesproken had, en thuis was een plek waar ik altijd naar kon terugkeren. Ongeacht wat ik en mijn toekomstige gezin zouden doen of leren, hier zouden we voorgoed thuishoren. Die nacht droomde ik dat ik er nooit meer weg hoefde gaan. In de toekomst zou ik van vertrek naar vertrek reizen, van kamer naar kamer, en van de ene verdieping naar de andere. Ik droomde en voorvoelde dat Donna Donatella op een dag zou komen en het paleis dat voor me oprees zou zien en er even intens door verrast en verrukt zou worden als ik door de vuurvliegjes. Het paleis zou haar aantrekken en haar ziel zo beroeren dat ze nooit meer zou willen weggaan. Ik droomde van haar geur, van de bijzondere vorm van haar hals. Als ik die welving zou aanraken, zou haar huid zacht voelen, wist ik, maar zou hij warm aanvoelen of koud als Palombino-marmer? Mijn vingers trilden en de palm van mijn rechterhand verlangde ernaar, hunkerden ernaar te weten hoe die mysterieuze huid zou voelen.

Ze knielde naast me neer en een pol munt bevlekte haar damasten japon. De frisse tinteling van munt maskeerde de vertrouwde geur van oranjebloesem, en even verwarde ik Donatella's aanwezigheid met die van iemand anders. Toen ze zich vooroverboog, voelde ik haar warme adem op mijn wang. Ze droeg een krans van vuurvliegjes in haar haar. Ze had een halsketting om van levende kikkers die allemaal gehoorzaam en decoratief om haar nek hingen en hun gestrekte ledematen nauwelijks bewogen aan de gouden ketting om haar hals. Ze had een keurslijfje aan dat zoveel van haar borsten vrijliet dat de vragen die me in mijn slaap hadden gekweld meteen beantwoord waren. Haar borsten waren groot noch klein. Ze waren welgevormd. Ze wezen omhoog. Ze drukten zich tegen mijn borst. Mijn hart kwam tot rust. Mijn adem stokte door de nabijheid van haar ademhaling. De sterren boven mijn hoofd wenkten me en wilden dat ik me bij hen voegde. In de melkweg was ruimte voor me, in hoeveel delen ik ook uiteen zou vallen. De sterren waren als handenvol marmerstof die door de warme wind worden meegevoerd, sterrenhopen van *giallo antico* uit Numidië en *cipollino*, en de Poolster als een beeld uit de marmerbergen van Carrara. Toen kwam Donatella op me liggen en liet haar gewicht op haar wijsvinger steunen. De vinger was lang en wit en tenger tot hij in ijzer veranderde. Het was een vijl die tegen mijn hart schuurde. Het was een beitel die tegen mijn ribben sloeg. Hij brak de eerste rib, hakte door en kwam in een ritme dat ik herkende uit de tijd dat ik steenhouwer was. Maar de beitel werd ongeoefend en onbeheerst gehanteerd en brak nog een rib. Mijn hart werd blootgelegd en haastig bedekt met munt en elkaar overlappende bladeren. Toen werd er afgerukt gras in mijn borstkas gestopt.

Moe van haar werk kwam ze naast me zitten. Van een koord om haar middel pakte ze een met borduursel versierd buideltje en knipte het open. Op twee goudstukken na was het leeg. Die wierp ze in het gras. Toen begon ze vreemde voorwerpen uit mijn gapende borst te halen. Eerst pakte ze een stuk steen waarmee ze de beitel kon afkanten waarmee ze me had opengehaald. Ze pakte er een gezouten ansjovis uit nadat ze hem eerst de kop had afgebeten; ze haalde een verschrompelde sinaasappel te voorschijn, een speelgoedgondel, een paar laarzen, een kaartspel, een beitel, een glazen pot met viridiaanpigment, een ganzeveer, een korst kastanjebrood, een kwartelei, vier terracotta poorten met onbewerkte pilaren van het allereenvoudigste ontwerp, die uit blokken waren opgetrokken. Ze waren zwaar en ze moest twee handen gebruiken om ze eruit te tillen. Toen ze klaar was, hing ze het sierlijke buideltje weer om haar slanke taille.

De kikkers die om haar hals hingen werden rusteloos en begonnen te spartelen. Ze schudde haar hoofd en haar dikke haar viel om haar gezicht. Ze trok er een bruine haar uit, likte eraan en stak die met zorg door een grasspriet. Toen boog ze zich weer over me heen en naaide met siersteken de wond in mijn borst dicht. Af en toe leunde ze achterover en bekeek haar werk, met haar hoofd een beetje schuin om beter te kunnen zien hoe het naaiwerk vorderde. De kikkers wachtten geduldig en trokken met hun poten.

Toen het werkje klaar was, legde ze de krans van vuurvliegjes neer op de plek waar zij had gelegen. Toen ze wegging, liet de kerkuil in haar buideltje een gedempte kreet horen. Ik probeerde op te staan om haar achterna te gaan, maar de slaap wilde me niet uit zijn omhelzing loslaten.

19

Er was een ploeg van twintig man aan het graven. Ze groeven de hele dag, elke dag, en de bouwput werd steeds groter. Hij begon als een greppel van honderd meter lang en werd steeds breder gemaakt. Toen hij dertig meter breed was en kniediep, werden de mannen het beu. Ze waren gewend om hard te werken. Ze waren ermee opgegroeid; ze aten het en dronken het en leefden er elke dag mee.

Als er voren werden gegraven, werd er gezaaid en schoot er eerst onkruid op en daarna graan. Nu wroetten ze in de aarde, hieuwen met houwelen en spaden in de door de zon gebakken aarde. Het had weken geduurd om zover te komen, maar waarvoor? Dat wilden de mannen weten. Waarvoor? Ze wisten dat ze in de aarde aan het wroeten waren voor de buitenlander op de berg en zijn praatzieke bedienden, maar ze wisten niet waarvoor.

'Zijn het christenen?' vroeg Primo Poesini aan zijn buurman. 'Heb je ze gehoord? Ze zingen en kletsen en knikken, maar er komt geen zinnig woord over hun lippen.'

'Het is het vreemdste dat ik ooit heb gezien,' zei zijn buurman instemmend, 'want ze zien er net zo uit als jij en ik.'

'Nee, ze lijken niet op ons.'

'Jawel hoor, meer dan de marskramer. En toch zeggen ze dat ze buitenlanders zijn. Ik heb altijd gedacht dat buitenlanders van daarginds kwamen,' zei hij, even uitrustend op zijn spade en met een hoofdbeweging in de richting van de grens van het groothertogdom. 'Ze zeggen dat ze buitenlanders zijn, maar in mijn ogen zien ze er niet naar uit.'

'Jouw oog ziet niet eens het verschil tussen een goudlijster en een goudvink als ze aan het voeteneind van je bed zitten.'

'Wát zeg je?'

'*Dio buono*! Ik zeg dat ze vreemd zijn en dat het gegraaf vreemd is en dat Del Campo nog vreemder is: als hij begint te praten klinkt het christelijk, maar hoe meer hij zegt, des te minder je ervan kunt volgen. Je kunt het volgen tot hij "paleis" zegt en daarna moet je er maar wat naar raden. Mijn vrouw heeft zich in het hoofd gehaald dat we een put naar de hel aan het graven zijn. Ze houdt me 's nachts wakker met haar gezeur erover. Ik weet wel beter, maar al hing mijn leven ervan af, dan zou ik haar nog niet kunnen vertellen wat we wel aan het graven zijn.'

'Hoe weet je dat het geen put naar de hel wordt?' vroeg een andere graver.

'Nou, dat lijkt me wel duidelijk. Als het wel zo was, zouden we in de vallei zijn begonnen en zouden we minder diep hoeven te graven.'

Er deden geruchten de ronde dat ik een meer aan het graven was of een crypte, aan het graven was naar een verborgen schat, of een onderaardse wijngaard wilde aanleggen. Er gingen geruchten dat ik uit het groothertogdom kwam, uit Venetië, uit de bergen op de maan, uit een kuil vol rivieren die ze de zee noemen.

Er gingen geruchten dat ik soldaat was, zeeman, priester, hertog, bandiet, koopman, profeet, een krankzinnige en een afgezant van de duivel. Er werd verteld dat mijn rijtuig van geslagen goud was gemaakt. Er werd gezegd dat mijn mannen en ik insekten aten. Er werd gezegd dat ik ongelooflijk rijk was en een schat aan diamanten in zakken had genaaid, die mijn bediende Giovanni met zijn leven bewaakte. Er werd gezegd dat ik honderd mannen in duel had gedood en delen van hun lichaam in een vat had gepropt en gepekeld en dat de stank daarvan tot in hun huizen doordrong. Er werd gezegd dat ik bezweringsformules kon lezen uit een trommel.

De helft hiervan werd verteld door Nunzia, bij wie we onze intrek hadden genomen, waardoor de arbeiders dachten dat zij het kon weten. Ze hield ons in de gaten, zelfs in onze slaap; ze hield ons in de gaten als de buitenlanders die we waren en die onder haar dak sliepen, haar geld betaalden dat ze niet kon weigeren. Maar we betaalden zoveel geld, zoveel munten, dat het haar heel erg achterdochtig maakte. En er was veel eten in huis; onbehoorlijke hoeveelheden voedsel die zij klaarmaakte en die wij, de bezoekers, verspilden. Ze bewaarde al onze etensrestjes en doorzocht die, op zoek naar tekens en waarschuwingen. Beppe, haar oudste kleinzoon, kwam op een dag en nam al onze kliekjes mee, en Beppe zag ook vreemde dingen en bracht er verslag van uit dat later van San Crescentino tot Rocagnano werd herhaald.

De lonen waren hoger dan gebruikelijk, dus het werk ging door, maar het leek niet op te schieten. Toen de bouwput eenmaal drieënhalve meter diep was, werden er muren in opgetrokken; dikke stenen muren met boogdeuren, maar zonder ramen. Ze vroegen zich af wat voor een man zoveel geld en moeite kon besteden aan het wonen in een graftombe. In het dorp en in de afgelegener gehuchten moesten ze er niets van hebben. Aan de andere kant van de berg moesten ze er ook niets van hebben, maar ze bleven graven voor het loon dat ze inmiddels als het loon van de zonde waren gaan beschouwen. Toen de eerste bouwput klaar was, waren ze zo overtuigd van de nutteloosheid van de onderneming dat ze er nauwelijks raar van opkeken toen ernaast met een tweede bouwput werd begonnen, die weer even breed en lang en diep werd.

Er bloeiden toefjes wilde cichorei op hun stekelige stengels, waardoor de velden met blauw bespikkeld waren. De bramen hadden hun beste tijd gehad, maar de rozebottels hingen dik en rood aan de doornstruiken. In augustus was de werkploeg van twintig verdubbeld. Eind september zou die zich opnieuw verdubbelen. Maar eind september had de regen de twee bouwputten in modderpoelen veranderd. Was ik van plan onder water te gaan wonen, vroegen de werklieden. Het graafwerk was al een keer stilgelegd om het bronwater om te leiden. Juli was een droge maand geweest, maar augustus had regen gebracht. Er waren een paar buien geweest, onverwacht zomers noodweer, dat door de vallei was geraasd en gebulderd, de hemel had verduisterd en ieder mens, elke boom en elk paardebloemblad met zijn harde regenvlagen had gegeseld. Het droge land zoog dit regenwater dankbaar op en liep alleen tijdens het noodweer onder. Enkele minuten nadat de bui was uitgewoed, slurpte de aarde het laatste regenwater van haar gezicht en was er geen spoor meer van te bekennen. De zon baande zich een weg door de wolken en scheen even fel als voorheen, logenstrafte het regenachtige intermezzo en leek op deze laatste zomerdag even genadeloos te branden als voorheen.

Het land was zo droog dat zelfs de paar centimeter modderwater die op de bodem van de bouwput was blijven staan, wegzakte. De bron was de oorzaak van het blank staan. Het waterpeil in het natuurlijke meertje naast de bouwput was met de week gedaald. Het mos dat langs de randen groeide was flets geel geworden. Maar ook al leek het water te verdwijnen, telkens wanneer het regende, hoopte een groot deel ervan zich op in de grond, voedde het meertje bij de bron en voegde er een tiende water aan toe, hoe weinig dan ook, tot het aanzwol en natuurlijk lager gelegen land opzocht om naar toe te stromen. De nieuwe bouwput was een uitstekend doelwit. Het regende, het water zonk weg, en de bodem van de bouwput die het noodweer zelf goed had doorstaan, werd het doelwit van deze tweede vloed.

De eerste keer dat het gebeurde, liet ik de mannen doorploeteren in de modder. Ze waadden erdoorheen, gleden uit, vloekten en verdeden zoveel tijd dat ik, toen de tweede overstroming volgde, de bouw opschortte tot er een diepere put was gegraven tussen de vijver en de bouwplaats van het paleis. Die zou het water opvangen en dank zij de grote diepte vasthouden. De mannen hadden nooit veel vertrouwen gehad in wat ik ondernam, maar ik neem aan dat ze nog enige hoop koesterden dat ik bij mijn volle verstand zou blijven, in elk geval nog een poosje. Als dat niet het geval was, zouden ze hun inkomsten verliezen. Het ene gat in de steek laten om een ander te graven, nog verder weg, en een bouwput achterlaten die onder toezicht zorgvuldig was uitgemeten om lukraak een ander gat in de grond te graven, baarde mijn werkploeg zorgen. De arbeiders zagen de logica niet in van mijn afwateringsplan. Ik won echter enig vertrouwen toen het derde noodweer kwam en de bron aanzwol, de nieuwe vijver volliep en onze bouwplaats bijna helemaal droog bleef. Het had gewerkt en ik oogstte een tikkeltje respect van sommige mannen die elke ochtend uit het dorp kwamen. Om halfzes kwamen ze aansjokken, en na de vermoeienissen van een dag, in hun ogen, zinloos zwoegen sjokten ze nog trager weer weg. Soms keken ze me met een mengeling van achterdocht en afkeer aan; welk recht had ik hun leven te verdoen? Welk recht had ik, met mijn zakken vol kristallen, om hun arbeid belachelijk te maken en hen de hele dag te laten graven om mijn domme grillen te bevredigen? Ze hadden mijn geld nodig, maar ze namen me kwalijk dat het werk nergens toe leidde. Toen de afwateringsput bleek te functioneren, begon zich onder meer het gerucht te verspreiden dat de buitenlander misschien toch wel wist wat hij aan het doen was, en misschien zelfs iets meer van plan was dan als een kind met water en zand te spelen. Misschien dat het hele gedoe niet zo zinloos was als het scheen, wie weet.

Terwijl ik die eerste zomer zat te wachten tot de kelders gegraven zouden zijn, opstond, rondliep en inspecteerde, was ik ongeduldiger dan de mannen die het graafwerk verrichtten. Die eerste paar weken en maanden leken eindeloos te duren. Ik sloeg de kleinste veranderingen gade vanaf het gras op het heuveltje dat ik had uitgekozen om de vorderingen te volgen. Ik bestudeerde de gewoonten van de mieren die langstrokken met zoveel toewijding dat Vitelli trots op me zou zijn geweest. De ketenen uit mijn gevangenisdagen leken honderd keer beter te verdragen dan de beperking van het wachten.

Tijdens die weken dacht ik vaak en lang aan mijn oude meester. Het paleis zou de eindproef van mijn leertijd zijn. Ik wist dat mijn bouwplannen maar een klein deel uitmaakten van wat nodig was. Elk groots huis is uit een bouwplan voortgekomen, maar de ware grootsheid ligt in de handen van de werklui, in de handen van de steenhouwers en de handwerkslieden. Ik had me een voorstelling gemaakt van wat ik zou doen, maar binnen niet al te lange tijd zou de uitdaging op het vakmanschap van mijn handen neerkomen. Vroeger had ik vaak met andere steenhouwers samengewerkt, als een ploeg, zij aan zij, steenhouwers uit allerlei steden die samenkwamen om een van de mooiste beeldhouwwerken van Umbrië te restaureren. Soms waren er steenhouwers bij die net zomin een booggewelf of pendentief konden tekenen als hun naam konden schrijven, maar het vermogen om te houwen hadden ze in hun vingers. Pietra serena konden ze klieven alsof het een kaas was. Ze hanteerden de hamer met zo'n gemak dat ik me schaamde om naast hen aan de werkbank te staan. Als ik nog stond te zwoegen op de beginfase van iets, ging een of andere debiel naast me razendsnel met zijn beitel over zijn gedeelte heen en begon hij al aan zijn leren zak met wijn. Op zo'n moment was ik dankbaar voor de harde hand van mijn meester. Hij zorgde ervoor dat ik aan de werkbank bleef staan en liet niet toe dat ik me ontmoedigd voelde, zodat ik op een dag zou uitblinken. Mijn vingers jeukten om aan de slag te kunnen, er weer eelt op te krijgen om er gruis en structuur mee te kunnen strelen.

Het was een heel geleidelijk proces om mijn ploeg arbeiders de grond in te zien zakken. De eerste paar weken waren het ergst. Ik stoorde me er het meest aan dat ik hun voeten niet meer kon zien. Ik was eraan gewend geraakt de wereld te beschouwen in termen van voeten. Ik kwam uit de aarde, en mijn eigen voeten stonden stevig op de grond, of het nu ging om klei, zand of steen, dat hield me op de been en beheerste me. Toen ik daar zo zat, en de muggen en vlinders om me heen vlogen en ik de fundering bezag van wat op een dag de aarde naar de hemel zou verheffen, werd ik gek van frustratie. Ik had ervan gedroomd dat mijn paleis zich zou verheffen. Ik had er ook van gedroomd mijn paleis op te bouwen. In Quarata besefte ik dat een deel van mijn dromen erin had bestaan dat ik met mijn eigen handen de ene grote steen op de andere plaatste, hakte en houwde, beitelde en kliefde. Mijn handen jeukten. Mijn hart kromp ineen toen ik zag hoe traag het vorderde.

Toen eind september de regen zijn intrede deed en met bakken uit de hemel kwam vallen, dag in, dag uit, zonder dat de zon te voorschijn kon komen om de plassen op te dweilen, en het almaar gestadig bleef regenen, begon ik te wanhopen. De afwateringsput functioneerde goed, en de greppel die ik erin had aangelegd om het overtollige water onder het niveau van mijn kelders af te voeren bleek ook effectief. Een stroompje water werd een meter of tachtig omgeleid, en de met gras begroeide helling was zichtbaar groener geworden sinds mijn eenvoudige ingenieurswerk en het bronwater hun goede werk deden. De bron en de vertakkingen waren nu onder controle, maar de onwaarschijnlijk hevige wolkbreuken hadden het omringende land doorweekt en verzadigd. De aarden vloer van de kelders was in een modderpoel veranderd en hoe meer de mannen eroverheen liepen, hoe dieper de modder werd. Er waren plekken waar het zo aan de voeten zoog dat het was of zich er een gruwelijk beest in schuilhield. De modder zoog je vast, en Giovanni en zijn neven werden er bang voor. Het slijk slokte gereedschap op. Er waren twee plaatsen waar dit fenomeen zich voordeed, maar op de ene plek was het duidelijker dan op de andere. Op de ergste plek kwam een jongen tot aan zijn bovenbeen vast te zitten en zijn dunne katoenen broek werd van het vastgezogen been gerukt. Hij werd er door zijn maten uitgetrokken en kreeg een slok grappa voor de schrik.

Die dag ontstond de mythe van de draak die onder het paleis huisde. Giovanni, die altijd al bang was geweest voor watergoden, onderwatermonsters en dergelijke, noemde het een slecht voorteken, wilde inpakken en vertrekken. Ik gaf hem uitvoerige uitleg over de gevolgen van kloven in de grond, onder de bovenste aardlaag, in de rotslaag, en over de werking van de ondergrondse waterhuishouding. Giovanni beschikte over een uiteenlopende hoeveelheid kennis en zijn concentratievermogen varieerde. Soms kon hij uren achtereen blijven zitten en elk woord in zich opnemen, andere keren wilde hij de simpelste informatie niet tot zich laten doordringen en de eenvoudigste zaken niet begrijpen. Als het om de draak ging was hij, als gewoonlijk, niet overtuigd. Hij herinnerde me aan zijn Venetiaanse behoefte om iets te zien voor hij het geloofde. Daarom vatte ik het plan op een dode kip aan een touw in de modder weg te laten zakken en weer op te hijsen om te bewijzen dat de zuigkracht een natuurlijke oorzaak had.

'Welnu, signor, we zullen zien. Laten we hopen dat het waar is. Wat moet ik doen, signor, als deze draak uw hand afbijt, of uw arm, of...'

'Dat gebeurt echt niet.'

'Signor, we zullen zien, laten we het hopen.'

'Hopen!'

'Ja, signor, hopen. Ik ben vandaag tot de ontdekking gekomen dat er zelfs in dit oord vol bomen hoop bestaat.'

Giovanni was ervan overtuigd dat bomen louter en alleen bestonden om van de bast ontdaan te worden en ze in zijn lagune en in zijn kanalen te laten zakken en vervoeren. Bladeren waren voor hem onbelangrijk en de grote hoeveelheid bladeren in Umbrië vond hij een belediging.

Mijn eenvoudige experiment met de kip slaagde en overtuigde Giovanni van mijn gelijk.

'Werkelijk, signor, ik verzeker u dat ik nu weet dat het waar is.

U hebt me uitgelegd hoe het zit met de waterhuishouding en dat er water onder al dit land zit. Ik heb het zelf gezien toen de mannen het diepe gat aan het graven waren dat vanzelf volliep. Ik bestierf het, signor, maar nu weet ik dat er water onder mijn voeten zit, heel diep, maar het is er. Vanavond zoekt Giovanni een meisje en neemt haar mee naar bed; vanavond is Giovanni een herboren man.'

Giovanni was tevreden, maar de mannen waren dat niet. Ze vonden mijn experiment smakeloos en verspillend, en verspilling was in hun ogen onvergeeflijk. Slijk was voor hen niet onbekend, en of ze er nu in wegzonken of niet, ze werkten er alle winters van hun leven in. Er was niets nieuws of belangwekkends aan slijk. Het beetje respect dat ik door mijn afwateringsput had verworven, ging teloor toen ik een prima kip aan een volkomen schoon stuk touw liet wegzakken en mezelf voor gek zette met mijn inspanningen hem overdekt met grijze klei weer op te halen. Toen Giovanni applaudisseerde, zag ik hem in de ogen van de gravers in aanzien veranderen van vleierige paljas in een aapje van het draaiorgel. Ik zag hen hoofdschuddend weglopen. Ik had een kip laten wegzakken en ik had een kip opgetrokken, wat was daar nu zo bijzonder aan? Als ik een schotel dampend hete polenta met een saus van wild zwijn en tomaten had opgetrokken of zelfs een stoofschotel van kip, tja, hoorde ik Primo Poesini zeggen, dat zou iets bijzonders zijn geweest. Maar nu had ik alleen het hoofdingrediënt van een goede bouillon bedorven.

20

Toen oktober enig respijt bood van de regen en de herfstzon de grond verwarmde, werd er een greppel gegraven die de zuidvleugel moest begrenzen. Die werd met stenen en specie gevuld, en in november werd de eerste rij stenen gelegd. De eerste hoekstenen uit Ghironzo werden op hun plaats gelegd, en de frustratie van de zomer verdween, werd gekanaliseerd tot een opwinding die geen grenzen kende. Toen de mannen weg waren, liep ik om de zuidmuur heen, ik liep erlangs, klom omhoog en omlaag waar de opening voor de deur zat. De eerste hoeksteen had ikzelf bewerkt, rechthoekig zoals mijn meester me had geleerd. Mijn hand raakte opnieuw vertrouwd met het bewerken van steen. Het was pietra serena uit Ghironzo, die misschien al wel zo'n zeshonderd jaar voor mijn tijd was uitgehouwen. Het was goed gehouwen steen, maar door de verwering moest hij opnieuw afgevlakt worden. Om de oneffenheid uit de hoeksteen te halen, nam ik de twee laagste hoeken en hakte er met een puntbeitel en een houten hamer een lijn tussen. Daarna verlaagde ik drie hoeken stukje bij beetje. Ik haalde er telkens een dun laagje af tot één kant vlak was en werkte van daaruit verder en maakte de hoeken haaks. Er waren steenhouwers in de groeve die het hadden kunnen doen, maar ik wilde dit nu eenmaal zelf doen.

Elke dag kwamen er tussen de zeventig en tachtig man werken, aangetrokken door de wrange plaatselijke wijn en het gevoel aan iets tastbaars te werken. Overal huurde ik ossen. De oogst op het land zat erop, alleen moesten de kastanjes nog geraapt en de olijven geplukt en geperst worden. De wijn van dat jaar stond te gisten, de maïs was al lang verkocht en opgeslagen, de akkers lagen braak tot het voorjaar. Het was het jaargetijde waarin mensen de kost bij elkaar moesten zien te scharrelen, want voor dagloners was er nooit veel werk in de winter. Dat gold ook voor mijn vader en al onze buren. Dat was overal zo waar arme mensen het land van een ander bewerkten. Het paleis, dat in de zomer zo weinig geliefd was geweest, werd in de loop van de winter aantrekkelijker dan kastanjebrood. Mannen die nooit hadden durven hopen in vaste dienst te komen, brachten een weekloon thuis. Losse bouwers die, op zoek naar werk, uit noodzaak van de ene stad naar de andere trokken, konden de berg naar Quarata oplopen en naar huis gaan met de wetenschap dat het werk waarmee hier was begonnen niet slechts weken of maanden in beslag zou nemen, maar jaren, en in die jaren zouden hun tijd en vakmanschap hun gezin van eten voorzien en de onzekerheid van vroeger dagen in welvaart veranderen.

De helft van de werkploeg werd naar de groeve langs het pad naar Poggio gestuurd om steen uit te hakken. Het behoorde ook tot hun taak de ossewagens vol te laden met steen die werd weggehaald uit vervallen huizen waarmee mijn land vol stond. Gezamenlijk verzetten we een berg. Tijdens het graaf- en meetwerk was ik niet in mijn element geweest. Het deed me te veel denken aan de afdaling in Etruskische tombes met een druipende kaars. Toen we eenmaal de muren gingen optrekken, was ik weer de vakman. De metselaars wisten veel van steen, maar ik wist meer. We begonnen samen te werken als een ploeg; ik leidde, zij volgden. Ik zorgde altijd voor loon en wijn, maar naar ik hoopte volgden ze me ook omdat ze begrepen wat ik wilde bereiken. Er ontstond broederschap. Het paleis verbond ons. Het werd iets waar het hele dorp zich op kon richten.

Toen de winter Quarata in zijn greep hield, groeven we ons in, zoals een leger bij een staat van beleg. De bouwplaats werd een kamp. De tweede koetsier, die in Mestre zo haastig in dienst was genomen, was na een onnodig lang verblijf in Castello teruggekeerd, met zijn rijtuig en een dronken neef van Giovanni. Hij had er even weinig zin in om weer te vertrekken als aanvankelijk om te komen. Ik zei tegen Giovanni (wat ik voor het incident met het zout en de rozijnen nooit zou hebben gedaan) dat het rijtuig leeg moest teruggaan en maar één krat mocht meenemen, waarvan ik de maten opgaf, dat hij naar zijn verdrietige familie in Venetië kon sturen.

Toen bleef ik achter met drie bedienden: Giovanni, Florido, zijn neef die koetsier was, en Piero, zijn neef die palfrenier was. Ik was bang geweest dat Giovanni zich als een vis op het droge zou voelen, maar hij had de inborst van een krab. Toen hij zich eenmaal aan zijn nieuwe omgeving had aangepast, bewoog hij zich met groter bewustzijn over land en maakte zich in Umbrië even nuttig als hij in Venetië was geweest. Bij de mannen uit de omgeving, werd hij echter nooit geliefd. Zijn donkere krullen, zijn slome zeewaterogen, sensuele lippen en zachte handen wekten onmiddellijk hun achterdocht op. Naarmate de tijd vorderde, en hun zusters, dochters en zelfs hun vrouw oog voor Giovanni kregen en hun eigen, gunstiger conclusies trokken, werd hij de zondebok op wie ze hun ontevredenheid afreageerden.

Florido werd voor mij even onmisbaar als Giovanni. Ik zou nooit een paard bestijgen, laat staan erop rijden. Florido had de zorg voor de vier paarden van mijn rijtuig en hield ze uit mijn buurt. Ik had hem nodig om de afstanden te kunnen overbruggen. Hij zorgde ook voor de vier muilezels en de drie boerenkarren die voor algemeen vervoer bestemd waren.

Ik voelde dankbaarheid en genegenheid voor hem omdat hij de paarden verzorgde en dagelijks met Giovanni op pad ging om me alles te bezorgen wat ik nodig had en de handwerkslieden ophaalde in Lugnano.

Tijdens de winter van 1864 zette de vorst vroeg in; de grond werd keihard en was elke dag bedekt met een laag rijp die het harde, vertrapte gras tot een fresco maakte. Wij trokken ons terug in ons winterverblijf. In het landschap zag ik marmergruis terug en het zout van Venetië dat zich een weg had gebaand naar het Umbrische landschap. De handwerkslieden en de arbeiders die van ver kwamen, hadden in het veld geslapen, onder bomen, in greppels en in geïmproviseerde onderkomens van planken en schotten. Vlak voor het nieuwe jaar liet ik een rij hutten voor hen bouwen en hielden we de hele dag een houtvuur brandend. De wrange wijn, welkom als altijd, was niet voldoende. In de bevroren doolhof van de kelders zette Florido een veldkeuken op. De avondlucht rook naar soepen, stoofpotten en geroosterd wild en schiep een betere band tussen de werkploeg en het karwei dan mijn dromen.

Ik herinnerde me mijn eigen tijd in het veld, dagen in koude kerken, waar ik steen bewerkte met handen die kapot waren van de kou. Ik had toen talloze engelen schoongemaakt en had vaak gebeden dat een van hen mijn vingers en mijn voeten zou warmen, me een kop hete soep zou brengen en me een plek zou bezorgen waar ik 's nachts prettiger zou liggen dan op het koude stro in een of andere ellendige, tochtige schuur. Door zijn strengheid wist mijn meester me aan het werk te houden. Alleen in de latere jaren van mijn leertijd werkte ik hard uit liefde voor de steen zelf en wat ik er met mijn eigen handen en gereedschap van kon maken. Toch kon ik door de herinneringen aan die tijd geen goede meester zijn. Ik was te zachtmoedig en zou de werklieden verwend hebben en onder mijn leiding zou het paleis nooit iets zijn geworden. Maar daar was Giovanni, mijn wederhelft, die de mannen aan het werk hield en hen uitfoeterde als ze te lang bij het vuur bleven zitten, en die over het algemeen wel een pasja leek in zijn manier van doen. We vulden elkaar goed aan.

Ik weet niet wat Giovanni, samen met de dikke Florido en Piero, uitvoerde, maar de werklieden waren altijd opgelucht als ze me zagen terugkeren van een van mijn uitstapjes. Het land had me al opgeëist, had me toegefluisterd dat het mijn thuis was. En geleidelijk aan werd mijn aandacht ook opgeëist door de werkploeg als de mannen terugkwamen na dagen in de terracottagroeve in Siena te hebben doorgebracht. Voor het eerst in mijn leven had ik het gevoel dat ik werkelijk ergens thuishoorde. Vroeger had ik me willen thuisvoelen tegen mijn moeders rokken, maar ze had me altijd weggeduwd. Lang voordat ik leerde rekenen had ze me van zich af geduwd en ik herinner me dat ik moest plaatsmaken voor een nieuw zusje, dat ik hardhandig aan de kant werd geschoven en moest toekijken.

Ik had mijn stenen hut, een soort wachthuisje op de bergrand, met uitzicht op de bouwplaats. Als zitplaats diende een stuk Sardisch graniet, dat veel leek op de bank die ik vroeger met Vitelli had gedeeld, alleen korter. Aan weerszijden van de ingang stond een zuil, en tijdens de lange uren waarin ik toekeek, doodde ik de tijd door ze te bewerken als de pilaren in de crypte van de kerk van Sint-Veronica, waar ik ooit vele maanden had gewerkt.

Piero zorgde voor een voorraad takken en houtblokken naast de hut, en ik hield in de open lucht een vuur brandend dat de steen even aangenaam verwarmde als een salon. Ik zat er op een blauwsatijnen kussen uit mijn rijtuig met een trommel tekeningen naast me, droomde van toekomstige grandeur, voegde hier en daar een boog of een lijn toe of haalde er een weg. Hoe langer het duurde voor het paleis tot stand kwam, des te meer sierwerk het interieur op papier kreeg. Ik popelde om verder te gaan. Ik was zelfs zo ongeduldig dat mijn uitstapjes naar Siena soms rustgevend werkten. De terracottabakkerij stond vol decoraties, kant en klare dingen die ik kon zien en aanraken. Ik nam mijn eigen ontwerpen mee en begon de gipsmallen te maken waarin de terracotta voor Quarata gebakken zou worden.

Ik maakte honderd verschillende ontwerpen, van de eenvoudige bogen uit mijn droom van Donatella tot ingewikkelde blokken voor een fries van engelenvleugels en allerlei veldbloemen, die ik die zomer zo rusteloos door mijn handen had laten gaan. De terracottabakkerij werkte snel. Binnen een maand konden ze honderden stukken fabriceren, die ze in kratten verpakten, nummerden en van een naam voorzagen en met een door ossen getrokken konvooi naar de bouwplaats van het paleis stuurden. De stapels terracotta werden steeds hoger. In februari zouden de eerste venstergaten zich duidelijk aftekenen in de omringende steen. Er zouden driehonderdvijfenzestig ramen komen: voor elke dag van het jaar een. Elk raam zou omlijst worden met terracotta. Die omlijsting bestond uit zeventien delen en elk deel kon alleen door een sterke man opgetild worden. In een later stadium zouden er twee mannen nodig zijn om ze op hun plaats te tillen.

Elk nieuw idee werd op een schoon vel papier geschetst en uit die bestaande plannen kwamen, als bij konijnen die zich razendsnel voortplanten, weer nieuwe ideeën voort. Mijn leermeester had me voorgehouden dat ik het werk helemaal voor me moest kunnen zien voor ik eraan begon. Ik zag het paleis voor me en de delen ervan, maar alleen de delen waren voltooid. Misschien waren de oude bouwplannen me daarom het dierbaarst; de met urine bevlekte bijbelpagina's waren me heilig. Ik was ervan overtuigd dat elk idee dat in mijn gevangeniscel was ontstaan in het huis moest worden opgenomen. Sommige waren niet zo realistisch, maar daarop studeerde ik het hardst en ik zoog het oude nostalgische verlangen in me op naar Vitelli en de cel en het onsterfelijke visioen van Donna Donatella. Ik vroeg me weleens af waar mijn handelen toe zou leiden.

Ik had Donna Donatella gezien en was verliefd op haar geworden. Ik hunkerde ernaar door haar opgemerkt en bewonderd te worden. Ik had het leven gezien en was er verliefd op geworden en verlangde ernaar mijn rol erin te spelen. Ik had enorm mijn best gedaan een edelman te worden. Ik had heel wat gekaart om de benodigde rijkdom te vergaren voor het paleis en om mijn plaats in de samenleving te kunnen innemen. Ik had het allemaal uit liefde voor Donna Donatella gedaan, maar waar was ze? Was ik haar kwijtgeraakt in de schaduw die de steeds hogere muren wierpen?

Terwijl ik met steen een heuvelrug transformeerde, ging het leven aan me voorbij. Ik had door mijn greppels een ingewikkeld wateruurwerk aangelegd, maar de enorme stenen buitenkant reikte pas tot aan mijn schouders, en dan nog alleen op sommige plaatsen. Het zou jaren duren voor het voltooid was. Het zou jaren duren voor iemand ervan onder de indruk raakte. Het stelde nu even weinig voor als de paleizen van de vuurvliegjes. En wie zou het zien als het klaar was? Ik had in Castello de tongen in beroering gebracht, en in Lugnano en elk dorp binnen een straal van vijfenzeventig kilometer deden geruchten de ronde. Maar ik had geen enkele aanwijzing over de verblijfplaats van Donna Donatella en haar familie te horen gekregen. Ik had spionnen uitgezonden om haar verblijfplaats te achterhalen, met als enig resultaat teleurstellingen en nul op het rekest. Haar broers waren in ongenade gevallen en haar vader verkeerde in slechte gezondheid. Berichten en tegenberichten hadden een spoor van valse informatie achtergelaten. Ze was geëmigreerd, dood, getrouwd, non geworden, van een drieling bevallen, naar Emilia verhuisd, naar Genua gegaan, scheep gegaan naar West-Indië, bezweken aan de koorts. Ik trok elk gerucht en elk spoor na, maar zonder resultaat.

Ik wist alleen zeker dat ik haar in de tuin van haar vaders huis in Castello had gezien. Het huis was nu dichtgespijkerd en had al jaren leeggestaan. Ik wist dat haar vader ten noorden van Petrelle een ander landgoed bezat. Ook dat stond leeg, maar er woonden wel een beheerder met zijn drie dochters. Uiteindelijk was Giovanni degene die me nieuws bracht over Donna Donatella. Een oom van haar had bericht dat zij tweeën in de zomer zouden terugkomen om het kasteel bewoonbaar te maken, en de beheerder was gevraagd het eind mei in gereedheid te brengen.

'Bent u niet trots op me, signor, dat ik u deze informatie over uw geliefde wist te verschaffen?'

Het was midwinter, en de leeuweriken gingen als gekken tekeer in mijn ribbenkast. Ik kon geen woord uitbrengen.

'U zou trots op me moeten zijn, signor, want ik heb met alle drie de dochters moeten slapen om deze informatie voor u los te krijgen.'

Woorden werden als de bloemen en kruiden in een zomerse tuin, hun geuren en kleuren riepen uit: 'Je hebt me van mijn zinnen beroofd, mijn zuster, mijn bruid! Je hebt me van mijn zinnen beroofd met één blik van je ogen, met één kraal van je snoer!'

'U lacht, signor, dat is niet aardig tegenover Giovanni, u moet me niet zo uitlachen. Die meisjes hebben haar op hun gezicht en eten vrijwel uitsluitend rauwe uien. Ik heb hun zure adem alleen verdragen uit liefde voor u, signor, om u te kunnen vertellen dat ze komt.'

'Kom snel, mijn geliefde, wees als de gazelle of het hertejong op de bergen met de kruidenplanten.'

21

Ik maakte een overzicht van alle dagen
tot mei en maakte het mijn taak om het
zand van de oever van de Tiber bij Santa Lucia vlak voor Castello weg te bagge-
ren en door een zandloper zo de specie
van mijn dromen in te laten stromen.
Tachtig man was niet genoeg. Ik stuurde
Giovanni er met Florido op uit om metselaars en steenhouwers,
steenbikkers, timmerlieden, schrijnwerkers en smeden aan te nemen. Ze reisden van dorp naar dorp en boden steekpenningen aan,
trokken van gehucht naar gehucht met een buidel goudstukken om
jongens en mannen uit hun keukens weg te lokken en naar Quarata te komen. Als Donna Donatella arriveerde, moesten we minstens
de tweede verdieping bereikt hebben, en niet alleen bij de zuidelijke vleugel, maar overal. De hele structuur moest zich verheffen en
wel in een bovenmenselijk tempo. Het paleis moest laten zien wat
een gratie het zou gaan bezitten. Het moest me lukken.

De mannen werkten op volle kracht en zwoegden ook in hagel
en sneeuw. Hun loon was verhoogd, en ik had Florido opdracht
gegeven hun goed eten met flink veel vet en vlees te geven.

'Geef ze zoveel ze eten kunnen. Zorg dat ze sterk worden. Mijn
leven hangt ervan af, Florido.'

Er werkten nu vier jongens in de veldkeuken om mijn koetsierkok te helpen. Aardappels en uien, maïsmeel en bloem, kastanjes en bonen, schapen, varkens en hele koeien werden aangevoerd voor Florido's stoofschotels en braadstukken.

Ik liet honderd paar werkhandschoenen maken zodat de mannen ondanks de kou het tempo erin konden houden. Ik gaf hun nieuwe winterklompen en verving het stro dat ze erin stopten door ganzedons. Ik hield de naaisters uit Morra, Lugnano en Ronti druk bezig met het naaien van dikke jassen voor de mannen. Vooral de steenhouwers leden onder de kou omdat ze uren achter elkaar stil moesten staan. 's Nachts liet ik vuren aanleggen rond het paleis zodat het langer licht was en er op donkere winteravonden kon worden doorgewerkt. Ik verzon van alles om het tempo op te voeren. Er hing een koortsachtige sfeer op de bouwplaats en de muren vorderden sneller dan ooit. Maar als we in mei iets wilden hebben wat op een paleis leek, was het nog niet voldoende.

Ik besloot dat de drie torens van mijn bouwwerk los van de rest zouden komen te staan. Die zou ik laten afbouwen, zodat de hoogte ervan een aanduiding zou zijn van de rest. De torens moesten zes verdiepingen hoog worden. Elke toren had een ander ontwerp, maar ze zouden alle drie bekroond worden door een koepel. Bij alle drie kon de wind uit de vier windrichtingen vrij spel hebben; twee kregen er ramen en een niet, en alle drie kregen ze een plek om naar de sterren te kijken. Ik dacht aan Gubbio en zijn torens. De vierkante toren van San Giovanni met zijn campanile met open bogen, de toren van Sant' Ubaldo, de achthoekige toren van de Madonna del Prato en de uitdagend opgestoken vinger van het Palazzo dei Consoli die een kroon met kantelen had. Ik dacht aan Gubbio en de wedren, waarbij rivaliserende groepen tegen elkaar werden uitgespeeld en ertoe werden aangezet om bovenmenselijke prestaties te leveren. Als de Cero door een enkele processie zou worden gedragen, zou men niet ver komen. Het element van de wedren verleende de ceraioli hun wonderbaarlijke kracht. In Gubbio vielen mannen dood neer bij het torsen en ook tijdens het rennen.

Ik hield een hoofdgroep van metselaars aan die de muren moesten optrekken, met alle sjouwers, speciemengers, egaliseerders en opperlui die ze nodig hadden. Ik hield vijftig man aan het werk in de oude steengroeve bij Poggio en begon een nieuwe groeve dichter bij het huis waar pietra serena werd uitgehakt, en ik zette vijfenveertig man aan de bouw van de torens. Die laatste groep splitste ik op in kleinere groepen van elk vijftien jongens en mannen. Sommige werklieden kregen de taak toegewezen aan de steigers te werken, anderen om te opperen, een aantal bediende de windas en weer anderen metselden. Ik loofde elke dag een prijs van een gans en een kip uit voor de ploegen die als eerste en tweede eindigden. De meeste mannen gingen die winter niet meer naar huis, behalve op zondag, en de ganzen en kippen waren thuis welkomer dan contant geld. Ik gaf elke ploeg een naam, naar de drie uitkijktorens die de vallei vroeger hadden beschermd, Ghironzo, Roccagnano en Quarata, en ik gaf ze elk een patroonheilige die hen naar de overwinning zou voeren en die ze trouw konden zijn. Net als in Gubbio gebruikelijk was, gaf ik ieder van hen een gekleurde halsdoek om tijdens het werk te dragen: goud, rood en blauw. En net als in Gubbio tijdens het lichtfeest, bood ik hun de kans hun mannelijkheid te bewijzen, hun liefde, hun kracht, moed en toewijding, de kans om hun angst te overwinnen en bovenmenselijke daden te verrichten. Ik hield mezelf voor dat het een eerbewijs aan de kaars was, maar was dat heiligschennis? Ik weet het niet.

Er waren dagen waarop ik mijn bouwterrein in nagenoeg hysterische staat zag en de sfeer van rivaliteit zo diepgeworteld was dat geen mens iets zei, alleen om de volgende steen riep en niemand overdag rustte, maar 's nachts lagen de werklieden uitgeput te slapen bij het kampvuur. Op een avond zat ik op een plank bij het vuur en keek om me heen. Ik keek naar de slapende mannen, zag hun afgetobde gezichten, de ledematen die onrustig bewogen in hun slaap, hun handen vol sneden en blauwe plekken. Er hadden zich de afgelopen drie dagen heel wat kleine ongelukjes voorgedaan en twee ernstige. Dat kwam altijd wel voor, dat was niet te vermijden, maar het probleem met deze ongelukken was dat ik wist dat ze hadden kunnen worden voorkomen. Ik keek in de vlammen die oprezen in de duisternis en fantaseerde dat ik een grote toren zag, zo hoog als de toren van Babel, en van alle verdiepingen vielen mannen omlaag als gerakelde as; schreeuwend tuimelden ze door de lucht. Toen ik beter keek, zag ik dat het mijn mannen waren, ik herkende hun gezichten stuk voor stuk. Ze vielen bij bosjes, ondersteboven en zijdelings, maar terwijl ze omlaagstortten, bleven hun gezichten gevangen in een vertraagd tempo. Giuseppe was erbij en Primo, Marino, Lucciano, Terzo, Urbino, Tonino, Mario, Gianni – ze waren er allemaal en vielen op de hoop verpletterde lichamen die ik in het oplaaiende vuur zag, waardoor ik de blikken van verraad kon zien die de mannen me toewierpen terwijl ze verbrandden.

'Ga wat achteruit, signor, de rook komt in uw ogen. Ik dacht even dat u huilde,' zei Giovanni, die een hand op mijn schouder legde en gebaarde dat ik iets verder van het vuur moest gaan zitten.

'Ik jaag ze de dood in, Giovanni,' fluisterde ik.

'Dood, wie?' vroeg Giovanni die bezorgd om zich heen keek en met zijn voeten stampte alsof er nog een paar overlevenden waren onder wie het dan ook waren die ik de dood injoeg, en of die overlevenden tegen zijn benen zouden kunnen opklimmen. Hij ging iets verder weg staan.

'Wie gaan er dood?'

'De mannen.'

'Dat is waar,' zei Giovanni op uiterst nuchtere toon. 'Sommigen van hen zullen het zo niet lang meer maken. U moet ze minder lang achtereen laten werken, dat is de oplossing.'

Florido stond bij het braadspit en wenkte Giovanni, die zijn lange zwarte cape pakte en over zijn schouder wierp, wat hem een elegante, maar geheimzinnige aanblik verleende. Hij stapte over de uitgestrekte lichamen van de werklieden heen, die in hun jas gewikkeld lagen, een lagune vol mensen waar Giovanni doorheen liep. Toen riep hij iets naar Florido, nam nauwelijks de moeite zich om te draaien en gaf de volgende man die op zijn pad lag een por met de punt van zijn laars als om zich ervan te verzekeren dat er nog voldoende leven in het slachtoffer zat om van het nieuwe regime te kunnen profiteren.

'Kortere werktijden.'

Ik had niet gehuild, zoals Giovanni had gedacht. Het vuur was heet en ik had last gehad van de rook. Ik voelde wel wroeging over de staat waarin mijn mannen verkeerden, maar op een sentimentele, door schuldgevoel ingegeven manier die ik mijzelf toestond, maar waar zij niets aan hadden. Ik was een sentimenteel man; Giovanni was praktisch. Hij maakte soms de indruk harteloos of zelfs wreed te zijn, maar door zijn praktische instelling was hij menselijker dan ik met mijn dramatische zelfonderzoek. Kortere werktijden waren de oplossing. In Gubbio werd geen ceraiolo gevraagd een kaars langer dan een paar minuten achtereen te dragen; de een nam het over van de ander en ze werkten in wisselende ploegen. Het was duidelijk dat de mannen op wisselende tijden moesten werken en rusten. De ploegen zouden groter moeten worden. Toen Giovanni weg was, schaamde ik me toen ik besefte wat een dwaas ik was geweest en inzag hoe makkelijk een dwaas een tiran kan worden, en een tiran wreed kan worden. Ik wilde niet dat het in Quarata net zo zou gaan als bij de Duomo van Florence, waar honderden werklieden het leven hadden gelaten bij de bouw van de enorme koepel. De Duomo had ook drie kleuren: groen, roze en wit. De kleuren van Quarata, hoewel ontleend aan Gubbio, zouden niet door de dood worden bezoedeld. De jonge Mariangeli was al gespalkt en in het gips gezet, en Terzo had als een zeerover een snee over zijn wang van een verdwaalde steensplinter, die op een haar na zijn oog had gemist.

De volgende dag gingen de kortere werktijden in. Piero, die een heleboel onomschreven taken had, had nu een eigen bezigheid. Hij hield de werktijden bij. Hij genoot van die nieuwe rol en riep de wisselingen om met de weergalmende, bulderende stem van de Venetiaanse wacht. Hij was de minst spraakzame van de Venetiaanse ploeg en liep als een jachthond achter Giovanni en Florido aan in de hoop klusjes te kunnen doen. Nu was hij zo trots op zijn nieuwe rol alsof ik hem tot burgemeester van Castello had benoemd. Op de middag van zijn eerste dag had hij een trom uit een van de hutten gepakt en gaf met trommelslagen de wisselingen aan alsof het een volksfeest betrof.

Mijn berouw over de heiligschennis door methodes van de Ceri te lenen en die over te plaatsen naar Quarata was van korte duur. Toen Piero's eerste dag met de trom ten einde was en de avond viel, de vuren rond het paleis hun licht op de dravende arbeiders wierpen, toortsen in hun ijzeren houders stonden en de vier hoeken van de torens verlichtten, besloot ik Piero de tromslagen uit mijn jeugd te leren. Ik leerde hem het ritme van het lichtfeest, het ritme van de hartstocht. Ik leerde hem de geheimen van het leven te verkondigen, de weg naar de overwinning door middel van rennende voeten: TUM-tata, TUM-tata TUM TUM/TUM TUM. Ik leerde mijn Venetiaanse bediende wat alleen de Eugubini hoorden te weten en hij sloeg het ritme van het liefdesspel weergalmen in de lucht, tegen de steen.

De drie torens werden hoger, laag na laag, van de koepels van de zesde verdieping tot aan de gewelven waar het paleis was begonnen. Ik maakte mijn trommel open en haalde de tekeningen te voorschijn, de eerste ontwerpen, de eerste vlucht van mijn gekerkerde fantasie. De gewelfde plafonds van de koepels van de zesde verdieping waren zo rijk bewerkt dat iedereen wel onder de indruk moest komen van het vakmanschap dat er voor nodig was. Zelfs Donna Donatella zou versteld staan bij het aanschouwen van het gotische sierwerk.

Ik had niet gelummeld toen mijn mannen zich die winter afbeulden. Ik was niet alleen toeschouwer geweest, ik had mijn gereedschap voor de dag gehaald: mijn rechte beitel, mijn houten klopper, mijn hamer en vijlen, en zette mij samen met vier steenhouwers aan de vormgeving van pilaren, kapitelen, timpanen, bogen en rozetten, die zo fijn bewerkt werden dat ik dolgraag wilde dat mijn leermeester ze ook zou kunnen zien, als liefhebber van steen en het steenhouwersvak.

Donna Donatella zou het bewonderen, maar mijn leermeester zou hebben geweten dat ik de blokken waarmee ik was begonnen naar mijn hand had gezet. De met loofwerk versierde pilaren waren bleekgrijs als de nevel bij Burano, de kleur van houtrook die door de bomen filtert, het zachte grijs van het vaste gesteente bij Quarata, van pietra serena dat eeuwen geleden was uitgehakt en was weggeroofd uit de vervallen zalen van Ghironzo. Het was de steen die ik het beste kende en die voor me zong. Toen de bouwploegen begin april de bouw van de drie torens van Babylon hadden voltooid, waren we klaar om onze steen in te passen in hun gewelf.

Het eerste vertrek uit mijn dromen was ook in werkelijkheid het eerste vertrek. Terwijl de bouw voortging, voltooiden we de binnenkant van de oostelijke toren, de toren van de wind. De vloer werd ingelegd met marmer; roze Portugees, witte stroken uit Carrara, geel marmer uit Siena, gespikkeld agaatgroen uit India. In het midden werd een ingewikkeld motief gelegd en er liepen twee stroken langs de omtrek van de kamer, maar het grootste deel bestond uit het lichtroze van het plaatselijke travertijn, dat zo glad gepolijst was dat de subtiliteit van de Umbrische tinten mooi uitkwam. Het is het roze van Assisi, het roze van het eerste licht op de bergen, het roze van de huid, zacht en aangenaam aan de ogen.

De toren van de wind had vier ramen, elk ervan meer dan manshoog, elk omlijst door terracotta, die vooral versierd was bij de consoles van de lateibalken. De kozijnen waren effen, met hier en daar een kleine decoratie. De uitwerking moest als muziek zijn, opgebouwd uit een aaneenschakeling van noten. De schoonheid zou door de hoeveelheid tot uiting worden gebracht. Het rijk bewerkte plafond zou de blikvanger van de toren zijn, een eerbetoon aan de hemel, die toegang geeft tot een volmaakte koepel, die beschilderd zou worden met zuivere, verpulverde lapis lazuli, die uit Afghanistan was aangevoerd. Ik had het zelf gekocht in Venetië, van een koopman aan de Riva degli Schiavoni. Het was net zo duur als goudpoeder. Toen de toren aan de oostkant klaar was en de kozijnen van cipressehout waren aangebracht, het glas gezet was en de kalk op de muren was gedroogd, bracht ik de lapis lazuli zelf aan, laag na laag, bracht het op met een kwast van dassehaar alsof ik de huid van Donna Donatella zelf streelde. Toen de verf, die op lijnoliebasis was, eindelijk droog was, bracht ik sterrenstelsels van bladgoud aan, gebruineerd met amber. Toen Orion en Jupiter, Venus en Mars, de melkweg en de Grote Beer allemaal op de koepel zaten, schilderde ik de Poolster, groter en helderder dan enige andere ster. Ik schilderde de Poolster, mijn meesters ster, mijn ster, op vijftien mei, de dag der dagen, de dag van het lichtfeest. Toen wachtte ik op de komst van mijn geliefde in het vertrek dat voor haar in gereedheid was gebracht.

22

'Mijn duif, verscholen in de spleten van de rots, in de holten van de bergwand, laat mij je gezicht zien, laat mij je stem horen, want je stem is mooi, je gezicht lieftallig.'

De toren van de wind was klaar, maar Donatella kwam niet. De eerste weken kwamen als een opluchting: er kon meer werk verzet worden; de stenen wenteltrap paste prachtig in het geheel en slingerde zich even sensueel als wervels van roze steen door het geraamte van de oostelijke toren. Er was tijd om een begin te maken met de afwerking van de zuidelijke toren en het smeedijzeren schilddak van de westelijke toren op te richten. Want de westelijke toren werd gebouwd volgens het concept van oudere buitenverblijven met een mannelijke en vrouwelijke toren, de een gehuld in metselwerk, de andere blootgesteld aan de lucht. De vrouwelijke toren was als een pergola op een muurtje, een plek waar potten jasmijn moesten komen te staan, die hun soepele takken om het rijk versierde smeedijzer zouden wikkelen, waar de tere witte bloesem op zomeravonden hun geur zouden verspreiden.

Ik had niet op deze extra tijd gerekend. Twee weken werken in het tempo dat we hadden bereikt, betekende dat we een heel eind verder konden komen met de andere torens. Maar toen mei verstreek en het juni werd en er nog steeds geen bericht kwam dat Donna Donatella of haar oom naar Petrelle kwam, werd ik het beu en verliep het werk trager. Giovanni probeerde me te troosten.

'Het was te verwachten dat er enige vertraging zou zijn. De meisjes in Petrelle zeggen dat Donna Donatella's oom een grillig man is. Hij heeft in het verleden wel vaker afspraken gemaakt en afgezegd. Hij heeft echter vijf jaar geen bezoek aan het kasteel gebracht, en daarom zijn ze ervan overtuigd dat hij zal komen, de vraag is alleen wanneer.'

Ik voelde me niet getroost. Ik verliet mijn wachthuisje op de berg voor een nieuwe uitkijkpost in de toren van de wind. Alle ramen waren verzonken in de dikke muren en ze hadden allemaal een marmeren bank van roze travertijn. Ik ging bij de zuidwand zitten, met de warmte van de zon in mijn nek. Soms overzag ik de bouwwerkzaamheden beneden me, maar mijn geest was voornamelijk naar binnen gericht en ik verkoos de boeken te lezen die ik met Vitelli had bestudeerd. Ook bestudeerde ik de tekst op onze speelkaarten van papier-maché, en steeds vaker verdoofde ik mijn geest door patience te spelen met het briscola-spel.

In mijn kaarten vond ik echter evenmin troost. De tijd waarin ik geluk vond in het kaartspel lag achter me. Hoewel ik weinig hoop meer koesterde mijn geliefde terug te zien, waren er twee kaarten die telkens weer bovenkwamen. Het waren de zeven van denari en de hartendrie. De tekst kwam uit Genesis 21:6. 'Sara zei: "God heeft gemaakt dat ik lachen kon, en iedereen die het hoort, zal meelachen..."' tot vers 20. In de gevangenis leek de tweede wel aan mijn hand vastgekleefd te zitten. Vitelli zei dat het onnatuurlijk was, want wie er ook deelde, hartendrie, met zijn tekst uit Genesis 24 kwam altijd weer bij mij terecht. Het was mijn tekst; ik was Isaak en Rebekka was mijn geliefde. 'Bij het vallen van de avond ging hij buiten wat afleiding zoeken; toen hij zijn ogen opsloeg, zag hij ineens kamelen aankomen. Ook Rebekka keek op, en toen zij Isaak zag, liet zij zich van haar kameel glijden en vroeg aan de dienaar: "Wie is die man daar, die over het veld naar ons toekomt?"'

De hele zomer lang sloeg ik mijn ogen op, maar ik zag geen kamelen komen. De weg zag wit van het stof van het komen en gaan van mijn eigen ossewagens. Veel van de wagenvoerders waren langs Petrelle gekomen, en als hun naar nieuws gevraagd werd, hadden ze allerlei roddelverhalen, maar geen daarvan ging over mijn geliefde. Haar oom was verdwenen en had haar meegenomen. Eerst kreeg ik een hekel aan haar oom, maar later ging ik hem haten. Ik vond dat hij me bedroog. Ik zat in mijn toren te piekeren en was vervuld van bittere gedachten. De bouw interesseerde me niet meer. Giovanni liep de trap op en af, berispte me, stelde vragen en probeerde me te overreden alsof ik een zieke valk op het nest was en er met een stukje vers vlees toe verleid moest worden om naar beneden te komen.

'Er is een nieuwe lading terracotta gekomen, signor, die de andere overtreft. Het zijn de kapitelen voor de zuilen van de loggia. U moet komen kijken, ik zweer op mijn moeders hoofd dat u versteld zult staan. Zulk prachtig werk hebt u nog niet eerder gezien.'

Ik had geen eetlust meer. Hij probeerde het met een ander lokmiddel.

'De westploeg is niet meer in de toren en werkt nu aan de achterwand van uw bibliotheek. Het lijkt wel of ze de open haard aan het dichtmetselen zijn. Misschien moet u komen kijken, signor, voor het te laat is.'

Het kon me niet schelen. Wat had ik aan een open haard als zij zich er niet wilde komen warmen? Wat had alles voor zin zonder haar? Hij schudde de leren haviksriem, zinspeelde op vliegen.

'Er schijnt in Trestina een Etruskische graftombe te zijn opgegraven. De wagenvoerder van wie ik dat hoorde, vertelde me dat er een gouden harnas is opgegraven. En hij zegt dat er een kelk is gevonden van het allerzuiverste goud waarin prachtige motieven zijn gegraveerd. Hij zegt dat de vinder hem wil verkopen, vandaag nog...'

De oostelijke toren was mijn gouden bokaal, een kelk binnen een kelk, een schild in een harnas, een schat die voor haar was uitgestald. Ze kwam niet. Ze zou niet komen, dus wat had ik aan nieuwe vondsten?

Giovanni wist echter hoe hij mijn weerstand moest breken. Die vaardigheid had hij geoefend op de markten van Venetië, waar hij bij de marktlieden afdong op de prijs. Zijn vasthoudendheid was als die van een Arabier. Misschien had hij me horen vertellen hoe bezeten mijn voormalige meester was geweest van Etruskische vondsten en over mijn eigen bange speurtochten naar goud. Of wellicht wist hij maar al te goed hoe hebzuchtig ik was. Ook kende hij mijn trots; hij wist dat ik uiteindelijk niet anders kon dan zijn gouden lokkertje achternagaan. Hoe kon ik toelaten dat een andere verzamelaar een van de kostbaarheden zou kopen die ik voor Donna Donatella wilde verzamelen? Hoe zou ik me iets kunnen laten ontgaan als haar dat later ter ore zou kunnen komen?

De warmte en het gevoel van anticlimax hadden hun weerslag op het werkvolk. Veel mannen gingen 's avonds weer naar huis, en velen van hen kwamen niet meer terug. Het was geen uittocht, gewoon een langzaam wegsijpelen. Zonder de precieze instructies die ik elke dag had gegeven, wisten maar weinig werklieden wat ze moesten doen. Giovanni trotseerde keer op keer de grijze wenteltrap, maar toen het eindelijk tot hem doordrong dat ik voorlopig niet zou terugkeren naar mijn project, nam hij liever zelf beslissingen dan de arbeiders te verliezen. Hij hield me op de hoogte.

'We zijn vastgelopen, omdat we niet weten hoe we de steunbalken voor de vloer moeten leggen zonder dat het middendeel omlaagkomt. Dat moet u ons laten zien. Ik weet dat u iets slims op de eerste verdieping hebt gedaan, maar toen heeft Giovanni niet opgelet en ik vertrouw geen van de steenhouwers toe zo'n grote klus te klaren zonder dat u erbij bent. Daarom wachten we maar af,' zei Giovanni tegen me. 'En intussen laat ik de mannen een ommuurde tuin aanleggen. Florido zegt dat hij een beter beschutte plek nodig heeft voor zijn kruiden en groenten. Hij zegt dat er steeds wilde dieren komen die ze uitgraven. Hij zou heel blij zijn met een ommuurde tuin, en u zou er uw fruitbomen kunnen laten groeien. Tijd winnen, signor, zoals u me altijd voorhoudt. En Piero wil eigenlijk iets nieuws om over te trommelen; hij is er erg aan gehecht geraakt en mist het als hij niets te doen heeft. En...' Giovanni liet zich nooit ontmoedigen als ik geen antwoord gaf. Hij keek naar mijn lusteloze gestalte, snuffelde met afkeuring aan de pisserige kaarten die hij vaak had geprobeerd te verstoppen en vervolgde: 'Ik hoorde vandaag dat de familie van Donna Donatella heel wat Etruskische spullen in haar bezit heeft. En weet u dat die man in Trestina zijn gouden kelk nooit heeft verkocht? Hij vroeg er waarschijnlijk te veel voor. Ik vond het spotgoedkoop, maar wat weet Giovanni van dat soort zaken?'

Hij wist mijn aandacht te trekken door te zwijgen. Hij ging niet weg en zei niets, maar hing tegen de deur met zijn tong tussen zijn tanden en zijn ogen half gesloten.

'Het is waarschijnlijk maar goed, signor, dat u zich op zoveel manieren bij Donna Donatella en haar oom kunt introduceren, als ze komen. Giovanni Contarini zou die kelk hebben gekocht en bewaard om aan haar oom te schenken. Naar wat ik van de dochters van de beheerder heb gehoord is het een inhalige schoft. Hij werkt hard, maar geeft niets uit. Hij zou zo'n kelk als die uit Trestina dolgraag in zijn bezit krijgen. Hij zou ervan onder de indruk zijn. Maar, zoals ik al zei, het is maar goed dat u hier zoveel andere ingangen hebt. Zonder riemen kun je niet roeien.' Hij zweeg weer en deed alsof hij me niet zag en geen gedachte aan me wijdde. De relatieve rust van de middagwarmte werd verscheurd door kreten van de metselaars die over en weer riepen en hun naam jodelden boven het uitgelaten achtergrondgeluid van krekels in het vergelende gras.

'Maar als ze morgen zouden arriveren, zoudt u waarschijnlijk al lang hebben uitgedacht hoe u ze hiernaar toe kon krijgen. Hij is zo'n kluizenaar en zo'n gierigaard dat u een plan nodig hebt. Zo te horen leiden ze geen druk sociaal leven en nodigen ze alleen goede vrienden uit.'

Mij uit mijn uitkijkpost naar beneden lokken was heel wat eenvoudiger dan Donatella's oom ertoe verleiden naar mijn paleis in aanbouw te komen kijken. Mijn leven had zulke bizarre wegen gevolgd dat ik had aangenomen dat de Voorzienigheid de ontbrekende schakels in mijn ketting zou aanvullen en met elkaar verbinden. Mijn keten in de gevangenis had negentien schakels gehad. Ik stelde me voor dat elke schakel een horde was die ik moest nemen, een uitdaging die ik moest aangaan om bij mijn geliefde te komen. Ik hoorde weer de stem van mijn leermeester: 'Een ketting is zo sterk als de zwakste schakel.' Het waren woorden die zo vaak werden gezegd dat ik ze niet meer hoorde. Het was irritant dat ik voor mijn ideeën steeds zo afhankelijk was van Giovanni, maar hij zag vaak dingen die ik niet opmerkte. Toen hij deze zwakke schakel onder mijn aandacht had gebracht, kon ik aan niets anders meer denken. En zoals hij van tevoren had geweten, kocht ik de Etruskische kelk.

'Waar gaat u die opslaan?' vroeg Giovanni zich af. Bij een antiquair in Castello kocht ik een pronkkast en drie stoelen. Ik kocht een schrijftafel en een kleine kist voor mijn boeken. Dat zette de sluizen open. Aanvankelijk werd ik benaderd door een stuk of tien antiquairs, maar later wist een hele vloedgolf van die lieden me te vinden en achtervolgden ze me in de hoop hun spullen te verkopen. Ik begon meubilair en paneelwerk te verzamelen, deuren en wandkleden, kamerschermen en zitkisten, tafels, bureaus en stoelen. Giovanni stimuleerde dit genadeloos.

De zomer ging voorbij, en nog steeds was Donna Donatella niet gekomen. Giovanni werd, tijdelijk, de opzichter in Quarata. Hij stuurde Piero naar me toe om in zijn plaats als manusje-van-alles te fungeren. Piero en ik vonden samen de eerste lading meubelstukken en lieten ze naar de opslagruimten brengen die we op de bouwplaats achter de zuidvleugel hadden laten maken. Piero had het dialect van Castello van de werklieden opgepikt en voelde zich thuis in de stad; hij vroeg er de weg, bestuurde het rijtuig, stelde me voor en hield me meestal gezelschap. En ik mocht Piero graag, vooral omdat ik meer dan wie dan ook aanvoelde dat hij ontroerd werd door de trom. Het ritme ervan was in zijn bloed gekropen. Zijn trommelstokken waren werkeloos en het getrommel was voorbij, maar Piero droeg het, net als ik, mee in zijn bloedstroom: TUM TUM/TUM TUM.

Een jaarlang had ik me aan het maatschappelijk leven onttrokken. Ik had een reputatie als excentriekeling en kluizenaar opgebouwd. Ik wist dat er geruchten de ronde hadden gedaan en hadden post gevat; mijn rijkdom was legendarisch geworden. Ik wist dat in heel Noord-Umbrië moeders me wilden strikken en aan hun dochter wilden koppelen; ik wist dat menig echtgenoot en vader tot vervelens toe aan het hoofd was gezeurd om een afspraak met me te arrangeren en me mee naar huis te nemen voor een huwelijk. Ik had hen gemeden als de pest. Ik was me ervan bewust, omdat geruchten ook altijd de betrokkene ter ore komen, maar had niets van hun plannen en strategieën willen weten, tot bij me opkwam dat hieraan ook voordelen verbonden konden zijn. Als Donatella arriveerde, zou ik me al een vaste positie hebben verworven in de kringen waar zij natuurlijk in zou verkeren. Ik zou zo gevierd kunnen zijn dat ik aan alle gelegenheden deelnam en als ik dat deed, zou ik haar vroeg of laat ongetwijfeld tegenkomen als ze was teruggekeerd.

Na mijn kortstondige depressie toen ze niet in Petrelle verscheen, herstelde ik me voldoende om in te zien dat mijn leven zonder haar zinloos was en dat ik leefde op hoop. 'Als' was een onmogelijkheid. Ik moest geloven dat ze kwam. Dat ze kwam, dat ze het paleis zag, dat ze me eindelijk zou opmerken. Dan zou ik voorgoed uit mijn droom ontwaken. Het paleis was een symbool van mijn liefde, net als de rijen granaatappelbomen die ik in het najaar had geplant, zodat ze daar in toekomstige jaren op haar muiltjes langs zouden kunnen wandelen. Ik had mijn hele leven wachtend doorgebracht. Ik zou opnieuw wachten. Niets kon de vlam van mijn geloof en verlangen temperen. 'Geen stortvloed van water kan de liefde blussen, geen rivier spoelt haar weg. Al bood iemand alles wat hij bezit voor de liefde, men zou hem met verachting afwijzen.'

Ik had het ontwerp voor een aantal kamers in de zuidvleugel op het Hooglied geschetst. Dat waren haar vertrekken, die op de tweede verdieping lagen. Ik bestelde het materiaal dat nodig was voor de afwerking, de vloertegels en het marmeren inlegwerk, het mozaïek voor haar kleedkamer en de gipsmodellen voor haar boudoir, de Venetiaanse draperieën en zelfs de sinaasappelbomen voor haar balkons. De komende winter zou niet verlummeld worden, en als ze het volgende jaar kwam, zou ik niet alleen de oostelijke toren af hebben, maar ook een aantal kamers om haar het hof te maken.

Intussen sprokkelde ik alle beetjes informatie bijeen die ik bij haar oude vrienden en buren in Castello kon vinden. Ik droeg het beeld van haar mee, dat als een fresco in mijn geheugen lag, zo diep dat het tot op het bot ging. Ze was slank en haar hals was lang en gewelfd. Haar gezicht was gelijkmatig en prachtig van vorm. Ze had hoge jukbeenderen, haar neus was recht en lang, en haar ogen stonden een beetje schuin, waren amandelvormig en bruin met grijze spikkels. Hoewel haar ogen helder waren, reflecteerden ze het licht niet, maar absorbeerden het. Ze had een blanke huid waar een lichte gloed van zonlicht over schemerde alsof ze in amber had gebaad. Haar haar was blond noch bruin. Het had de kleur van de schutbladen van rijpe maïs, lok na lok gekleurd door de zomer. Het riep een beeld van overdaad op dat me met ontzag vervulde. Haar nek was bedekt met ivoorkleurige donshaartjes. Haar lippen waren vol en sensueel. Toen ik ze zag, waren ze karmozijnrood geweest, misschien gekleurd door de granaatappel die ze at. Ze diepte elk pitje met een speld op en genoot er met intense aandacht van. Als ze rustte, leek ze onnatuurlijk stil. Als ze glimlachte, lichtte haar hele gezicht van binnenuit op.

Ze wierp één keer een blik door de tuin en zag me knielen bij de kapotte steen. Ze wierp me een glimlach toe die even plotseling oplichtte als verdween. Ze had lange, delicate vingers en haar muiltjes waren in mijn ogen piepklein. Toen ze langs me heen liep, liet ze een geur van oranjebloesem achter. Toen ze langs me heen liep, was ik met stomheid geslagen.

Mijn oog was erin geoefend om schoonheid te onthouden. Ik prentte haar schoonheid in mijn geheugen, en haalde me haar gezicht en handen en hals tot in het kleinste detail voor de geest om haar huid in steen over te brengen. En elke steen die ik bewerkte, wilde ik met levenselixer bezielen om haar te kunnen verleiden en haar huid te kunnen strelen in plaats van de keiharde steen.

In Castello hoorde ik dat Donna Donatella graag danste. Ze had met alle begerenswaardige vrijgezellen uit de stad gedanst, maar had zich onttrokken aan een huwelijk met een van hen. De heersende mening was dat een meisje niet zo uitbundig hoorde te dansen, tenzij ze een echtgenoot wilde bemachtigen.

Iedereen was het erover eens dat ze een zachte stem en een goed figuur had. Een rechter, die tien jaar ouder was dan ik en wiens gezicht net zo gespikkeld en dooraderd was als een stuk marmer uit Verona, fluisterde me toe dat Donna Donatella haar hals welfde als ze lachte en zo'n verwarrend sensueel geluid liet horen dat het hem altijd was bijgebleven. Soms diepte hij haar lach op uit het archief van zijn geheugen om hem door de lange uren heen te helpen die hij op de rechtbank doorbracht.

In Castello hoorde ik dat Donna Donatella een eigen boomgaard had. Dat ze van bijen en fruit hield. Ik hoorde verhalen over haar nectarines, vijgen, abrikozen en sinaasappels. Ze had citroen- en mandarijnebomen, die zo overvloedig vrucht droegen dat ze mandenvol naar het weeshuis of naar de nonnen van Sint-Clara bracht. Ik hoorde dat Donatella's moeder was overleden toen ze nog klein was. Haar twee broers waren ouder dan zij en er werd weinig goeds over hen verteld. Tijdens de oorlog waren ze in ongenade gevallen en hadden in de stad een vorm van verraad gepleegd waar alleen op werd gezinspeeld, maar dat nooit werd gepreciseerd. Ik hoorde dat Donatella ondanks hun wandaden van hen hield.

Er werd me verteld dat Donatella's vader haar had vertroeteld als een bekroonde vrucht. Hij had haar vreemde en buitenissige zaken bijgebracht die voor een adellijke dame in Castello onnatuurlijk waren: ze sprak Latijn, Grieks en Frans. Ze bespeelde het spinet. Ze had een zangleraar uit Napels die haar stem schoolde. Haar vader, die arme man, aanbad haar en kneep een oogje toe voor haar fouten. Als ze in de orangerie geen bomen aan het enten was en de natuur niet verstoorde door peren aan appeltakken te laten groeien, verdeed ze hele dagen met het lezen van boeken. Als haar moeder nog geleefd had, zo werd me verzekerd, had ze dat niet gemogen.

Donna Donatella ging haar eigen gang en liet een vleugje oranjebloesemwater achter en de kille adem van afkeuring van de stad die buiten haar tuinmuren lag.

Van een bezadigde dame die zelf drie dochters had, hoorde ik dat Donatella een hekel had aan laarzen en schoenen. 'Mijn naaister woonde bij hen in, dus die kan het weten. Ze zei dat het begonnen was toen Donatella nog een kind was. Ze weigerde schoenen te dragen. Ze wilde per se muiltjes. Satijnen muiltjes waarvan de neus met borduurwerk was versierd. Een moederloos meisje met de allures van een Chinese keizerin. Binnen en buiten, slenterend door de boomgaard, de as vertrappend van vuurtjes die ze had aangelegd om haar bomen tegen vorst te beschermen. En als de wind verkeerd stond, rookte ze soms de halve stad uit. Als die uit het oosten kwam, konden we de ramen van de salon niet openzetten om te luchten. Stelt u zich eens voor! Dat was Donatella ten voeten uit. Ze bezat meer zijden japonnen dan ze nodig kon hebben, al zou het elke dag van de maand zondag zijn, en je zag haar altijd wel met een of andere vreselijke vogel op schoot die ze gevangen had om zijn vleugels te spalken! De vlekken op haar japon gingen er nooit meer uit.'

Een van de voerlieden die voorraden uit Castello kwam bezorgen, nam zijn oude oom een keer mee voor een ritje. Giovanni kwam erachter dat hij vroeger de tuinman van Donatella was geweest.

'Ze wist veel van bomen. Ze kon ze enten. Ze nam een knop met een schildje van de ene boom, maakte een kruisvormige inkeping in de bast van een andere en entte daarin de schuin afgesneden knop. Die omwond ze met darm, en in het voorjaar groeide er dan een nieuwe loot aan. Dat had ze uit een boek, zei ze. Dat heeft me nooit lekker gezeten. Zo'n meisje die in de tuin onnatuurlijke dingen uitspookt.'

'Hebt u haar lang gekend?'

'O ja, ze was nog maar een hummeltje toen ik er kwam werken. Ze liep altijd achter me aan, met haar natte muiltjes door de dauw, gevolgd door haar kindermeisjes, die altijd mopperden.

Soms wist ze aan haar kindermeisjes te ontglippen en trok ze met haar broers op. Ik heb ze er een keer op betrapt dat ze in een vergiet slakken aan het koken waren boven een kolenemmer. De Fransozen waren toen in de stad, en zoals u weet, zouden die het vuil vanonder hun schoenen eten als het met een goede saus werd opgediend. De slakken probeerden steeds uit het vergiet te kruipen om aan de hitte te ontkomen, maar de jongens en zij duwden ze steeds weer terug. Ze speelden immers dat ze een Franse maaltijd bereidden.

Maar meestal was ze bezig dieren op te lappen in plaats van te kwellen. Ze had een warm plekje in haar hart voor zangvogels en hield veel van bloemen.'

'Praatte ze veel met u?'

'O ja, er waren dagen waarop ze honderduit kletste. Soms dacht je dat ze geen woord kon uitbrengen, maar er waren ook dagen dat haar mond niet stilstond.

En ik kreeg veel van haar. Ze gaf me zoveel fruit als ik mee naar huis kon nemen en kleren voor de kinderen. Ze gaf me massa's muiltjes voor mijn dochters. Niet dat ze die ooit aan konden, niet vanwege de maat trouwens, maar omdat ze van ragfijn geweven stof waren gemaakt.'

'Wat deed u er dan mee?'

'Mijn vrouw verkocht ze. Soms waren ze tot op de draad versleten, maar meestal waren ze als nieuw: glanzend en geborduurd met gekleurde zijde. Ze brachten op de markt een lieve duit op. Dat was een hele steun voor ons.'

'Is ze ooit teruggekomen?'

'Ik zou het niet weten. En ik zou niet weten waarheen ze zou moeten terugkeren. Het huis werd immers verkocht. Ze zijn weg; en u zou de boomgaard eens moeten zien, die is helemaal verwaarloosd.'

Deze bouwsteentjes voegde ik een voor een toe aan mijn mozaïek.

Ik kreeg weer plezier in het afleggen van bezoekjes, kleedde me piekfijn en liet me in het rijtuig van de verarmde hertog naar andere buitenverblijven en woningen rijden. Ik stuurde Piero met een lantaarn voor me uit om me bij te lichten als ik naar de imposante kastanjehouten voordeuren van vooraanstaande lieden in Castello ging. Piero en ik begrepen elkaar goed. Hij wist dat ik een spelletje speelde dat teruggreep op iets wezenlijkers dan ik ooit in de salons of aan tafel bij de plaatselijke adel zou vinden. Bij alle deuren negeerde Piero de grote schel en sloeg met zijn harde knokkels ons eigen signaal op het hout: TUM-tata/TUM-tata/TUM TUM/TUM TUM.

23

Angsten en zorgen zijn net als kwalen en pijntjes, de een heft de ander op. Mijn zorgen van vroeger om ontmaskerd of betrapt te worden en als bedrieger aan de kaak gesteld te worden waren vrijwel verbleekt bij mijn zorgen over hoe ik de verblijfplaats van Donatella kon achterhalen. Kakelende vragen naar mijn verleden vond ik nu eerder een ongewenste inbreuk op mijn privacy dan een potentieel risico. Ik was Gabriele del Campo, Garibaldino, voormalig krijgsgevangene, voormalig kapitein van de Roodhemden, geboren in Piëmonte, met verre verwanten in Ravenna, sedert lange tijd inwoner van Venetië. Dit alles was ik, ik geloofde er zelf in, dus waarom zouden anderen het ook niet geloven? Ik maakte me geen zorgen meer over wie of wat ik was geworden. Ik maakte me zo mogelijk meer zorgen over wie of wat ik was geweest.

De dood van mijn leermeester was een grote schok voor me geweest. Ik wist al vele maanden dat hij stervende was: zijn longen zaten vol marmerstof, zijn gelaatsspieren hadden het begeven, en een hand die vaardiger was dan die van hem of mij holde hem van binnen uit. Daarna werd het vlees van zijn botten gevijld en werd met een beitel al het overtollige van zijn gezicht wegge-

hakt tot er slechts een met perkament bespannen schedel over-
bleef. Zijn ademhaling werd belemmerd door de stofdeeltjes, zijn
woorden bleven steken in het stof dat zijn haar, wenkbrauwen,
lippen en neus altijd had bedekt na een dag beeldhouwen. Als hij
een beeld maakte, leek hij er zelf wel een te worden, net als ik vermoedelijk, maar hem kon ik zien; een macabere hoveling, het wit-
bestoven gezicht, de verbleekte botten.

Vlak voor hij stierf, probeerde hij me nog van alles te vertellen.
Zijn ogen zochten me, alsof ze door pure wilskracht zouden kunnen spreken. Hij maakte vreemde, schorre keelgeluiden en haalde raspend adem en filterde zo zijn laatste weken door het steen-
gruis. Hij stierf niet vredig. Hij had willen praten, me iets willen
zeggen. Hij greep mijn mouw vast met een kracht die ik niet in
zijn uitgemergelde lichaam had vermoed. Hij trok de stof strak
om mijn pols en trok me dichter naar zich toe. Hij probeerde te
fluisteren, maar kon slechts hijgend ademhalen. Hij vocht er
innerlijk tegen, verzette zich en kreeg het weer benauwd. Ik had
natuurlijk eerder mensen zien sterven, maar nooit zo langzaam
of zo moeizaam als hij. Ik wilde dat hij bleef leven. Ik was eenen-
twintig en kon nergens naar toe. Ik bleef bij hem. Ik wachtte tot
ze hem begraven hadden. Ik hielp zijn doodskist dragen, maar ik
heb geen grafsteen voor hem gemaakt. Hij stierf, en ik ging weg
alsof de elf jaar die we samen hadden doorgebracht een tas was
die je kon laten staan. Maar ondanks mijn instelling had hij me
beïnvloed; hij had mijn tas met steen gevuld en die reisde met me
mee, waar ik ook naar toe ging.

Ik ben Gabriele del Campo, maar de jongen die ik was geweest
was spoorloos verdwenen. Zelfs de engelen die ik had gemaakt
droegen het merkteken van mijn leermeester. Alleen mijn moeder en mijn twee jongere zusters zouden mijn bestaan hebben
kunnen bevestigen. Kort nadat ik uit Venetië hiernaar toe was
gekomen, nam ik het rijtuig en wees ik Florido, de koetsier, hoe
hij naar Gubbio moest rijden. Ik meed de stad zelf, die magie was
me toen te machtig, dus reden we vlak langs Monte Ignano en de

hoge grijze muren en de ingang van Sant' Ubaldo en reden langs de stad omhoog naar de kruising, waarvandaan een weg – niet meer dan een uitgesleten pad – naar mijn geboortedorpje voerde. Ik liet Florido aan zijn lot over en trok te voet verder om mijn moeder te zoeken. Het was bijna een uur lopen naar ons boerderijtje. Ik kende de weg goed en onderweg vielen me een paar veranderingen op. Een wilg die altijd kromgegroeid over het beekje had gehangen was omgevallen en er was alleen nog een puntige stronk van over. De vermolmde kastanjehouten plank, die als brug had gefungeerd, was bezweken en niet vervangen. Een stuk land waar vroeger maïs op verbouwd werd, lag nu braak en stond vol distels. Het meeste was hetzelfde gebleven, zelfs de wirwar van overblijvende lathyrus die elk jaar opschoot bij het kapelletje, en vlokken acaciapluizen die in een holte van elzewortels opgehoopt lagen. De lisdodden groeiden nog steeds op dezelfde plek, en een kapot hek lag nog steeds tegen dezelfde steen als vroeger. Je kon nauwelijks meer zien waar het huisje van Taddeo had gestaan, maar daarachter groeiden de wilde aardbeien op precies dezelfde plaatsen tussen de rotsen als ik me van vroeger herinnerde.

Mijn moeder was in de tuin doorntakken aan het samenbinden toen ik kwam. Ze hoorde me niet aankomen. Ik wilde haar niet laten schrikken, dus liep ik om haar heen op het kleine lapje grond. Ze worstelde zo met haar takken dat ze in zichzelf liep te mopperen. '*Dio buono*, werk nou toch mee!' siste ze tegen de weerspannige takkenbos. Toen ik klein was en ze me bij mijn oor pakte om me in een tobbe koud water schoon te boenen, zei ze dat ook tegen mij. Er hing de geur van vers brood in de lucht, vermengd met kippestront en gekookte spinazie.

'*Salve!*' riep ik.

Ik had een vreemd accent. Mijn moeder keek op en staarde me aan, maar zei een hele poos niets. Toen ik dichterbij kwam, deed ze een stap achteruit.

'Salve,' zei ze weinig toeschietelijk, en ze bond verder de strijd aan met het aanmaakhout.

Ik bleef staan waar ik stond, wachtend tot ze nog iets zou zeggen, vragen, me zou herkennen, zou vermoeden dat ik haar zoon was. Ze zei niets en keek zelfs niet op. Ik dacht terug aan mijn laatste rampzalige bezoek zoveel jaar geleden.

'Ik ben op zoek naar uw zoon, ik...'

'Hij is dood.'

'Nee, uw jongste...'

'Die is dood.'

'Ik ben op zoek naar de jongen die is weggegaan om steenhouwer te worden.'

'Ze zijn allemaal dood, al mijn zoons.'

'Maar wanneer is de jongste...'

'Wat maakt het uit als ze dood zijn?'

'Ik heb hem gekend.'

Ze keek niet op. Ze toonde geen belangstelling. Ze worstelde met de doorntakken en dwong ze te buigen voor haar wil. Met een nors gezicht knoopte ze een bies om de takkenbos. Ze had niets meer te zeggen en wilde dat er niets meer gezegd zou worden. Ze was klaar met de takkenbos en begon aan een volgende. Ze was koppig.

'Kent u me?' vroeg ik haar, want ik durfde haar niet 'moeder' te noemen. Ze keek niet meteen op, maar werkte door, toen hief ze langzaam haar hoofd op en keek toen weer weg.

'Nee, signor, waarom zou ik u kennen? U bent een vreemdeling.'

'Mag ik binnenkomen?' vroeg ik een stap naderbij komend.

'De meisjes zijn weg,' zei ze toonloos, 'de een is dood en de ander is weggegaan, dus die zult u binnen niet aantreffen,' zei ze met een hoofdbeweging naar het huis. 'U verdoet uw tijd, signor. U hebt hier niets te zoeken. Goedendag.'

Ze boog zich weer over haar werk, grabbelde de takken van de wilde pruimeboom bij elkaar en bond ze samen. Ik wachtte af. Zij zou echter de stilte niet meer verbreken. Ik wachtte om er zeker van te zijn en zei toen: 'Uw zoon heeft wat geld opgespaard en vroeg me of ik het u wilde geven.' Onderwijl haalde ik een buidel met geldstukken die ik bij me had te voorschijn en stak mijn arm uit. Mijn moeder deed weer een stap achteruit en haar stem klonk venijnig en ze kneep haar ogen tot spleetjes van woede.

'Ga weg, signor, en kom hier nooit meer terug. Neem dat geld maar mee. Denkt u dat ik alle dagen van mijn leven op de rand van de afgrond heb gebalanceerd en mijn evenwicht heb weten te bewaren om me nu mijn leven bijna voorbij is door u zo makkelijk over de rand te laten duwen? Ga weg.'

'Maar uw zoon... Ik heb het hem beloofd. Het goud is van u.'

'Ga weg.'

'Kijk me aan, signora, kijk naar mijn gezicht. Kent u me niet?' Mijn moeder nam mijn gezicht nog een keer op, hield haar ogen langer op me gericht en liet uitgebreid haar misprijzen blijken. Ze herkende me niet, vertoonde zelfs geen spoor van twijfel.

Ik wist niet hoe ik haar een plezier kon doen en evenmin hoe ik contact met haar kon krijgen, maar als bij een stuk steen dat ik bestudeerd had, wist ik wel wat haar zwakke plekken waren. Ik kende haar zwakheden en ik wist precies waar ik haar moest raken om haar open te splijten. Als ik haar alleen naar mezelf gevraagd zou hebben, zou ze geen interesse getoond hebben. Maar ik informeerde ook naar mijn oudere broer, en mijn moeder had nooit een gelegenheid kunnen laten lopen om over hem te praten. Hij was haar oogappel en haar hoop. Op een dag zou de Heilige Maagd haar met hem herenigen en tot die tijd zou ze de Madonna eren en afwachten.

'Ik ga zo, signora, en zal u met rust laten, maar eerst wil ik u nog iets vragen, en u moet eerlijk antwoord geven, zweer het bij de Heilige Maagd. Hield u van uw zoons?'

Mijn moeder keek om zich heen alsof zich spionnen schuilhielden tussen de bomen, kwam een stap dichterbij en zei: 'Van mijn oudste zoon, Giacomo, hield ik meer dan van wie ook ter wereld. Hij was sterk en snel en geestig en kwam ter wereld met een navelstreng die in de knoop zat, waardoor hij me heel dierbaar werd. Toen hij geboren was, heb ik de navelstreng doorgesneden, maar iets maakte dat Giacomo bij me bleef, als ik werkte, waste, sliep en de anderen in me droeg en voedde. Giacomo was er altijd.

Hij is gestorven aan de koorts. Ik heb hem begraven onder aan de heuvel in Campo Santo; daar hebben ze me toe gedwongen, ze kwamen hem bij me weghalen. Mijn liefde is met hem begraven, die rust in zijn kist. Ik heb hem in liefde gehuld om hem gezelschap te houden in de andere wereld. Toen hij doodging, was mijn liefde verdwenen.'

Ze wrong de woorden uit haar keel zoals water uit een linnen laken. Haar lippen trilden. Tijdens het praten bevrijdden haar lippen zich van de anders zo afkeurende strakke lijn, ontspanden zich en werden griezelig kwetsbaar. Ik verlangde ernaar me voorover te buigen en ze te kussen, me over haar heen te buigen en haar bruine, gerimpelde gezicht aan te raken. Alle tederheid die ik altijd in haar strenge borst had vermoed leek uit haar te zijn gewrongen, zoals zij haar grijslinnen bruidsschat had uitgewrongen.

'En uw andere zoon, degene die is weggegaan? Hebt u hem gemist?'

'Toen Giacomo stierf, kon ik hem niet vergeven dat hij leefde. Hij was het koekoeksjong in ons nest. Hij moest weg. Ik heb hem niet gemist. Hij had aan de koorts kunnen bezwijken en mij Giacomo kunnen laten. Hij moest hoe dan ook weg.'

'Hoe weet u dat? Waarom moest hij weg?'

'Het stond in de sterren geschreven.'

Ze was uitgesproken, draaide zich om en wilde teruglopen naar het bouwvallige stenen huisje met de rokerige keuken, waar ze voor het invallen van de duisternis het avondeten moest bereiden.

'Hoe weet u dat hij dood is, uw jongste zoon?'

Ze draaide zich niet om, maar liep verder naar de gebarsten stenen treden die naar de keuken voerden. Van onder het huis sloeg me een muffe walm van de opgesloten levende have tegemoet. De enorme struik salie die onder bij het opstapje groeide stond in bloei.

'Het stond op de muur.'

Ze liep langzaam verder de treden op; ze werd oud en hinkte een beetje. Ik was bang. Voor mij was de muur de gevangenismuur, en het enige wat daarop geschreven stond was de kalligrafie van de kogels. Wat kon mijn moeder daarvan weten? Hoe kon ze dat weten? Het was bijna griezelig; toen ik nog klein was, had ze al dingen over me geweten, had me betrapt op dingen die ik weliswaar gedaan had, maar die zij niet kon weten.

'Welke muur?'

Dit keer draaide ze zich met een ruk om, ze was me zat en wilde dat ik wegging. We hadden een overeenkomst gesloten: zij had gesproken en nu moest ik weg. Dat sprak uit haar vurige donkere ogen.

'Op de muur stond een lijst met namen en de naam van de jongen stond erbij. Ik kan niet lezen, signor, en dat heb ik ook nooit gewild, maar iemand heeft ons verteld dat de jongen dood was.'

Ze duwde haar keukendeur open en sloeg die met een klap achter zich dicht.

Ik liet mijn buideltje met munten achter op de stenen richel van de grove stenen treden die mijn moeder net was opgelopen. Ze kon het houden, laten liggen of begraven. Ik kon niet anders dan het achterlaten. Daarna liep ik door het bos de heuvel af. Ze had niet gezegd 'mijn zoon' stond op de lijst, ze had 'de jongen' gezegd, de koekoek die ze met tegenzin had grootgebracht en die ze met plezier had zien vertrekken. Ik bleef staan bij de kapel van de Heilige Maagd in de bocht van de weg voor de beekjes en raakte het kleine beeld aan. Het was van gips en een stukje van haar blauwe gewaad verkruimelde onder mijn handen. Ik voelde me weer even tegen de muur staan en dacht terug aan die tijd.

Er leek plotseling een kille mist op te zetten, en de kikkers kwaakten. Het leek of het stugge gras onder mijn voeten was veranderd in platgetreden aarde en keien waartussen wikke groeide.

Het leek of de blauwige bergen aan de horizon zich samenbalden tot een hoge stenen muur. Ik stond voor die muur en zocht steun bij de flarden van herinneringen aan mijn moeder. Toen kwamen de kogels en viel ik neer. Ik viel door de keien, door de handen van de soldaten. Ik viel door mijn jeugd. Ik viel door open velden en door gangen van Etruskische graftombes. Ik viel door tufsteen, door afbrokkelende kalksteen. Ik viel door de klokketoren van Sant' Ubaldo, door de trommen van de tijd. Ik viel door water, door een dood paard. Toen werd mijn lichaam een uit staal geslagen en gesmede beitel, die zo werd gewet dat elk deel ervan door steen kon houwen. Ik wierp een berg stof op zo hoog als de Monte Ignano. Toen rende ik er drie keer omheen. Daarna deed ik het stof in mijn zakdoek en sloeg op het paneel van mijn herinneringen: uitgehouwen in steen, en het donkere stof werd in de uitsparingen van het paneel gedreven zodat het beter leesbaar werd. Krekels tsjirpten. Er kraaide een haan. Mijn voeten zochten de weg naar huis, heuvelafwaarts, over de richels hard geworden aarde. Ze vonden de weg terug naar de plek waar Donna Donatella me zou kunnen vinden.

Toen plukte ik een paar lange stengels lathyrus met zijn paarsbruine, papierachtige bloemen en liep naar Florido. Ik zag het rijtuig half verscholen aan de rand van het eikenbos staan. Florido lag in het gras te slapen. Ergens achter me riep een koekoek. Ik bleef staan, maar vervolgde toen mijn weg; het was juni in Umbrië en bij elke bosrand riep de koekoek.

24

'Zo kwam het dat Jakob zeven jaar werkte om Rachel te krijgen. Die jaren leken hem maar enkele dagen; zoveel hield hij van haar.' Genesis 29:20. Deze tekst kwam ik telkens weer tegen als ik mijn tekeningen doorbladerde en de woorden lieten me niet los. Het stoorde me en daarom haalde ik de tekst uit de trommel. Het was een bladzijde met een tekening van een privé-vertrek, een achthoekige kamer om pronkstukken neer te zetten. In de gevangenis was hij me dierbaar geweest, en ik had de tekst er speciaal voor uitgekozen. Zeven jaar had me toen geen eeuwigheid geleken. Het was een willekeurige bladzij uit Genesis die op een of andere manier niet tot papier-maché voor de speelkaarten was verwerkt. Door hem apart te houden leek ik hem echter met een diepere betekenis te bezielen. Ik had mezelf tot taak gesteld alle plannen van alle tekeningen uit de trommel uit te voeren, maar ik maakte een uitzondering voor de achthoekige pronkkamer en verbrandde hem. Ik kon wachten, telkens weer een zomer, maar de gedachte zeven jaar te moeten wachten was ondraaglijk, ook al was ik er zeker van dat mijn liefde groter was dan die van Jakob. En voor hem was het te doen, hij woonde in hetzelfde huis als Rachel terwijl hij werkte, maar ik had alleen mijn dromen en het verlaten kasteel in Petrelle met de drie naar uien stinkende dochters van de beheerder om me te steunen.

Giovanni's loyaliteit jegens mij kwam onder druk te staan. De middelste dochter uit Petrelle baarde hem een zoon, een betoverend, zwartharig jongetje met Giovanni's krullen en lachje en dezelfde trage manier om de wereld te beschouwen door sensuele, halfgesloten ogen. Ik werd peetvader van het jongetje dat naar me vernoemd werd, en na enig verbeten onderhandelen met Maria's vader (die eruitzag als een halvegare, maar achter wiens slome blik een verstand schuilging dat zo scherp was afgesteld als een val), trouwde zijn dochter met veel pracht en praal met Piero. Giovanni had het meisje het eten van rauwe uien al afgeleerd, en Piero was dolgelukkig met zijn bruid, ondanks haar snor. Hij kreeg haar zelfs zover dat ze ansjovis ging eten en hij leerde haar rozijnen door de pastasaus te doen. Zij vormden het eerste gezin dat zijn intrek nam in het paleis, in een tweekamerappartement op de begane grond van de oostelijke vleugel. Giovanni en Florido, die aangrenzende kamers hadden, braken de tussenmuur uit en herschiepen zo het Venetiaanse getto, een klein hofhouding van zeevaarders met de mollige Gabriellino als de kind-koning.

Het paleis schoot goed op; het bouwen verliep nu in een gestadig tempo en liep alleen vertraging op door uitzonderlijke kou of, wat ernstiger was, door droogte. Toen onze greppels waren volgelopen en de bron voor een overstroming zorgde, had het ernaar uitgezien dat er nooit gebrek aan water zou zijn in Quarata. Het was potentieel een Venetiaans paleis. Zelfs de naam ervan betekende water, 'Aquarata', een plek waar water in overvloed is, maar toch wierpen de zomers roet in het eten. Hoe meer we bouwden, des te meer water we nodig hadden. We moesten de steen wassen, het marmer snijden, de specie mengen, het gruis wegspoelen. In juli slonk de bron door de verzengende hitte tot een klein stroompje. We moesten dus water kopen en invoeren. De ossespannen sleepten grote vaten vol aan. Tijdens het eerste jaar was dat voldoende, maar in het tweede en derde jaar was de aantrekkingskracht van de premie die we uitloofden voor het aanvoeren van water zo verminderd, dat het werk vertraging opliep. Geld had niet meer de onmiddellijke verleidende werking als in het eerste jaar. Er heerste nieuwe welvaart in Morra, daar zorgde het paleis wel voor door maand in maand uit voor loon te zorgen. Er werden meters stof van gekocht en klompen van wilgehout, wiegjes en stoelen, houwelen en spaden en schalen; zaken die men eerst had moeten ontberen en die je alleen met geld kon aanschaffen. Toen die dingen eenmaal waren aangeschaft en er altijd polenta, kastanjes en vers brood op tafel stonden, was er geen behoefte meer aan geld. Ik had mijn arbeiders, maar van juni tot september en soms tot oktober had ik niet genoeg water.

In het derde jaar bood ik een vat wijn voor een vat water. Dat werkte. We hadden nooit meer gebrek aan water, hoewel Giovanni zich er zorgen over maakte dat we zonder wijn zouden komen te zitten. Ik wees hem op de vele hectaren wijngaard op mijn landgoed. Hij bracht me in herinnering dat alles onder de mezzadria viel: de helft van de wijn ging naar de mannen die het land bewerkten, de andere helft naar mij. Het was voldoende. De bouwkoorts werd aanstekelijk. Overal in de streek begonnen mensen hun kelders uit te breiden om de nieuwe wijn te kunnen opslaan.

Toen Gabriellino drie was, begonnen Giovanni en Piero zich zorgen te maken. Ze deelden het vaderschap en vatten hun verantwoordelijkheden ernstig op. Giovanni kwam naar me toe.

'Signor, ik moet met u praten over Gabriellino's geboorterecht.' Ik wist dat Giovanni de gewoonte had om in mijn spullen te snuffelen. Vanwege de stank had hij altijd een hekel gehad aan mijn trommel met tekeningen, maar omdat hij dronken was, vreesde ik dat hij erin had zitten neuzen en nu een of ander bijbels recht kwam opeisen. Giovanni was enorm veranderd sinds we in Umbrië waren komen wonen. Het zou me niet verbaasd hebben als hij ineens godsdienstig was geworden.

'We moeten water hebben, signor. U moet een lagune aanleggen. Gabriellino moet leren roeien. We zijn gondeliers. Hij moet over het water leren lopen.'

Soms, als de nachten stil waren en de sprinkhanen zongen in de velden met klaprozen die na het graafwerk waren opgekomen, ging ik liggen en keek naar de sterren. Ik zocht mezelf, niet een naam, maar een rol, een bestaansreden. Ik kwam nooit verder dan de schepper van het paleis, de architect, de toekomstige geliefde van Donna Donatella, de zogenaamde vriend van Imolo Vitelli. En soms vroeg ik me af wat anderen dachten dat ik was, niet van naam, maar weer qua rol en bestaansreden. Giovanni maakte geen misbruik meer van mij, noch ik van hem, hoopte ik, en onze band was hechter geworden.

'U moet een lagune aanleggen,' zei hij alsof dat een eenvoudige zaak was voor een sterveling. 'Gabriellino heeft dat nodig.'

Toen hij me alleen had gelaten, vroeg ik me af hoeveel mannen er nodig zouden zijn om een meer te graven, welke werktuigen daarvoor nodig waren of ontworpen moesten worden om het te vergemakkelijken. Ik probeerde te bedenken hoeveel geld en hoeveel jaar het zou kosten. Mijn gedachten maakten de sprong naar hoeveel geld ik nog over had en hoeveel ik al had uitgegeven. Ik had in Venetië veel geld verdiend, maar na vier jaar bouwen in Umbrië moest ik er al heel wat doorheen gejaagd hebben. Hoeveel?

Bij twee vleugels van het paleis waren we al aan de vierde verdieping. We konden aan het dak beginnen. Er zouden zesendertig afzonderlijke soorten dakbedekking komen, een voor elke kaart uit het briscola-spel. Het bos op de verste helling van de Zeno Poggio was vorig jaar gekapt en het hout had kunnen drogen, zodat de hoge eiken als balken en steunbalken konden dienen. Voor de belangrijkste balken had ik een oud kastanjebos in de omgeving onder Muccignano laten uitdunnen. Sommige bomen waren zo'n driehonderd jaar oud; het leek heiligschennis om ze te kappen. Maar een gebouw moest zinken door de steen en drijven door het hout, en mijn obsessie voor het paleis had al tot misdaden geleid. Ik sloeg me uit wroeging op de borst en plengde een krokodilletraan, waarna de grote kastanjes werden geveld.

In de weken die volgden maakte ik de balans op en begon in te zien hoe loyaal en kundig Giovanni Contarini was geweest. Ik begon zelfs te geloven dat zijn bewering tot de beroemde familie Contarini te behoren waar was; hij beschikte over ware handelsgeest. Ik zou mijn goud onder een boom hebben begraven en elke week hebben opgedolven wat ik nodig had, maar hij had mijn geld geïnvesteerd in de Monte dei Paschi-bank en had het steeds in aandelen en obligaties laten omzetten. Hij had ook wat geld achtergehouden om er in Venetië zaken mee te financieren die meer dan het drievoudige van de investering opbrachten. Het was of hij zijn zakken zout in diamant had veranderd. Ik had dagen geleden onder het schrikbeeld terug te moeten gaan naar Venetië om bij Bastoni mijn geluk te beproeven, maar ik zou nooit meer om geld hoeven spelen. Giovanni had mijn landerijen en geld zo goed beheerd dat ik voldoende had voor het dak, voor de afwerking van de zalen, de aanleg van de tuinen en een meer, en nooit meer uit Quarata weg zou hoeven gaan. Gabriellino zou zijn gondel krijgen en ik zou bovendien wat geld voor hem vastzetten.

'Giovanni,' zei ik toen we alleen waren en de volle omvang van zijn genialiteit tot me was doorgedrongen, 'wat kan ik voor je doen, wat kan ik je schenken om te vergoeden wat je allemaal voor me hebt gedaan?'

'Uw droom volgen, signor,' zei hij glimlachend, terwijl hij de krullen van zijn voorhoofd schudde. 'Mijn hele leven ben ik langs het enorme paleis van de Contarini's gevaren. Mijn vader vertelde me over wat ons deel had kunnen zijn. Daar verlangde ik naar. Het was mijn vurigste verlangen. Ik kon me zelfs geen ander paleis voorstellen; in Venetië is geen ruimte voor iets nieuws. Ik zat klem omdat ik niets bezat. Ik leerde om dingen zo snel als sardientjes door mijn handen te laten glippen, heen en terug, dat was makkelijk, maar iets maken, signor, wat standhoudt, dat imponeert jongens als ik en laat ze de grootsheid van God en de onsterfelijkheid van de mens ervaren...' zei hij glimlachend, ingenomen met zijn woorden, door de lengte ervan en de rijke klank die zijn mond ze verleende.

'U hebt uw droom met me gedeeld, signor. Een groter geschenk bestaat er niet. U hebt hem tot de mijne gemaakt. Ik wil dat u hem uitvoert. Wanneer Donna Donatella dit paleis binnenstapt, zal ze versteld staan van de prachtige kaarten die het lot u heeft toebedeeld, en zult u haar hart in uw hand houden. Dat, signor, zal Giovanni tot een rijk man maken: de Venetiaanse rijkdom die uit het verzamelen van schoonheid bestaat.'

Op dat moment wilde ik Giovanni van alles toevertrouwen. Ik wilde hem de waarheid vertellen. Toen ik begon te praten, legde hij zijn vinger tegen zijn lippen.

'Als u een meer en een veld vol lelies aanlegt, zal ze gauw komen.'

25

Met behulp van driehonderd man en twintig ossen werd er op een open plek in de bossen ten zuiden van het paleis een meer uitgegraven. Ik had een plek uitgekozen waar het door een natuurlijke stroom gevoed kon worden. We damden de beek in en verlegden de loop ervan, en toen begon het werk, een grootschaliger herhaling van het graven van de funderingen. Dit keer werd er minder gewanhoopt. Het paleis was de trots van Morra geworden. Hoewel het nog niet klaar was, kwamen mensen uit heel Umbrië ernaar toe om het te bewonderen. Ik ontving ze onder een baldakijn waar stoelen en bankjes, en tafels met karaffen van geslepen glas met likeur en mousserende wijn klaarstonden. Toen de graafwerkzaamheden werden hervat, deed het gerucht de ronde dat dit het begin was van een nieuw bouwwerk. De breedte en diepte ervan waren angstaanjagend. Maar onze onderneming werd gekenmerkt door hoop, en de mannen hoopten dat dit nieuwe graafwerk geen uiting van beginnende krankzinnigheid was.

Terwijl de graafwerkzaamheden vorderden, stuurde ik een tussenpersoon naar Holland om naar lelies te informeren en een voorraad bollen mee terug te brengen. Hij liet weten dat er vele variëteiten bestonden en stuurde een lijst mee. Bij mijn keuze ging ik alleen op de namen af: Turkse lelie, koningslelie, madonnalelie, tijgerlelie, aronskelk en tal van andere soorten. Tienduizend bollen werden in turf verpakt en per schip naar Livorno vervoerd. We ploegden het land aan de overkant van het meer, dat nog droog was en waar het graafwerk nog aan de gang was, en plantten de dikke, knoflookachtige bollen in ondiepe kuilen.

Toen ik toezicht hield op het planten in de druk belopen klei, bleven er kluiten aan mijn laarzen hangen, waardoor mijn voeten zo zwaar werden dat het leek of ik bij elke stap boeien en ketenen meesleepte. Mijn gedachten gingen terug naar de negentien schakels die me ooit met Vitelli hadden verbonden, en in mijn hoofd verscheen het beeld van mijn celgenoot; ik voelde hem in mijn nabijheid.

Er kwam een bezoeker aan die mijn naam riep. Ik draaide me om en verwachtte een van de nieuwsgierige Castellani te zien die regelmatig naar de bouw kwamen kijken, maar was verbijsterd toen ik aan de overkant van het gapende graafwerk voor het meer de man zag staan die me in het leven had geroepen. Het was Vitelli, met grijs haar en magerder dan hij ooit was geweest, maar het was onmiskenbaar Vitelli. We liepen elkaar tegemoet.

Hij wilde me op een armlengte afstand houden om me te kunnen bekijken. Ik wilde hem in mijn armen nemen. We omhelsden elkaar onhandig, toen voerde hij me weg van de werklieden om de tranen te verhullen die me deden schokschouderen. Vitelli pakte me bij de arm en duwde me voort, ondersteunde me tijdens het lopen, aan één stuk door pratend en hield me op de been tot de schrik was afgenomen, en ik weer op eigen benen kon staan. Hij deed eigenlijk wat hij altijd had gedaan.

'Je hebt wonderen verricht, Gabriele. Ik wist dat je het kon. Ik heb het zo gehoopt. Het leek allemaal zo onwaarschijnlijk dat het wel waar moest zijn. En je hebt hier iets Venetiaans overgebracht, ongelooflijk! En dit?' vroeg hij met een armgebaar naar het aflopende grondwerk achter hem.

'Dat is een lagune.'

Vitelli lachte, hield zich in en barstte opnieuw in lachen uit. Hij liet mijn arm los en drukte mijn hoofd tegen zijn schouder.

'Ja, een lagune,' zei hij, en hij liet me zo onverwachts los dat ik achterovertuimelde en tegen de doorns van een jeneverbes schampte. 'Dat had ik kunnen raden: de aardrijkskundige katalysator verplaatst een lagune naar een bos in het binnenland... Zeer geïnspireerd en deze plek waardig. Weet je dat Morra een plaats voor denkers is? Het dankt zijn naam aan de Romeinen: *dimorra*, rustplaats. Hier rustte Hannibal om zijn strategie te overdenken voor hij verder trok naar het meer van Trasimeno en de Romeinen versloeg. Nu bouw jij je eigen Trasimeno, maar op kleinere schaal natuurlijk. Het lijkt me trouwens het enige wat je op kleinere schaal doet. Ik had nooit gedacht dat het paleis zo groot zou worden.'

We waren bij het plateau gekomen dat eromheen lag. Vitelli liep met grote passen. Ik had hem eigenlijk nooit in de buitenlucht gezien. Ik wist niet dat hij zulke grote stappen nam. In onze cel had hij noodgedwongen moeten schuifelen.

'Vitelli,' zei ik toen ik weer bij mijn positieven was gekomen, 'waar bent u geweest?'

'Ik heb je gadegeslagen, Gabriele. Ik was in de buurt.'

'Maar waarom? Waarom, terwijl ik u zo heb gemist en nodig had?'

'Goed, je hebt me gemist, maar nodig had je me niet. Je moest op eigen benen staan. Je hebt zelf de gondelier gevonden en daar complimenteer ik je mee,' zei hij en als eerbetoon nam hij zijn hoed af. 'Ik ben moe,' zei hij. 'Ik kan wel een glas wijn gebruiken. Laten we gaan zitten en als ik ben bijgekomen van de wandeling, moet je me rondleiden door je geestesprodukt. Leid me rond door de kamers. Ik heb met veel ongeduld op deze dag gewacht.'

Ik voerde hem mee naar het baldakijn en schonk hem een glas Rubesco in, dat hij snel achteroversloeg om daarna zijn glas schuin te houden om te worden bijgeschonken.

'Het toeval is een meesterlijk vakman, Gabriele; het kiest zijn werktuigen en gebruikt die om zijn plannen uit te voeren, ongeacht wat wij doen of willen. We kunnen niet beeldhouwen met een verfkwast, of het canvas beschilderen met een beitel. Het toeval heeft ons lot, lang geleden in die cel, met elkaar vervlochten. Het ketende mij, een man die ooit bruiste van het leven maar die het leven beu geworden was, aan een jongen die nooit echt had geleefd. Het ketende jouw dorst aan mijn overvolle verzadiging. Het ketende jou, de leerling-steenhouwer die zo verliefd was op de onbekende Donna Donatella, aan mij, haar lievelingsneef.'

'Wat zegt u nu? Wat...'

'Waarom ik je dat niet heb verteld? Waarom ik niets heb gezegd tijdens al die nachten dat jij me je liefde voor haar beschreef?' verzuchtte hij. 'Als je toen, in de gevangenis, had geweten dat ze van een ander hield, dat ze met een ander verloofd was, zou je dan het paleis hebben gebouwd?' Ik boog mijn hoofd. Alles deed me pijn. De wijn liet een wrange smaak achter.

'Ze is weer vrij, Gabriele,' zei hij zacht, mijn arm aanrakend om mijn aandacht te trekken. 'Ze is weduwe geworden. Ze hield van haar man met een intensiteit die bijna even groot is als de jouwe. Hij was om haar geld met haar getrouwd, maar hield niet echt van haar. Na zijn overlijden is ze naar het buitenland gegaan en heeft daar een jaar rondgereisd. Nu is ze teruggekomen. Voor het nieuwe jaar aanbreekt, komt ze naar Petrelle om er te wonen. Ze is veranderd. Het lot heeft haar ineengewonden tot het garen dat ze is, klaar om in dit tapijt verweven te worden. Je moet haar binnenvoeren in het paleis zoals je mij er nu zult binnenvoeren. De rest ligt in handen van het lot.'

Ik liet hem de ontvangsthal zien met zijn hoge plafonds en de hoge ramen, met onder elk daarvan plaats voor een sinaasappelboom. Ik liet hem het vloermozaïek zien in het roze travertijn, dat als een groot blok uit Assisi was gehaald en tot tegels was versneden. Ik liet hem de wenteltrap zien, die in alle pracht vier verdiepingen hoog reikte. Wit ongepolijst marmer uit Assisi; elke trede zo dik als mijn lichaam en met een vaste hand afgerond. Ik liet hem de trapleuning zien die een kopie was van een brug in Venetië. Ik liet hem de overlopen zien waar platen wit travertijn lagen van vier meter lang en zestig centimeter dik, waarvoor een ingenieur uit Arezzo was overgekomen om te bedenken hoe die omhooggetakeld konden worden. Ik liet hem zien hoe de kamers vanaf de trap uitwaaierden, van vleugel naar vleugel tot aan het gedeelte dat nog in aanbouw was. Ik liet zien hoe ze in elkaar overliepen en zich uitstrekten als ontelbare aders die uitkwamen op een slagader. Ik liet hem mijn bibliotheek zien met de notehouten lambrizering, op maat gemaakte boekenplanken en het bestiarium van houtsnijwerk waarmee de zuilen tussen de boeken waren versierd. Ik liet hem met trots mijn boeken zien, bijna met verlegenheid, omdat ik vooral wilde dat die zijn goedkeuring konden wegdragen, meer nog dan al het andere. Ik liet hem de nog niet voltooide kamers zien, met hun kale stenen muren en gapende openingen waar schoorsteenmantels zouden komen. Ik liet hem de kamers zien die al wel klaar waren, en waar fluwelen draperieën hingen met een motief van Venetiaanse draken. Ik liet hem de schatten zien die ik vroeger in de pauwensalon van San Lio en op de binnenplaats aan het kanaal van de Rio della Guerra had opgeslagen. Ik liet hem de pilasters zien die ingebouwd waren in het pleisterwerk, panelen van renaissancemeesters die in de muren waren verwerkt. Ik liet hem mozaïekvloeren zien met afbeeldingen van Griekse mythen die hij me had verteld, en stenen met inscripties die ik met mijn eigen gereedschap had uitgehakt.

Ik liet hem de eetzaal zien. Die was nog niet klaar, maar hij bood uitzicht naar alle kanten – de reden waarom hij zo was ontworpen. Ik nam hem mee naar de loggia, door de vier boogramen in de westelijke muur die wel vijf meter hoog waren. We stonden bij de vier terracotta bogen van de loggia, die identiek waren aan de bogen in het vertrek, maar blootgesteld aan de lucht, en ik vertelde hem dat hun eenvoudige vorm me in een droom was verschenen. Ik nam hem mee naar boven in de toren van de wind en vertelde hoe we ons gehaast hadden om die te voltooien. Ik overvoerde hem met zoveel aanblikken en zo'n rijkdom aan vorm, dat ik zag dat het hem duizelde.

Toen hij lang genoeg in de toren van de wind had verkeerd en het fijne beeldhouwwerk bij de aanzet van het gewelfde plafond had kunnen betasten, zei ik: 'Nu zal ik u de vertrekken van Donatella laten zien.'

De deurposten waren er rijker versierd dan bij enig ander vertrek in het paleis. Ik had maanden lang aan de kroonlijst gewerkt. Aan beide zijden was een engel met het gezicht van Donatella zoals ik haar had gezien toen ik nog een jongen was. Ze knielden en hielden tussen hen in een sinaasappelboom vast. Rond om de deurpost waren granaatappelbomen en lelies afgebeeld. Tussen de engelen had ik een tekst uit het Hooglied uitgehakt. Vitelli las die hardop toen we ervoor stonden. Tijdens de rondleiding was hij vrijwel sprakeloos geweest.

'Steek op, noordenwind, kom, zuidenwind, en blaas over mijn tuin, zodat de geuren zich verspreiden! Laat mijn lief in zijn tuin komen en er genieten van de kostelijke vruchten!'

26

Hoewel Vitelli zijn intrek had genomen in hotel Tiferno in Castello, liet ik hem niet gaan. Hij was oververmoeid door mijn rondleiding. Die avond ging hij vroeg naar bed en was bijna te moe om te eten. 's Ochtends had hij zich weer hersteld en praatten we verder. Hij vertelde me wat ikzelf al had geconstateerd: hij was een ziek man. Ik drong erop aan dat hij hier zou blijven, en hij zei dat hij al had gehoopt dat ik hem dat aanbod zou doen. Ik liet hem zelf de kamers kiezen en hij zei dat de keus op de oosttoren was gevallen, omdat het daar minder stoffig was dan in de rest van het paleis.

'Ik ben eraan gewend,' vertelde ik hem. 'Ik ben ermee opgegroeid en mijn meester is eraan gestorven. Zolang er wordt gewerkt, zal het stoffig blijven. Alles is met een dun laagje stof bedekt. De vrouwen maken regelmatig schoon, maar dat haalt weinig uit, het zit in de lucht, in mijn haar, in mijn ogen en in het eten. We eten het, drinken het en slapen ermee; de smaak van het gruis van Quarata.'

'Hmm, aangezien ik niet aan stof wil bezwijken en je toren van de wind er op wonderbaarlijke wijze bijna van gevrijwaard is, zal ik op de eerste verdieping mijn zitkamer maken, op de tweede mijn studeervertrek, op de derde mijn slaapkamer, en omdat je zoveel kamers hebt gemaakt, zal ik in de andere drie rondzwerven met geen ander doel dan er een ruimtelijk gevoel te krijgen, en soms, Gabriele, zullen we in het hoogste vertrek naar de sterren gaan zitten kijken en alle wereldproblemen oplossen met een fles cognac erbij.'

Door de komst van Vitelli veranderde het hele paleis. Van een gebouw en een bivakplaats werd het vrijwel van de ene dag op de andere tot een villa getransformeerd. De catacomben met kamers die nog niet klaar waren, werden met platen hout afgeschermd van de meer voltooide broers. Rekening houdend met de afkeer van stof van mijn gast werd de bouw van de zuidvleugel stopgezet. Dat leek toen een kleine ingreep, geen beslissing waardoor hij altijd onaf zou blijven. Mijn menagerie werd een huishouden. De katten, honden, konijnen, kippen, ganzen, eenden, varkens, en de tamme wolf die Florido van jongs af aan had opgevoed, werden ineens opgesloten in plaats van vrij door de kelders en over het terrein te mogen rondzwerven. En de handwerkslieden die hun tenten hadden opgeslagen in de kelder van de zuidelijke vleugel en wier spullen tot in de jonge wijngaard lagen, waardoor het wel een zigeunerkamp leek, ordenden hun tassen, gereedschap en hun bontgekleurde bundels met bezittingen. Ze haalden hun wasgoed van de haag van rozemarijn die Florido had aangeplant, brachten hun aanhang in hun eigen ruimte onder of stuurden die terug naar het dorp. 's Avonds temperden ze hun muziek en uitgelatenheid tot een redelijk niveau in plaats van de bandeloze joligheid waaraan ze zich zo lang hadden overgegeven.

Het Venetiaanse getto, dat bereikbaar was via een trap in de brede doorgang tussen de noord- en de zuidvleugel, werd ogenschijnlijk ook op orde gebracht. De lege ansjovisvaten die het eind van de doorgang (waar die uitkwam op de loggia beneden) het aanzien en de geur van een kade gaven, werden door Piero keurig aan weerskanten van de trap opgestapeld, waar ze als twee golvende pilaren tegen de muur stonden. De Venetianen hadden Maria uit Petrelle zo goed in hun midden opgenomen dat ze hen overtrof in rommel maken rondom hun nest, waardoor ze een steeg uit de Serenissima herschiep met bergen afval, die in kleurige hopen lagen weg te rotten. Er lagen altijd offergaven op het altaar van de zeebries: losse stukjes papier en stof die konden wegwaaien en aangrenzende stukken terrein in beslag konden nemen, op verafgelegen plaatsen terecht konden komen, waar het afval van de uitgeplozen schatten bleef liggen en zich een vislucht verspreidde. Met kerst, Pasen en oud en nieuw, de Redentore en de feest- en hoogtijdagen van de lagune versierden Giovanni, Piero en Florido de doorgang en de omringende muren met papieren slingers en linten, met brokaatpapier en hulst, brem en jeneverbes. Als het feest achter de rug was, bleef de versiering hangen. Die werd losgetrokken door de wind, flapperde en werd grauw van het stof en veranderde het aanzien van mijn nog altijd onvoltooide, schitterende paleis in een verwaarloosde achterbuurt.

Met de komst van Vitelli veranderde dit alles echter. Ik werd 's ochtends wakker door het geluid van vegende bezems. Alle vertrekken en gangen werden schoongeveegd. Alle afval werd door jongens met lange, puntige stokken weg geprikt. Alles wat aan het rotten was werd opgeschept en verbrand. De veren en koppen van ontelbare kippen werden verbrand. De grote potten en kookketels voor de stoofpotten van de werklieden werden met as schoongeschuurd. Het materiaal dat over de voorhof lag verspreid werd keurig opgestapeld. De zakken met kalk, gips en *scagliola* werden in daarvoor bestemde ruimtes opgeslagen.

Het ontbijt, dat gewoonlijk bestond uit koffie en vers focacciabrood en werd opgediend in het getto waar ik met Giovanni de plannen voor de dag besprak, werd voor het eerst in de maagdelijke ontbijtkamer genuttigd, waar Giovanni eerst mij en toen Vitelli binnenvoerde alsof we dat elke dag zo deden. Er stond een feestmaal klaar van verse broodjes en croissants, koffie, melk, chocolademelk, honing, boter, kersenjam en plakjes pecorino en er stond een schaal fruit op het ongerepte kanten kleed uit Burano, dat was gedekt met de borden van Limoges-porselein,

die ik niet meer had gezien sinds ik ze had gekocht van de eigenaar uit Lyon, die probeerde de deurwaarders weg te houden van
de waterpoort aan het Canal Grande.

Florido, die vier jaar lang als kampmeester had gefungeerd en
toezicht had gehouden op de vier jongens en drie vrouwen die de
troepen van eten voorzagen, droeg zijn commando over aan zijn
eerste assistent en werd mijn kok. Zijn grofgeweven werkbroek,
de grote laarzen en het jute werkschort dat hij meestal droeg, werden afgedankt en vervangen door een verblindend witte voor-
schoot die tot zijn enkels reikte en hem de aanblik gaf van een chi-
rurg in afwachting van een operatie. De grote keuken, die dat tot
nu toe alleen in naam was geweest, werd tot leven gebracht. Een
aantal grote eiken werd in stukken gehakt en naar een aangren-
zend vertrek gebracht, er werd een vuur aangelegd, het spit werd
geolied, de roosters werden opgesteld en tafels neergezet. Een
marmeren plaat die minder dik, maar niet minder lang was dan
een van de platen op de overloop, werd op een onderstel gezet in
het midden van de plavuizen vloer. Florido was in zijn element.

Binnen een week werden een stuk of twintig kamers die hadden leeggestaan volledig ingericht. Er werden Perzische tapijten
uitgerold, meubels werden uitgepakt, gordijnroeden van goud en
ebbehout opgehangen, beelden, sokkels, schilderijen, gravures,
wandkleden, perkamentrollen en miniaturen vonden allemaal
hun weg naar boven. Ik was ze vergeten, ook al had ik er in het
verleden jacht op gemaakt. Ze hadden zo lang in een opslagruimte gestaan dat ze in vergetelheid waren geraakt als in een uitdragerij, maar elk stuk dat te voorschijn kwam leek er thuis te
horen alsof het voor Quarata gemaakt was. Vertrekken die een
loos bestaan hadden geleid kregen zo'n specifiek karakter dat het
leek of ze altijd zo weelderig waren geweest en ik ze kant en klaar
had geërfd in plaats van ze zelf te bouwen. En omdat ze zoveel
karakter uitstraalden, vroegen ze ineens om een naam. Vitelli
werd hun peetoom. We doopten ze samen; de blauwe kamer, de
rode salon, de Venetiaanse kamer, de Arabische kamer, de Chinese kamer.

Voor de komst van Vitelli waren er mijn kamers geweest, en de bibliotheek, de balzaal in wording, de toekomstige keuken, het getto, het onderkomen van de werklieden, de kamers van Donna Donatella en de drie torens. De toren van de wind herdoopte ik tot 'Vitelli's toren'. Het onderkomen van de werklieden in de kelder en op een deel van de eerste verdieping van de zuidvleugel had prachtige gewelfde plafonds met uitgehakte lelies op wapenschilden onder elk timpaan. Het waren prachtige, lichte vertrekken die de werklieden hadden betrokken toen tijdens een strenge winter bleek dat hun slordig getimmerde barakken te koud waren. De term 'barakken' was blijven hangen en dat zou ook zo blijven, net als Piero's hoek altijd het getto genoemd zou worden.

Vitelli was dol op het paleis en hij zwierf erdoorheen en betastte de muren met oneindige tederheid. Al het beeldhouwwerk van mijn hand werd door hem gestreeld.

Toen we in de gevangenis hadden gezeten, had ik gedacht dat Vitelli medelijden met me had. Ik wist dat hij me aardig vond en ik had toen gehoopt dat hij trots op me zou zijn. We voelden affiniteit met elkaar. Omdat hij het woord bij me had geïntroduceerd, kwam het in de plaats van het woord dat ik zou hebben gebruikt en verving het ook de gedachte erachter. Ik hield zoveel van Donna Donatella dat het woord liefde erbij in het niet viel. Ik had sinds mijn verblijf in Venetië niet meer nagedacht over mijn relatie met Vitelli, niet over wat ik voor hem voelde of hij voor mij. Hij was de berg waaruit ik mijn steen houwde. Hij maakte ideeën bij me los. Ik had hem gemist. Ik had hem gemist sinds hij afscheid van me had genomen en me de gevangenispoort had uitgestuurd om alleen naar Venetië te gaan. De gedachte dat hij mij niet miste, maakte het gemis des te pijnlijker. Toen we aan elkaar vastgeketend waren, had hij tijd aan me besteed en zijn kennis met me gedeeld. Maar zodra we vrij waren om onze eigen weg te gaan, was hij verdwenen. Ik had mijn herinneringen aan hem gekoesterd, van hem gehouden en ik had hem gemist. Het was een grote schok te ontdekken dat Vitelli over me had gewaakt en me ook had gemist.

In de gevangenis was hij altijd terughoudend geweest over zichzelf en zijn familie. Ik had geleerd daar niets over te vragen. Als het om zijn ideeën ging, kon ik alles vragen, maar niet als het om zijn gevoelens ging. In Quarata leek hij er behoefte aan te hebben om te praten. Hij wilde meestal alleen zijn als hij door het huis zwierf, maar als hij door de ontluikende tuin en over het pas aangelegde terrein liep, wilde hij graag dat ik meeging.

Op een dag hadden we door de ommuurde tuin gewandeld en hadden het laatste fruit van de herfst bewonderd dat de nieuwe bomen zo prachtig hadden voortgebracht. Hij had allerlei plannen voor de tuin, die hij uitvoerig met me besprak. Hij was dol op fonteinen, en op zijn aandringen liet ik de mannen pijpleidingen aanleggen naar plekken die over de hele tuin verspreid lagen. In navolging van het voorbeeld van mijn leermeester gebruikte ik de doopvonten die ik in Venetië had verzameld en liet ze door de marmerwerkers doorboren, zodat ze de vijvers en bekkens konden sieren die om het paleis waren aangelegd. Uit de eerste daarvan kwam al water, zeer tot Vitelli's verrukking.

Op een vijverrand van pietra serena gingen we zitten en namen zwijgend het uitzicht in ons op, terwijl er over de heuvel een ijle herfstmist kwam opzetten, die in golven over het terras kwam, de laan met de granaatbomen met zijn rode bolletjes aan het oog onttrok, de Indiase johannesbroodboom die Vitelli van een uitstapje naar Arezzo had meegebracht verstikte, de grijze tuinmuur versluierde en wegvloeide naar de voorhof. Er zat kou in de lucht die met de mist was meegekomen en die de warmte van de wegstervende oktoberzon opzoog als een spons.

'Voor ik jou ontmoette, Gabriele, had ik mijn vrouw en mijn zoon verloren.'

Ik wist niet eens dat hij een gezin had gehad.

'Ik had op jeugdige leeftijd een gelukkig huwelijk gesloten, maar toen nam ik een maîtresse die al mijn tijd opeiste. Mijn maîtresse was de politiek. Ik raakte daar zo aan verslingerd dat het mij en mijn vrouw uit elkaar dreef.

Herinner je je nog dat ik je vertelde over de opstand van 1848 die mislukte en dat Garibaldi en de anderen moesten vluchten? Ik heb je toen niet verteld dat ik daarbij was, en evenmin dat het een veldtocht was die twee jaar geduurd heeft. Van Nice naar Milaan, toen naar Bologna, naar Romagnola en naar Rome. Het waren opwindende tijden voor Italië en voor mij. Ik was brooddronken van onze overwinningen en de kans Italië voorgoed van de Oostenrijkers te bevrijden. Overal offerden mensen zoveel op voor de goede zaak. Ik wist dat mijn gezin eronder leed dat ik weg was. Mijn zoon was tien. Mijn vrouw schreef me een brief, ze smeekte me terug te komen, ze had me nodig. Maar het Franse leger werd op ons afgestuurd. In het zuiden waren we teruggedreven. We behielden de stad en hadden de bevolking aan onze kant, bereid om voor de zaak te sterven. Ik geloofde in de zaak, Gabriele, als iets wat ons leven zou veranderen, het mijne, dat van mijn zoon, mijn vrouw, van het hele land. Garibaldi zegt dat mensen eerder veranderen "door het voorbeeld te geven dan door een doctrine". Zijn doctrine bestond uit één woord: *avanti*, voorwaarts. We moesten voorwaarts en konden niet meer terug. Ik schreef haar dat ik niet kon terugkomen, nog niet, dat ik mijn kameraden niet in de steek kon laten.

In juni 1849 hielden we een maandlang stand in Rome, belegerd door de Fransen. Op de feestdag van Petrus en Paulus lanceerden de Fransen hun laatste aanval.

We verloren. We verloren, Gabriele. Alles zat tegen. Een aantal van ons vertrok 's nachts, op 1 juli, om onze leider en zijn beloften te volgen. Hij beloofde ons "geld, noch onderkomen noch proviand; ik bied honger, dorst, gedwongen marsen, veldslagen en de dood." Hij sprak de waarheid. Vechtend trokken we door Italië naar de Alpen, geteisterd en achtervolgd door de Fransen, de Oostenrijkers en de Spanjaarden.

Pas in september vertrok Garibaldi per schip naar Elba, geliefd maar voorlopig verslagen. Hij verloor zijn vrouw tijdens die veldtocht, en ik de mijne.'

Vitelli zweeg en krabde met zijn nagels aan de steen.

'Toen ik terugkwam in Piëmonte, waar ik woonde, was mijn vrouw bezweken aan de koorts. Mijn zoon had haar dood alleen moeten dragen. Ik had hem in de steek gelaten en haar ook en ik kon de klok niet terugdraaien om haar te vertellen hoeveel ik van haar hield... Ik had haar in de steek gelaten. Mijn zoon had me het laatst geschreven. Zijn brief was door de blokkade gekomen. "Kom naar huis, mamma heeft je nodig." Ik dacht dat ze wel kon wachten, dat hij kon wachten. Ik dacht dat ze het wel zou begrijpen.

Als ze zong, trilde haar keel als die van een kwartel. Als ze mandoline speelde, verstilde de lucht om haar heen alsof de hele wereld in haar ban was. Als ze liep, zwaaide ze met haar armen als een speelgoedsoldaatje, en als ze lachte, sprongen de tranen in haar ogen. Als ze huilde, deed ze dat in stilte. Ze was zwak van gestel, maar wist haar zwakheid te verbergen. Ze was bang voor ziekten, bang voor donkere kamers. Ze bracht uren in de tuin door. Ze hield zoveel van bloemen dat ze zei: "Bloemen zijn mijn lust en mijn leven." Ze had onze zoon gevraagd me te schrijven of ik naar huis kon komen. Ik schreef terug dat ik spoedig zou komen. Maar spoedig was niet spoedig genoeg; ze was overleden.'

27

Donna Donatella kwam naar Umbrië, naar Quarata. Ik voelde het alsof haar voeten al over de berg bij Petrelle renden, struikelend over stenen, wit, poederachtig stof opwerpend op haar weg door de bossen om haar neef Vitelli te bezoeken, mij te bezoeken.

De meidoornbessen hingen scharlakenrood aan de takken en de vuurrode rozebottels wiegden aan de doorntakken. De eikebladeren waren roestbruin, en de takken zaten vol met galappels. De eikels hingen zwaar aan de bomen, en de walnoten bungelden in hun groene omhulsel heen en weer, klaar om te vallen. Langs de paden zag je de laatste, met kalk bestoven verschrompelde bramen. Het kreupelhout stond vol met paardestaarten, varens, heide en cyclamen en tientallen gekleurde paddestoelen. Watersnippen, houtsnippen, patrijzen en fazanten scharrelden door deze begroeiing en vielen ten prooi aan Piero en zijn bataljon van jagers en honden, die hun longen volzogen met de zuivere Umbrische lucht. De voorraadkamer raakte gevuld, en er was genoeg om aan het spit te rijgen.

Vitelli en ik brachten heel wat weken in de bossen door, keken toe hoe het meer voor het laatst werd uitgediept, en toen het beekje zijn oude loop had hernomen, zagen we het centimeter na centimeter volstromen. Het leek erop dat het nooit vol zou komen en erbij staan toekijken werd eerder een frustratie dan een plezier. Het was een poeltje, een modderig poeltje, en het water bleef wegsijpelen in de door de zomer uitgedroogde grond. Uiteindelijk begon de aarde haar sappen terug te geven. Ik zou het geheel graag de rug hebben toegekeerd, maar Vitelli keerde er steeds naar terug. Hij liep zorgelijk om het gebied heen en wilde zijn stempel erop drukken door bomen aan te planten. Hij bestelde een heleboel cipressen om een laan aan te leggen die van de voorhof van het paleis naar het meer leidde. Daar waar het land drassig was, koos hij een open plek uit om gemengde coniferen te planten die tegen de helling op zouden groeien tot waar een paar wilde kersebomen stonden. Vanaf het laagstgelegen deel van het meer, achter een strook seringen, legde hij op een steile helling een eikenbos aan en toen een kilometer wandelpad omgeven door buxus. Achter het paleis zelf, voorbij het deel waar de gazons moesten komen, kwamen nog meer cipressen, zes rijen dik.

'Over honderd jaar zullen mensen jouw paleis en mijn bomen zien. Het is een troost te weten dat zij er nog zullen staan als ik er niet meer ben.'

Een maand lang was hij bezeten van bomen. Vitelli kende de namen van bomen die ik nog nooit had gezien: mammoetbomen, Libanese ceder, magnolia grandiflora, ginkgo en dadelpalmen. Hij legde op de noordelijke helling een olijfgaard aan in een patroon dat zich uitstrekte tot aan de rivier, en een wandelroute langs een kronkelend beekje met hazelaars. De resterende tuinen legde hij aan in een geometrische uitleg en hij plantte hibiscus en oleanders en bracht latwerken met jasmijn langs de paden aan. Hij maakte een siertuin met ingewikkelde patronen met witte rozestruiken, en nog een met geurige kruiden. Daarna liet hij mij pergola's van ijzer of steen ontwerpen die even gecompliceerd waren als de torens die ik had bedacht. Daar liet hij blauweregen en wingerd planten, clematis, kamperfoelie en klimrozen. Voor de vijvers waar de fonteinen stonden, kocht hij witte waterlelies, goudvissen en gevlekte karpers.

Hij werkte zo hard aan het ontwerp van de tuinen, het ordenen, controleren van afmetingen en het indelen van het terrein, dat ik voor zijn gezondheid vreesde. Ik wist niet wat hem scheelde, en dat vertelde hij me ook niet, maar het was duidelijk dat hij zwakker werd. Hij was kortademig en zijn ogen schitterden. Bij het avondeten had hij altijd een flinke kleur, maar tijdens het ontbijt en de rest van de dag zag zijn huid asgrauw. Als hij zich op het terrein bevond of de trappen opliep, bleef hij soms staan en legde zijn hand tegen zijn zij. Als hij voelde dat hij hierbij werd gadegeslagen, haalde hij zijn schouders op en glimlachte, maar als dat niet het geval was, sloeg hij zijn armen om zijn ribben heen en fluisterde wat. Tijdens gesprekken viel hij weleens een paar minuten in slaap om wakker te worden met een trieste, lege blik in zijn ogen.

Toen ik erop aandrong dat hij rust moest nemen, te vertellen wat zijn plannen waren en mij die te laten uitvoeren, schudde hij zijn hoofd.

'Deze tuin is mijn laatste wilsbeschikking en testament. Ik heb verder niets na te laten. De volgende zomer staat alles in bloei en dat zou ik graag willen meemaken. Ik zal met mijn nichtje Donna Donatella in de tuin wandelen. Wil je een oude man dat genoegen ontzeggen?'

Toen de lagune klaar was, nam hij een heleboel werklieden mee om stenen in de tuin te leggen. Op de terrassen ontwierp hij balustrades en treden, die uiterst gecompliceerd waren met bogen en prieeltjes, nissen voor beelden, zuilen en plateaus met ingebouwde zitplaatsen. Hij stroopte de voorraadkamers af op zoek naar torsen en beelden, urnen en sokkels. Er werden tapijten van graszoden gelegd en paden van leisteen voor de rijtuigen.

Half december heerste er strenge vorst. Elke ochtend tooide deze Vitelli's tuin met dikke kristallen. De kou maakte dat de steen ging zweten en bedekt raakte met een ijslaag zo glad als vernis. Vitelli bekeek de tuinen vaak vanuit het paleis, waarbij hij van kamer naar kamer en van verdieping naar verdieping ging om te zien hoe elk deel er van bovenaf uitzag en liet zijn voetstappen in het ijzige gruis achter. Meestal bleef hij na het ontbijt nog wat zitten, nam snel zijn plannen voor die dag door en riep de hulp van Giovanni in om de mannen aan het werk te zetten en klusjes voor hem te doen. Hij werkte nu al twee maanden aan één stuk door en nam zelfs op zondag geen rust. Op een dag was het vuur in de ontbijtkamer ondanks het vroege uur al opgebrand tot een gelijkmatige gloed, en toen Vitelli er genoeg van had om uit het raam naar de bloemperken te staren, trok hij zijn mantel niet dicht om zich heen om naar buiten te gaan, maar drapeerde hem over zijn schouders en ging bij het smeulende vuur zitten.

De verhouding tussen Vitelli en Giovanni was vele maanden voorzichtig geweest. Ze keken allebei de kat uit de boom en waren misschien wat jaloers. Net als gondels die elkaar passeren, kwamen ze bijna tot botsing, waardoor er krassen op de lak konden komen, maar ze wisten allebei zo goed koers te houden dat geen van beide vaartuigen ooit beschadigd raakte. Toen het winter werd, waren ze van tegenstanders vrienden geworden.

Giovanni zei over hem: 'Die kolonel Vitelli van u kan uitleggen als de beste. Ik denk dat hij de sterren uit de hemel kan verklaren. Hij vraagt nooit iets, maar legt van alles het hoe en waarom uit. Hij is een man van de rede zoals ik er nooit eerder een heb gezien, en de rede knaagt aan hem. Hij wordt erdoor uitgemergeld. Hebt u gezien hoe mager hij is?'

'Giovanni, breng me wat cognac en sigaren. Ik blijf vandaag binnen,' zei Vitelli.

Giovanni was net zo verbaasd als ik, maar we zeiden niets. Vitelli zei geen woord, maar staarde in het vuur. Er verstreek een poos, en Giovanni bleef wachten, verlangend naar een verklaring. Toen de cognac niet kwam, keek Vitelli op.

'Ik blijf binnen tot mijn nichtje komt. Het is te koud om nog te tuinieren.'

Toen Giovanni de kamer uit was, zei ik: 'U bent ziek, Vitelli, zal ik een dokter laten komen?'

'Hmm!'

Ik voelde me buitengesloten omdat hij zo gefascineerd naar het haardvuur staarde. Toen ik echter net als hij strak in het smeulende vuur staarde, leek ik er ook in op te gaan.

'Ze zal wel gauw komen. En met mij zal het wel gauw gedaan zijn. Er is een tijd geweest dat ik van deze streek hield, dat ik het land goed kende. Ik wilde dat jij Quarata zou krijgen. Blijf rustig zitten, dan zal ik je wat vertellen.'

Ik ontspande me.

'Mijn zoon was van jouw leeftijd en leek ook qua uiterlijk op je. Hij heeft me nooit helemaal vergeven dat ik weg was toen zijn moeder doodging, evenmin als ik mezelf dat heb vergeven. Dat maakte het heel moeilijk om te praten. Ik heb je verteld dat ik een gokker ben. Ik had vroeger bijna net zoveel geluk als jij. Maar mijn geluk nam op het verkeerde moment een wending, en toen heb ik mijn zoon verloren. Hij was aanwezig bij de schermutseling waardoor ik in de gevangenis belandde. Ik had een risico genomen en was ten val gebracht. Bijna de helft van mijn mannen kwam die dag om het leven. En mijn zoon hoorde daar ook bij. De vijand had het hogergelegen terrein in handen, maar hun manschappen waren vermoeider dan de mijne. Die hadden sinds de vroege ochtend onder vuur gelegen. Maar in aantal waren we gelijk, dat dacht ik althans. In onze gelederen deed het gerucht de ronde dat er versterking was binnengesmokkeld. Ik gokte erop dat dat slechts bluf was. Ik gokte, en zij wonnen.

Toen de pausgezinden me te pakken kregen, wilde ik niet meer leven. Ik wist dat zij van hun meesters, de Fransen, bevel hadden gekregen hun gevangenen te executeren. Ik hoopte dat ze me zouden doodschieten.

Toen jij die ochtend voor het vuurpeloton werd geleid, Gabriele, wilde ik dolgraag je plaats innemen. Ik herinner me zo duidelijk hoeveel je op mijn zoon leek toen je naar de deur liep. Ik dacht even dat hij het was die zo langzaam werd weggevoerd. Hoe anders zou ik het doen, dacht ik, als ik maar de kans kreeg alles opnieuw te doen, opnieuw vader te zijn. En toen brachten ze je terug en gaven me die kans. Door jou heb ik opnieuw geleefd.

Ik wist toen dat de goede zaak vroeg of laat moest zegevieren. De Fransen zouden verdreven worden, Italië zou verenigd en vrij zijn. Mijn liefdesgeschiedenis met de politiek was voorbij. Er waren nog twee mensen op de wereld om wie ik gaf: jij en mijn nicht Donatella. Ik was aan jou geketend, en jij aan haar.'

Giovanni kwam luidruchtig binnen met de karaf cognac op een presenteerblaadje. Florido's wolf was losgebroken en probeerde zich met hem door de deuropening te wringen. Giovanni deed zijn best hem onder controle te houden. Vitelli staarde weer in het vuur. Zijn anders zo bleke wangen zagen rood van de warmte. Toen Giovanni wegging en terugliep naar de eetkamer, onderwijl op de gang de wolf uitkafferend, kwam Vitelli in beweging en schonk twee glazen in.

'Op het nieuwe jaar!' zei hij en nipte van zijn cognac, 'en op zoveel andere dingen.' Hij dronk zijn glas leeg en huiverde.

'Als ze komt, zal ze je vertellen dat dit land aan mij heeft toebehoord. Ik heb haar verteld dat ik het aan jou heb gegeven, alsof je mijn zoon was.'

'Van u?'

'Ja.'

'Waarom dan?'

'Jij won.'

'Maar waarom, Imolo?'

'Je won altijd. Ik wilde dat je het zou krijgen. Ik wist dat je zou winnen. Ik had er niet op gerekend dat je zo lang in Venetië zou blijven. Net zomin als ik had verwacht hoe leeg mijn leven na de gevangenis zou zijn. Ik...'

'Maar ik heb op u gewacht, waarom hebt u me niet opgezocht?'

'Ik heb je toch opgezocht, Gabriele?'

'Ja, maar waarom hebt u zich niet eerder vertoond?'

'Wat moest ik tonen? Avanti, voorwaarts, dat is de enige weg die je kunt gaan. Jij ging voorwaarts, maar ik ging nergens naar toe. Ik was sinds mijn jongensjaren niet meer in Quarata geweest. Het zou voor mijn zoon geweest zijn, niet voor mij.'

'Maar ik heb u tot de bedelstaf gebracht.'

'Bijna wel, verdorie!'

'Waarom konden we hier niet samen naar toe gaan om hier samen te bouwen?'

'Ik wilde graag dat je je paleis zou bouwen. Ik vond dat je dat moest doen. Dat zou je uitsluitend doen als je er alleen was. Nu je bijna klaar bent, ben ik er. Ik heb Donatella geschreven dat ik ziek ben; ze zal weldra komen en ze zal vaak komen. Ze weet dat ik meer van je houd dan van wie ook ter wereld. Ze ligt me na aan het hart. Ze zal elke dag komen. Je hebt tot de zomer de tijd om haar hart te winnen. Je hoeft slechts haar voetstappen naar haar kamers te leiden. Ik heb haar verteld over het paleis, de lagune en de gondel. En over de tuin.

Ik wil dat je je mij herinnert in dingen die je kunt aanraken. Ik heb haar verteld dat je het paleis als eerbetoon aan de liefde hebt gebouwd. Ze schrijft dat ze hoopt dat je haar een rondleiding door alle kamers wilt geven.

Ze komt over drie dagen. Ik moet rusten voor ze komt. En bedenk wel dat je haar je hele leven hebt bemind als een schim. Houd niet van haar als droombeeld, bemin haar als vrouw en je zult vervulling vinden in wat je begonnen bent. En als ze hier komt, moet je haar beschouwen als een vrouw die met beide voeten stevig op de grond staat.' Hij sloeg zijn mantel om zich heen en stond op. 'Ik ben moe.'

De drie dagen daarop werden door Vitelli grotendeels slapend doorgebracht. Ik haalde mijn gereedschap te voorschijn uit de kist onder mijn bed en pakte de set beitels waarmee ik het prettigst werkte. Toen nam ik het paar zijden muiltjes dat Maria di Petrelle op mijn verzoek uit de kast met Donatella's spullen in het kasteel had gehaald. Ik maakte afdrukken van haar muiltjes in steen, hakte met mijn gereedschap haar voetstappen uit. Ik maakte een spoor van haar voetstappen naar haar vertrekken, over de marmeren en terracotta vloeren naar de schoorsteenmantel. Ik liet Giovanni de open haarden in haar appartement aansteken evenals elders in het steenkoude paleis, in afwachting van haar bezoek. Er waren heel wat in steen verzonken voetafdrukken te maken. Ik werkte dag en nacht door, hakte in de kou bij kaarslicht verder om de engel uit mijn dromen op aarde te doen neerdalen. Elke afdruk moest een exacte afspiegeling zijn van haar voet. De uithollingen moesten niet zo diep zijn dat ze erdoor zou kunnen struikelen; ze moesten alleen het gevoel van de steen overbrengen.

'Hoe welgevormd zijn je voeten in je sandalen, prinses! De ronding van je heupen is als een halssnoer, gemaakt door een kunstenaar.'

Terwijl ik de eerste steensplinters uit het poreuze travertijn hakte, hoorde ik Vitelli's stem nog in mijn hoofd naklinken, mijn gedachten omhullend als nevel uit zee. De stem kalmeerde me zoals hij me in mijn cel had gekalmeerd en spoorde me aan.

'Donna Donatella komt op de dag van Sint-Felix. Jij bent dan eenendertig en zij is drieëndertig.'

Door de kou verschenen er condensdruppels op het marmer. De warmte van Giovanni's haardvuren was nog niet tot de gangen doorgedrongen.

'Je hebt haar een aanzoek in steen gedaan. Je kunt haar het hof maken door je werk, maar je moet ook woorden zien te vinden. Donatella was geketend aan een man die zelfzuchtig van aard was, karig met tederheid, krenterig in woorden en gebaren. Woorden zijn de bouwstenen en specie van de liefde. Elke dag kan het leven de zandkorrels van de liefde wegspoelen en een man of vrouw niets anders dan een lege zeef nalaten. Woorden zijn de goudklompjes die achterblijven, voldoening bieden en geliefden voorthelpen van de ene zandbank naar de andere. Houd niets voor vanzelfsprekend.

Als ze de jouwe is, blijf haar dan het hof maken en wees gul van hart, dat is een veel groter geschenk dan alle goud en steen in Umbrië.

Ik hoop nog mee te maken dat jullie in het huwelijk treden en dat ik de lelies kan zien bloeien.'

Ik wreef het vochtige gruis van de steen.

'Kom snel, mijn lief, wees als de gazelle of het hertejong op de bergen met de kruidenplanten.'

'Je moet me begraven op het kerkhof in Morra en een engel beeldhouwen voor mijn graftombe.'

Een engel met dijen als '... zuilen van albast, rustend op voetstukken van zuiver goud. Zijn gestalte is als de Libanon, rijzig als de ceders. Zijn mond is een en al zoetigheid. Hij is de aantrekkelijkheid zelf.'

Mijn hand staat helemaal naar de acht zijden van de sleetse beukehouten greep van mijn beitel. Het travertijn zal tegen de welving van haar voeten drukken. Haar voeten zullen het spoor van mijn hand volgen. Dan zal mijn hand volgen waar de steen haar heeft gestreeld.

'Gabriellino is het enige kind in je huis. Hij heeft nog niet op water leren lopen. Hij zal met Donatella in de rozentuin lopen. Hij zal je helpen haar voor je te winnen. Ze zou zielsgraag zelf een kind hebben.'

Ik ben nog eens licht over het terracotta gegaan en heb hier en daar nog iets weggehakt zodat ze haar voeten met de tere muiltjes geen pijn kan doen.

Vroeger kon ik zelfs in mijn dromen de zijde van haar rokken niet oplichten. Daarna was er een tijd waarin ik de stof elke nacht oplichtte. Als ze komt, zal ik haar rokken telkens weer oplichten in de vertrekken die ik voor haar heb gemaakt. Ik zal het ritme van de steen opwekken en haar ermee vervullen. Ik zal haar als een vrouw beminnen: de enige vrouw van wie ik ooit heb gehouden. Als haar schoot geen vrucht kan dragen, zal dat niet door laksheid komen. 'Ik ben van mijn lief en mijn lief is van mij.'

Ik ben drie voetstappen verwijderd van de drempel van haar vertrekken. Als de geringste oneffenheid van deze voetafdrukken is weggevijld, zal al het werk aan het paleis worden stopgezet. Bij zonsondergang zal Piero dat door tromgeroffel kenbaar maken.

Donna Donatella komt, en ik besef nu dat de zuidvleugel nooit voltooid zal worden. Het is altijd een droompaleis geweest en, net als een droom, zal het geen einde kennen.